PREVENCIÓN Y TRATAMIENTO DE LA DELINCUENCIA:

ACTIVIDADES PRÁCTICAS

ESTUDIOS DE CRIMINOLOGÍA

Ana María Rosser Limiñana (coord.)

Raquel Suriá Martínez

La presente edición ha sido revisada atendiendo a las normas vigentes de nuestra lengua, recogidas en la *Ortografía de la lengua española* (2010), *Diccionario Panhispánico de Dudas* (2005) y *Diccionario de la Real Academia de la Lengua Española* (2001). Estas dos últimas están en proceso de adaptación a la *Nueva gramática de la lengua española* (2009) y a las normas de la nueva edición de la *Ortografía de la lengua española* (2010).

Prevención y tratamiento de la delincuencia: Actividades prácticas

© Ana María Rosser Limiñana (coord.)

ISBN: 978-84-15941-99-6
Depósito legal: A 48-2014

Edita: Editorial Club Universitario Telf.: 96 567 61 33
C/ Decano, n.º 4 – 03690 San Vicente (Alicante)
www.ecu.fm
ecu@ecu.fm

Printed in Spain
Imprime: Imprenta Gamma Telf.: 965 67 19 87
C/ Cottolengo, n.º 25 – 03690 San Vicente (Alicante)
www.gamma.fm
gamma@gamma.fm

ÍNDICE

1. Introducción. La asignatura de prevención y tratamiento de la delincuencia..5

2. Temario de la asignatura de prevención y tratamiento de la delincuencia.... 7

3. Cómo utilizar este libro.. 9

4. La delincuencia. Etiología de la delincuencia..11

5. La prevención de la delincuencia.. 23

6. Tratamientos aplicados a infractores juveniles I. Tratamientos privativos de libertad.. 25

7. Tratamientos aplicados a infractores juveniles II. Medidas en medio abierto... 33

8. Tratamientos extrajudiciales.. 37

9. Tratamientos en situaciones privativas de libertad 43

10. Tratamientos en situación de libertad 47

11. Evaluación de intervenciones y tratamiento de la delincuencia............ 51

12. Práctica trasversal 1 55

13. Práctica trasversal 2 65

14. Anexos.. 69

1. INTRODUCCIÓN.
LA ASIGNATURA DE PREVENCIÓN Y TRATAMIENTO DE LA DELINCUENCIA

La asignatura pretende hacer un análisis del fenómeno de la delincuencia. Tras el desarrollo conceptual y la profundización sobre los factores que la acompañan, la asignatura se centra en los modelos de prevención, la planificación, gestión y evaluación de los programas de prevención de la delincuencia, así como en el tratamiento e intervención con delincuentes.

OBJETIVOS:

- Analizar los diferentes modelos de prevención y tratamiento de la delincuencia y sus fundamentos teóricos.
- Examinar experiencias prácticas más representativas de la prevención y tratamiento de la delincuencia mediante el estudio de investigaciones empíricas y extraer conclusiones sobre su eficacia.
- Proveer y utilizar recursos teóricos como apoyo analítico crítico para el desarrollo de programas de prevención y tratamiento de la delincuencia.

PLANIFICACIÓN DE LA ASIGNATURA

La asignatura de Prevención y Tratamiento de la Delincuencia en la licenciatura de Criminología es una asignatura troncal que consta de 4.5 créditos, 2.5 de ellos teóricos y 2 prácticos.

Créditos teóricos

- Los créditos teóricos se impartirán en las clases mediante la exposición de los puntos principales de cada tema por parte del profesorado y el análisis crítico de los contenidos, propiciando el debate en el alumnado.

Créditos prácticos

- Los créditos prácticos tienen como objetivo dar a conocer experiencias prácticas más representativas de la prevención y tratamiento de la delincuencia, mediante el contacto y discusión con profesionales en ejercicio, y el conocimiento de experiencias y trabajos de investigación de los que extraer conclusiones sobre su eficacia, así como la profundización en la materia de cada uno de los temas.

2. TEMARIO DE LA ASIGNATURA DE PREVENCIÓN Y TRATAMIENTO DE LA DELINCUENCIA

La asignatura se desarrolla a lo largo de ocho grandes temas

Tema 1. La delincuencia. Etiología de la delincuencia.
Concepto de la delincuencia. Los trastornos conductuales en los adolescentes. Características, problemas asociados y factores de riesgo en los trastornos de conducta. Causas de la conducta antisocial. Modelos de comprensión de las conductas antisociales.

Tema 2. Prevención de la delincuencia.
Aspectos básicos de la prevención: prevención primaria, secundaria y terciaria. Modelos de prevención: modelo de apoyo social, modelo de desarrollo social.

Tema 3. Tratamientos aplicados a infractores juveniles I.
Introducción a la ley de responsabilidad penal de los menores. Tratamientos en situaciones privativas de libertad: principios de actuación. El internamiento en régimen cerrado, semiabierto y abierto. El internamiento terapéutico.

Tema 4. Tratamientos aplicados a infractores juveniles II.
Tratamientos en situaciones de libertad: principios de actuación. La libertad vigilada, prestaciones de servicio en beneficio de la Comunidad. Otras medidas de medio abierto.

Tema 5. Tratamientos extrajudiciales.
Los programas de reparación y conciliación víctima-delincuente: hacia un modelo de justicia restaurativa.

Tema 6. Tratamientos a infractores mayores de edad en situaciones privativas de libertad.

Los sistemas progresivos: principios conductuales, objetivos y características.

Los sistemas individualizados: principios psicológicos, objetivos y características.

Tema 7. Tratamientos a infractores mayores de edad en situación de libertad.

Críticas a los modelos de tratamiento en privación de libertad. El control social y el tratamiento en libertad. Experiencias en medio abierto.

Tema 8. Evaluación de intervenciones y tratamiento de la delincuencia.

Eficacia de los tratamientos. La reincidencia: mitos y realidades. Las dificultades para la evaluación de los programas de tratamiento.

3. CÓMO UTILIZAR ESTE LIBRO

A lo largo de este libro se proponen diferentes actividades orientadas al análisis crítico de los contenidos teóricos de la asignatura de Prevención y Tratamiento de la Delincuencia, a partir de la lectura de textos científicos y el estudio de casos prácticos.

Hemos tratado de diseñar actividades que cubran todos los temas abordados.

Se ofrecen, también, unas prácticas trasversales que permiten el análisis conjunto de los contenidos de diferentes temas.

Los contenidos teóricos de referencia se encuentran compilados en otro volumen[1]. No obstante, cada tema y cada actividad van precedidos de una introducción explicativa y de una bibliografía de referencia que permiten la utilización de este libro de forma independiente.

Los materiales de trabajo son accesibles para el estudiante, bien porque se incluyen en el texto o en los anexos, o bien porque se facilita el enlace para acceder a los mismos.

---

[1] Suriá, Rosser, Moya y Segura (2012). *Prevención y tratamiento de la delincuencia: Manual de estudio*. Alicante: Editorial Club Universitario.

4. LA DELINCUENCIA.
ETIOLOGÍA DE LA DELINCUENCIA

A lo largo de este bloque temático se pretende llegar a una definición del concepto de delincuencia y los modelos de comprensión de las conductas antisociales.

Definir la delincuencia es tremendamente difícil, ya que el delito es aquella conducta definida así según el Código Penal, el cual es muy diferente según el país en que nos encontremos. Las conductas rechazadas por la sociedad se denominan conductas antisociales y no tienen por qué coincidir. El que comete un único delito no es considerado delincuente, sino aquel que los comete de forma reiterada y que es considerado antisocial por la sociedad (Echeburúa, 1998). Así, la palabra delincuencia deriva del concepto jurídico de delito, que está referido no a una conducta, sino a un acto concreto y en relación con unas figuras legales.

Sin embargo, el delito no es ni la única ni la más importante de las variables comportamentales que definen la interacción social de aquellos individuos que el sistema define o etiqueta como delincuentes.

De ahí la importancia tanto para la intervención como para la prevención de la delincuencia de los diferentes modelos de comprensión de las conductas antisociales y el estudio tanto de los factores de riesgo, que influyen de manera significativa en el aprendizaje y posterior mantenimiento de comportamientos antisociales o delictivos, como de los factores de protección, que favorecen un desarrollo adecuado y armónico del joven, previniendo el riesgo de comportamientos delictivos o antisociales.

Destacan en su estudio las clasificaciones de Andrews y Bonta (1994) y la teoría integradora de Farrington (2002), que se explican en los textos aportados para su reflexión.

BIBLIOGRAFÍA DE REFERENCIA

Andrews, D. A. y Bonta, J. (1994). *The psychology of criminal conduct* (2.ª ed.). Cincinnati: Anderson.

Echeburúa, E. (1998). *Personalidades violentas*. Madrid: Pirámide.

Vicente Garrido Genovés (2004). Jóvenes con personalidad antisocial. II Congreso Nacional de Estudiantes de Psicología Universidad Miguel Hernández. Noviembre, 2004.

Farrington, D. P. (2002). "Multiple risk factors for multiple problem violent boys", en R. R. Corrado, R. Roesch, S. D. Hart and J. K. Gierowski (eds.). *Multi-problem violent youth: a foundation for comparative research on needs, interventions and outcomes*. Amsterdam: IOS press.

Redondo y Pueyo (2007). La psicología de la delincuencia. *Papeles del psicólogo*, 28(3), 147-156.

VV. AA. "¿Qué lleva a que una persona se implique en actividades delictivas?", en *Nuevas perspectivas de intervención con menores infractores*. Madrid: Ministerio de Educación, Política Social y Deporte.

PRÁCTICA 1.
Dificultad conceptual de la delincuencia. Un dilema moral

Para adentrarnos en la dificultad de definir el fenómeno de la delincuencia se invita al alumnado a analizar una noticia que conmocionó al mundo en 1989 y generó una fuerte polémica.

La noticia, publicada en el periódico *El País* de fecha 28 de abril de 1989 (http://elpais.com/diario/1989/04/28/sociedad/609717605_850215.html), describía los siguientes hechos:

«El padre de un bebé en coma desconecta a punta de pistola el respirador que le mantenía con vida. El pequeño permanecía en coma irreversible desde que se tragó un globo que bloqueó su tráquea y dañó su cerebro».

Ante los hechos descritos, se suscitan algunos dilemas morales que tienen que ver con el concepto de delito y de delincuencia:

¿Es aceptable dejar con vida a un niño con coma irreversible?

¿Habría que mantener al niño vivo esperando avances médicos?

¿Puede una persona disponer de la vida de otra?

¿Merece, un acto ejecutado en estas circunstancias, derivar en una acusación de asesinato?

La práctica consiste en reflexionar sobre el asunto y contestar a estas cuestiones, razonando la respuesta.

PRÁCTICA 2.
Teorías explicativas del comportamiento antisocial

Como se indicaba más arriba, la psicología de la delincuencia ha destinado sus esfuerzos a la explicación del comportamiento antisocial y la relación que guardan con el inicio y mantenimiento de la actividad criminal diversos factores o predictores de riesgo.

A partir de la lectura del texto de Redondo y Pueyo (2007) «**La psicología de la delincuencia**». *Papeles del psicólogo*, 28(3), 147-156, disponible en http://www.papelesdelpsicologo.es/pdf/1499.pdf, se debe contestar a las siguientes cuestiones. Solo una de las opciones es correcta.

- La criminología del desarrollo estudia
    1. las características individuales del delincuente
    2. la relación del inicio y mantenimiento de la actividad criminal con factores de riesgo sociales
    3. la relación del inicio y mantenimiento de la actividad criminal con factores de riesgo individuales y sociales

- La finalidad del tratamiento para delincuentes es
    1. ahondar en los conflictos infantiles que provocaron su conducta antisocial
    2. romper los vínculos con personas significativas de su entorno que les llevaron a delinquir
    3. entrenar a los sujetos para superar su déficit en habilidades, cogniciones y emociones

- El modelo integrador de Farrington (1996) diferencia entre
    1. tendencia antisocial y decisión de cometer un delito
    2. el principio de riesgo, el de necesidad y el de individuación
    3. tensión, emociones negativas y conducta delictiva

- Cuando la criminología del desarrollo pone el foco en los factores de riesgo de delincuencia, diferencia entre
    1. factores dinámicos, como la impulsividad, que no pueden modificarse
    2. factores estáticos, como el consumo de drogas, que son sustancialmente modificables
    3. ninguna es correcta

- Andrews y Bonta (2006) diferencian cuatro grandes factores de riesgo, entre los que se encuentran
    1. las cogniciones antisociales
    2. las redes y vínculos predelictivos
    3. las anteriores junto a la historia individual de comportamiento antisocial y los rasgos y factores de personalidad

- Siguiendo el modelo de Eysenck, Milan (2001) señala que los individuos que tienen más dificultades para adquirir la conciencia moral son
    1. los de elevada extraversión, bajo neuroticismo y alto psicoticismo
    2. los de baja extraversión, alto neuroticismo y alto psicoticismo
    3. los de baja extraversión, alto neuroticismo y bajo psicoticismo

- Señala cuál es la respuesta correcta. La investigación realizada entre 1985 y la actualidad indica que
    1. los tratamientos psicológicos tienen un efecto significativo en la reducción de la reincidencia
    2. los tratamientos psicológicos tienen un efecto parcial pero significativo en la reducción de la reincidencia
    3. el tratamiento psicológico puede reducir la reincidencia esperada en un 75 %

- Señala cuál es la respuesta incorrecta sobre las técnicas de desarrollo moral
    1. requieren la asunción de una serie de principios éticos o religiosos
    2. su origen está en las teorías de Piaget y de Kolhberg
    3. enseñan a considerar los sentimientos y puntos de vista de otras personas

- Las explicaciones psicológicas de la delincuencia apoyan la idea de que
    1. la delincuencia se aprende
    2. existen rasgos y características individuales que predisponen al delito
    3. ambas son ciertas

- Entre los rasgos y características individuales que predisponen al delito se encuentran
    1. la etnia y clase social
    2. la baja inteligencia, la impulsividad y el trastorno de atención con hiperactividad
    3. el metabolismo de la acetilcolina

PRÁCTICA 3.
Conductas delictivas: factores predisponentes

Con el mismo hilo conductor, la **tercera práctica** consiste en la lectura y análisis del texto «¿Qué lleva a que una persona se implique en actividades delictivas?», (VV. AA. *Nuevas perspectivas de intervención con menores infractores*. Madrid: Ministerio de Educación, Política Social y Deporte), disponible en el anexo.

Tras la lectura del texto, el alumnado debe contestar a las siguientes preguntas. El test combina preguntas de respuesta múltiple y de huecos.

- El alcohol y otras drogas son un factor poderoso en la facilitación de las carreras delictivas
- ❏ Solo en personas mayores de 18 años
- ❏ Por su conexión con conductas violentas, delitos contra la propiedad privada y la marginalidad
- ❏ Cuando se asocia a un trastorno mental

- La investigación ha indicado que las variables familiares más relevantes por su correlación con la delincuencia son
- ❏ Prácticas de disciplina basadas en el castigo o inconsistentes
- ❏ Problemas de vínculo afectivo y/o hogares rotos
- ❏ Ambas son ciertas

- Al sustrato biológico de la personalidad lo denominamos
- ❏ Actividad cerebral
- ❏ *Arousal*
- ❏ Temperamento

- La teoría integradora fue formulada por
- ❏ Patterson
- ❏ Andrews y Bonta
- ❏ Farrington

- Cuando se estudian las variables que establecen una disposición a un estilo de vida antisocial consideramos

factores [   ] a los que incrementan la probabilidad de que un niño desarrolle un trastorno emocional o de conducta en comparación con los niños de la población general.

- Tener amigos antisociales, para Andrews y Bonta sería
- ❏ Un factor de riesgo estático
- ❏ Una necesidad criminógena
- ❏ Un factor de protección

- **Para Farrington, las tendencias antisociales y delictivas dependen de**
  - ☐ los procesos energizantes, los que imprimen al comportamiento una direccionalidad social y la mayor o menor presencia de mecanismos inhibitorios internalizados
  - ☐ las oportunidades y la valoración de costes y beneficios
  - ☐ ambas son incorrectas

- **Distinguimos los factores de riesgo de los factores de protección. Estos últimos...**

proporcionan una [   ] ante los factores de riesgo, fomentando patrones de conducta [   ] y [   ] .

PRÁCTICA 4.
Estudio de un caso:
Análisis de factores de riesgo y factores protectores

A partir de la lectura del texto *El Patas*, reflexiona sobre las siguientes cuestiones:

1. Cuáles serían los factores de riesgo individuales de Pablo que aparecen descritos en el texto. Indica si crees que se trata de factores de riesgo estáticos o dinámicos y por qué.

2. Cuáles serían los factores de riesgo familiares de Pablo que aparecen descritos en el texto. Indica si crees que se trata de factores de riesgo estáticos o dinámicos y por qué.

3. Cuáles serían los factores de riesgo sociales de Pablo que aparecen descritos en el texto. Indica si crees que se trata de factores de riesgo estáticos o dinámicos y por qué.

4. Indica si se dan factores protectores que, de potenciarse, evitarían la carrera delictiva de Pablo, el Patas, y descríbelos.

El Patas

Tomado de Tarín, M. y Navarro, J. J. (2006). *Adolescentes en riesgo. Casos prácticos y estrategias de intervención socioeducativa.* Madrid: Editorial CCS, pp. 51-54.

Pablo tiene quince años, es un muchacho influenciable, inmaduro y carente de responsabilidad. Le gustan el fútbol, los videojuegos y pasar largas horas con los amigos sin una ocupación estructurada. Es el tercero de cuatro hermanos. Sus padres –Carmelo y Rosa– están separados desde hace siete años, cuando su madre puso fin a la relación de pareja tras años de alcoholismo de su marido y peleas que desembocaron en malos tratos. Pablo tiene buena relación con su padre –obrero de la construcción–, pero este se comporta con él de modo muy ambivalente.

Pablo es consciente de que su padre ha intentado ganarse a él y a sus hermanos a base de regalos. Su madre es la que siempre se ha preocupado por ellos y pasa prácticamente todo el día fuera de casa –trabaja en un hipermercado y tiene turnos que en ocasiones le impiden ver a sus hijos durante varios días a la semana–. Pablo tiene una relación regular con su madre, ya que siempre está diciéndoles lo que tienen que hacer de modo muy repetitivo. El muchacho ha notado que la relación con su madre últimamente se ha deteriorado, sobre todo desde que esta encontró hachís en su pantalón. Son cuatro hermanos: Miguel, el Coppola, de diecinueve años, tuvo problemas en la adolescencia, pero desde hace dos años trabaja en una carpintería de aluminio en la zona y ya tiene contrato indefinido; Yolanda (Yoli), de diecisiete años, asiste a un Programa de Garantía Social de peluquería por las mañanas y por las tardes combina su espacio de ocio con las tareas domésticas de la casa; Pablo, el Patas, de quince años, matriculado en 3.º de ESO en el IES Azorín en horario vespertino; y Clara, de once años, matriculada en 6.º de Primaria en el CP Santa Cecilia; todos ellos residen en una pequeña y modesta vivienda ubicada en un barrio obrero situado en la periferia de Valencia azotado por el paro y la ausencia de recursos.

Pablo nunca ha sido buen estudiante, ha ido promocionando curso a curso sin haber tenido unas adaptaciones curriculares adecuadas a sus necesidades. En la actualidad y prácticamente desde el inicio de curso, está desmotivado en el aula. Cada vez es más habitual ver a Pablo *pelarse* una clase. Tiene pocos amigos en el instituto y los que le quedan están en otras clases, pues se trata de un centro de más de seiscientos alumnos. La mayor parte de sus *colegas* los conoce del colegio y alguno de ellos abandonó el instituto el curso pasado. Otros, la mayoría, se *pelan* casi todas las clases, pudiendo encontrarlos a todas horas en Las Moreras, un parque que está situado a escasos cincuenta metros del instituto y queda también cerca de su casa. Algunos de estos adolescentes ya han sido detenidos en alguna ocasión por pequeños actos delictivos y alguna pelea.

Como cada lunes, empieza una nueva semana para Pablo. El fin de semana ha sido apoteósico. El viernes estuvo en casa del Teti con unos colegas jugando a la Play Station y fumando unos *porros*. El sábado tampoco fue a jugar al fútbol con el equipo –ya hace un par de semanas que no va a entrenar y no sabe cómo decirle al entrenador que ya no quiere jugar más; así que ha decidido dejar el equipo sin avisar a nadie–. La tarde la pasó en el cíber, porque había quedado con unos *colegas* que le tenían que pasar un *perico de farlopa* para la noche. A las nueve se fue a casa, se hizo un bocata y se largó con el Morolo y Jorgito. El sábado noche lo pasó en dos discotecas de poblaciones cercanas a Valencia, se acostó a las nueve de la mañana del domingo. Se levantó por la tarde y, como su madre empezó a *comerle la cabeza*, se largó al parque de Las Moreras por si había alguien. Este ha sido su fin de semana, por lo que hoy, en la clase de Matemáticas, Pablo está bastante agobiado. En un momento en el que se queda mirando fijamente al profesor sin atender a la explicación, piensa: «¿Porqué estoy sentado todo el día delante de alguien al que no entiendo? ¿Qué pasará si mañana no vengo a clase y me voy al parque?».

Al día siguiente, Pablo decide ir al parque en la hora de *mates* porque el Chufa le había dicho que el Pitu se iba a pasar por el parque con el Dalton y el Cebri para enseñarles el *tubarro* que se ha puesto en la moto y beber unas cervezas. La tarde se alarga y entre cerveza y cerveza, cae algún que otro *porro*. Al final, no ha venido el Pitu con su moto, pero a Pablo le ha gustado más *pillar el puntillo* un martes corriente que ir a clase del de *mates*.

El miércoles, cuando Pablo llega al instituto, nadie le pregunta por su ausencia de ayer, ni siquiera el profesor le llama la atención. Pablo piensa que sus colegas están todas las tardes en el parque y… «¿por qué yo tengo que estar aquí agobiado en clase?». En la hora siguiente el muchacho decide irse al parque de Las Moreras porque tampoco le motiva la Lengua Española. Al llegar al parque, todos los chavales conocen al Patas, mientras que en el aula este es Gómez Miranda, Pablo, uno más. De nuevo, el Patas pasa la tarde bebiendo cerveza y fumando *polen* en un banco de madera carcomido por las pintadas y las marcas de los motes que los chavales inscriben mediante utensilios cortantes. No ha estado en clase en toda la tarde, pero lo cierto es que esta se ha hecho corta. Tampoco da importancia al hecho de no ir al instituto ni a las consecuencias que ello pueda tener; sencillamente, pasa. Es casi la hora de cenar, así que Pablo decide marchar a casa, ya que está hambriento tras pasar casi toda la tarde *fumando porros*. Allí, su madre todavía no ha llegado de trabajar; Miguel cenaba en casa de su novia. Como la cena que había preparado Yoli para él y Clara no era de su agrado, decide hacerse un bocadillo y acostarse. Al día siguiente, un vocerío procedente de la cocina hace despertar a Pablo. Nuevamente enganchadas a gritos, su hermana y su madre discutiendo sobre la no asistencia de Yoli al PGS, esta le dice a su madre que no acude al PGS porque su profesora le tiene manía y que por su culpa no va a poder elegir el lugar de prácticas deseado. Esta discusión pone nervioso a Pablo y, sin más, pega un portazo y se marcha de casa.

Durante la mañana poco a poco van apareciendo chavales por el parque. El Teti aparece con el Parra y, poco después, por sorpresa, pasan el Pitu y el Cebri con el casco en el brazo, y el nuevo *tubarro* de su moto, vacilando a las *nenas* que acababan de salir del instituto. El Pitu dice que se «lo ha pillado de extranjis» y que ahora la moto, con *el 16* que lleva, la pone casi a 130 km/hora. Los colegas *flipan* con el Pitu, porque la moto no pesa nada para la velocidad que tiene. Para el Patas, el Pitu es un buen colega porque está loco. El Teti y el Pakito contaban el otro día que el Pitu le había quitado la moto a punta de destornillador a un *pavo*, y que encima le había obligado a llevarlo a *pillar farlopa*. Además de quitarle la moto, luego le obligó a arrodillarse en el suelo y suplicarle que no se chivara a la policía. El Patas dice que el Pitu a veces se *raya* mucho, pero que eso solo lo hace con la peña que no conoce; con los *colegas* siempre se ha portado «de lujo». Ya son casi las dos del mediodía y Pablo decide irse a su casa para comer. Por la tarde, antes de acercarse al instituto, decide pasarse con el Teti por casa de Jorgito, para saber si ya tenía el *perico* que habían decidido pillar a medias para el fin de semana. Allí se encuentra con el Morolo, Andrés y el Chuso. Pablo tenía intenciones de asistir de nuevo a clase, y cuando decide «pirarse» rápido porque llegaba tarde, Jesule le indica que «los colegas son lo primero». Por lo que el Patas decide finalmente quedarse la tarde entera con ellos, y celebrarlo con un buen *porro*.

Una semana más tarde, ya de modo habitual podemos encontrar al Patas, entre las cuatro de la tarde y las nueve de la noche, en el parque. Al llegar al kiosco para comprar unas litronas, Pablo tropieza con Luis –su compañero de pupitre en el Azorín–, y este le pregunta: «Pablo, ¿por qué ya no vienes casi nunca a clase?»; la respuesta fue contundente: «Tengo nuevos colegas, ahora ya sé lo que quiero y es que la vida se aprende en la calle y no en los libros». Luis da media vuelta y sin mediar palabra se retira. De vuelta al parque con las litronas, el Cebri le pregunta quién era ese *pimpín* que se había encontrado en el kiosco, a lo que el Patas responde: «Un pavo del instituto». Ahora el Patas maneja más dinero, desde que el Chufa le propuso *trapichear* con *chocolate*. Este fin de semana han conocido al contacto –que es un «*coleguita* del Pakito»–, y desde hoy ya han empezado a pasar *tema*. El Chufa se lo ha puesto muy sencillo, es un dinero fácil. Lo único que tienen que hacer es lo mismo que hasta ahora, pasar el día en el parque. La gente corre la voz y es un negocio seguro. A las nueve de la noche, el Patas decide irse a casa, pues todavía acarrea cansancio del fin de semana. Estuvo casi 48 horas de fiesta, tomando drogas y «gracias a mis colegas porque, sin ellos, nada es igual».

Esa noche, se encuentra con el Pakito y tras unas cuantas litronas deciden ir a un 24 horas a por varios paquetes de tabaco. El dependiente, al ver que son menores, no les quiere atender y, al final, la cosa se lía y terminan amenazando al dependiente, llevándose de la caja mil euros. Para poder acceder rompieron la puerta ayudados por una barra de hierro.

5. LA PREVENCIÓN DE LA DELINCUENCIA

A lo largo de este bloque temático se estudian los aspectos básicos de la prevención y sus diferentes niveles: prevención primaria, secundaria y terciaria.

Igualmente, se realiza un recorrido por los diferentes modelos de prevención y sus peculiaridades.

La prevención de la delincuencia permite intervenir sobre aquellos grupos de individuos que, aunque no hayan mostrado signos de desorden, o bien hayan mostrado ciertos componentes del mismo, tienen, sin embargo, una alta probabilidad de manifestarlo posteriormente en comparación con los grupos definidos como de no-riesgo.

Siguiendo la clásica clasificación de Caplan (1964), podemos distinguir tres niveles de prevención:

1. **Prevención primaria**: Neutralización o debilitamiento de los estímulos criminógenos relacionados con las disfunciones de las políticas socio-económica, educativa, institucional, familiar.

2. **Prevención secundaria**: Neutralizar factores de riesgo en población que presenta conducta antisocial.

3. **Prevención terciaria**: Evitación de la reincidencia de los menores que ya han cometido infracciones y han sido tratados como infractores penales.

Estos programas de prevención pueden incidir en diferentes áreas de intervención: la familia, la escuela y la comunidad.

BIBLIOGRAFÍA DE REFERENCIA

Herrero (2005). El concepto moderno de prevención. Su puesta en práctica frente a la delincuencia. Disponible en: http://libros-revistas-derecho. vlex.es/vid/puesta-aproximaciones-primaria-criminologicas-292257

Herrero (2005). La realización de las formas de prevención secundaria y terciaria en el campo de la delincuencia de menores. Disponible en: http://libros-revistas-derecho.vlex.es/vid/realizacion-secundaria-campo-delincuencia-292258

Tarín, M. y Navarro, J. J. (2006). *Adolescentes en riesgo. Casos prácticos y estrategias de intervención socioeducativa.* Madrid: Editorial CCS, pp. 51-54. (Disponible en el anterior capítulo)

Práctica 1. Estrategias de prevención

A partir de la lectura del texto *El patas*, reflexiona sobre las siguientes cuestiones:

1. Cuáles serían las estrategias de prevención primaria que se habrían podido poner en marcha para evitar esta situación en el ámbito familiar, escolar y comunitario.

2. Haz la misma reflexión respecto a posibles estrategias de prevención secundaria, una vez detectado el caso de Pablo y sus colegas.

3. Suponiendo que ya se ha intervenido con ellos, qué se podría hacer en prevención terciaria para mantener a los jóvenes en el sistema y evitar una «recaída».

6. TRATAMIENTOS APLICADOS A INFRACTORES JUVENILES I. TRATAMIENTOS PRIVATIVOS DE LIBERTAD.

A lo largo de este bloque temático, tras una introducción a la ley de responsabilidad penal de los menores, se abordan los tratamientos en situaciones privativas de libertad y, para infractores juveniles, sus principios de actuación.

El punto de partida, por tanto, es la Ley Orgánica 5/2000, de 12 de enero, Reguladora de la Responsabilidad Penal de los Menores (http://www.boe.es/ buscar/pdf/2000/BOE-A-2000-641-consolidado.pdf) y sus modificaciones.

Tras el estudio de los principios y objetivos de esta ley, en este tema, se analizan las peculiaridades de las diferentes medidas de internamiento recogidas en la normativa vigente:

- ✓ Internamiento en régimen cerrado.

- ✓ Internamiento en régimen semiabierto.

- ✓ Internamiento en régimen abierto.

- ✓ Internamiento terapéutico (régimen abierto, semiabierto y cerrado).

- ✓ Permanencia de fin de semana en centro.

- ✓ Convivencia en grupo educativo.

BIBLIOGRAFÍA DE REFERENCIA

Arias y Ferreirós (2010). Responsabilidad penal de los menores. En A. Bueno (coord.). *Infancia y juventud en riesgo social. Programas de intervención. Fundamentación y experiencias*. Servicio de Publicaciones de la Universidad de Alicante, pp. 379-412. (Disponible en anexos)

Ley Orgánica 5/2000, de 12 de enero, reguladora de la responsabilidad penal de los menores (http://www.boe.es/buscar/pdf/2000/BOE-A-2000-641-consolidado.pdf).

Real Decreto 1774/2004, de 30 de julio, por el que se aprueba el Reglamento de la Ley Orgánica 5/2000, de 12 de enero, reguladora de la responsabilidad penal de los menores. (http://www.boe.es/boe/dias/2004/08/30/pdfs/A30127-30149.pdf).

Práctica 1
La aplicación de medidas de internamiento con jóvenes infractores

La intervención con menores infractores a través de medidas de internamiento supone la aplicación de determinados criterios tanto jurídicos como educativos, para que sean eficaces.

Su elección va a depender, además, de las características particulares de cada caso.

Tras la lectura del **artículo** de prensa «Jóvenes conflictivos en busca de una nueva oportunidad» (*Levante*, septiembre de 2009) y **a la vista de los contenidos del tema y la bibliografía de referencia**, se deben contestar las siguientes cuestiones:

Al final del libro se incluyen las claves de respuesta correcta.

Posteriormente se realizará una discusión sobre el tema abordado.

Cuestionario:

1.- A pesar de las grandes medidas de seguridad existentes en el centro, existen elementos que lo hacen sustancialmente diferente de un centro penitenciario. Uno de los aspectos que lo hacen diferente es que no se potencia el trato humano y afectivo del personal del centro con los internos

☐ Verdadero

☐ Falso

2.- A pesar de las grandes medidas de seguridad existentes en el centro, existen elementos que lo hacen sustancialmente diferente de un centro penitenciario. Uno de los aspectos que lo hacen diferente es que se realiza un seguimiento diario de los internos

    ❑ Verdadero

    ❑ Falso

3.- A pesar de las grandes medidas de seguridad existentes en el centro, existen elementos que lo hacen sustancialmente diferente de un centro penitenciario. Uno de los aspectos que lo hacen diferente es que los educadores están en contacto con los internos en la mayor parte de las actividades de la vida diaria

    ❑ Verdadero

    ❑ Falso

4.- En un centro de reeducación de menores, ningún menor puede realizar actividades educativas, laborales o de ocio fuera del centro

    ❑ Verdadero

    ❑ Falso

5.- En un centro de reeducación de menores, los incumplimientos (fugas, consumo de sustancias, agresiones, etc.) pueden suponer una modificación (agravamiento) de la medida

    ❑ Verdadero

    ❑ Falso

6.- En un centro de reeducación de menores, es importante dejar espacios para la improvisación. La mayoría de las actividades no está programada previamente

    ❑ Verdadero

    ❑ Falso

7.- En un centro de reeducación de menores, se prepara a los menores académica y/o laboralmente para su reinserción posterior

    ❑ Verdadero

    ❑ Falso

8.- En un centro de reeducación de menores, el buen comportamiento puede suponer una modificación (reducción) de la medida

☐ Verdadero

☐ Falso

9.- Teniendo en cuenta el delito cometido por Alexander y los posibles agravantes/atenuantes del caso, indica cuál crees que sería, a tu juicio, la medida impuesta

10.- Teniendo en cuenta el delito cometido por John y los posibles agravantes/atenuantes del caso, indica cuál crees que sería, a tu juicio, la medida impuesta

Texto de referencia

Jóvenes conflictivos en busca de una nueva oportunidad

Levante-EMV.com, 27 de septiembre de 2009

http://www.levante-emv.com/sociedad/2009/09/27/jovenes-conflictivos-busca-nueva-oportunidad/635571.html

Paco Cerdá

Esta es la historia de setenta y dos adolescentes que un día se creyeron los reyes de la calle, de la casa y de su pandilla. Robaron, se metieron en peleas, maltrataron a sus padres, cometieron abusos sexuales o violaron. El juez los mandó al reformatorio y perdieron su libertad. Ahora, unos educadores intentan cambiar sus hábitos para lograr la reinserción. Así pasan los días y ven el futuro los internos de La Colonia San Vicente Ferrer, el centro de reeducación más grande de la Comunitat Valenciana.

Óscar tiene dieciséis años, es novillero y sueña con tomar la alternativa. Pablo, de la misma edad, pretende enrolarse en el Ejército. Y a Alexander, de origen rumano, le gustaría hacer algo grande en el fútbol. Sus nombres –como todos los que siguen– son ficticios. Pero lo que sí es real, crudamente cierto, es que sus proyectos de vida se han truncado. Tras pegarle a su madre aquel 23 de agosto y pasar una noche imborrable de calabozos y policías, Óscar acabó en el reformatorio para no sabe cuánto tiempo. A Pablo, las peleas y los robos le han costado nueve meses de internamiento, y todavía le quedan cinco juicios pendientes. Alexander sí que tiene clara su condena: lleva un año y tres meses sin salir a la calle y todavía le restan algo más de tres años entre las paredes del centro de reforma. Es culpable de violaciones.

Los tres chavales son internos del centro de reeducación juvenil La Colonia San Vicente Ferrer de Burjassot, el más grande, antiguo y emblemático reformatorio de la Comunitat Valenciana. Han acabado allí, como sus otros sesenta y nueve compañeros, por orden de un juez. Un magistrado que, previa denuncia, decidió poner más orden y autoridad en sus vidas. Que consideró que nunca es tarde para modelar la personalidad. Y para ello, para cambiar, residen en La Colonia.

El centro está dividido en seis grupos autónomos. Uno de chicas; dos de adolescentes de catorce a dieciséis años; otros dos de jóvenes de dieciséis a dieciocho; y el módulo de cerrados. Los primeros salen de viernes a domingo con frecuencia semanal, quincenal o mensual, según el régimen de cada cual. Los diez chavales internados en el grupo cerrado, en cambio, tienen prohibida la salida. De hecho, permanecen aislados en un módulo separado y no tienen contacto con los otros sesenta y dos menores.

La seguridad que les rodea es también mayor. Como el resto de internos, han de pedir permiso para ir al baño —siempre de uno en uno para evitar imprevistos dentro—; son vigilados en la ducha para que no rompan el espejo y puedan agredir a un compañero o autolesionarse; y duermen en habitaciones con barrotes en las ventanas y con puertas pesadas que sus educadores cierran con llave cada vez que ellos están dentro. Si quieren salir del cuarto, han de pedírselo a uno de los tres o cuatro educadores que los vigilan las veinticuatro horas del día. Pero en las habitaciones del módulo cerrado, además, las puertas tienen una pequeña ventana que permite vigilar el interior de la estancia, para una o dos personas. Así son también las habitaciones de aislamiento, que se utilizan para sancionar las faltas graves de los internos, y en las que un chaval puede pasar de tres a siete días encerrado y solo. Es el peor castigo.

Sobre el papel todo puede parecer opresor, incluso angustioso. Pero muy pocos internos se quejan. Saben que los otros siete centros reeducativos de la Comunitat Valenciana son aún más duros: altos muros con alambradas, vigilantes de seguridad con porras y esposas, camisas de fuerza para casos extremos, un ambiente más marcial… Todo, eso sí, ajustado a la ley de responsabilidad penal de los menores.

Estar encerrados, obviamente, les pesa a todos. Con un lenguaje exquisito y una retórica propia de licenciado, Óscar lo explica con claridad: «Lo peor es la privación de la libertad. Yo no me siento libre desde que entré aquí porque siempre he tenido a un educador cerca merodeando. A la larga, estar siempre controlado se hace pesado y da una sensación de agobio», dice.

A otros chavales les cuesta más lidiar con otras dificultades. Antes de llegar al centro fueron los reyes de la calle, de la casa, de la pandilla. Pero ahora les toca obedecer continuamente y sin capacidad de rechistar. Es lo que le enerva a David, de quince años y natural de la Ribera. Cuenta que sufre mucho por la «impotencia» que representa «reprimir tus impulsos». «En la calle tú haces lo que te da la gana, y lo que te puedan decir te lo pasas por el forro. Pero aquí has de hacer una cosa aunque no quieras, y tienes que reprimirte y guardártelo dentro. Poco a poco te acostumbras, pero al principio… ¡Buah, flipas! Eso es lo más duro», asegura con los deberes de inglés delante de sus narices.

También resulta difícil asumir la nueva realidad por lo que dejan fuera. John, un ecuatoriano de diecisiete años, confiesa que ha sido internado «por robos y peleas». Admite que pertenecía a una banda latina juvenil creada en Valencia, los NTN. «Éramos quince, pero llegamos a ser cincuenta. Al final se deshizo y ahora la mayoría estamos encerrados en correccionales: aquí, en el Mariano Ribera, en el Pi Gros…», explica John. Ahora su vida va a dar un cambio de rumbo sin la emoción de los NTN. Lo han matriculado en un grado medio de Comercio. No es que la materia le interese en especial, puntualiza, pero era el único curso que podía estudiar a distancia.

Lo importante es que todos los chavales tengan una ocupación en el centro. Por la mañana, después de levantarse a las 8.15, cumplir con su aseo personal, limpiar las zonas comunes y desayunar, los internos van a clase desde las nueve hasta las dos de la tarde. Unos cursan Secundaria en las aulas de La Colonia (de cinco o seis alumnos cada una), otros participan en programas de cualificación profesional inicial o talleres prelaborales, y el grupo más «libre» sale del centro para asistir a talleres ocupacionales, escuelas taller, institutos normales o incluso algún trabajo. Después de la clase llega la comida. En el grupo de cerrados, una fila india pasa por el baño para lavarse las manos antes de sentarse en el comedor. Hoy sirven ensalada de patata de primero, y pollo con judías de segundo. Entre plato y plato, Álvaro, de Colombia, recuerda su primera noche en el reformatorio: «Me la pasé llorando en la habitación». Su compatriota Lucía tiene más grabado el segundo día: «A mí me entró un ataque de epilepsia», cuenta. Lucía lleva un año internada y, aunque debería estar en el grupo semiabierto, permanece castigada en el cerrado por haber consumido drogas en su última salida de fin de semana. Lo detectaron los educadores en los controles de orina que todos los internos pasan el domingo por la noche tras su regreso al centro.

En la mesa, el más duro es Alexander. «Tranquilos, no pasa nada. ¡Todo pasa!», dice para rebajar las angustias de sus compañeros. Él prefiere pensar que está «en un colegio de pago con residencia, solo que con una orden judicial por cumplir». Al contrario que la mayoría de consultados, la familia no es lo que más echa de menos Alexander. A su padre no lo conoce, su madre vive en Israel, y en España solo tiene a dos tíos rumanos. El verdadero aliciente es su novia, una vieja amiga que se le declaró hace pocos meses en una visita al reformatorio. Desde entonces salen juntos. O mejor dicho: no salen; solo se escriben cartas, se llaman por teléfono y se ven en el centro cuando la medida judicial lo permite.

Tras la comida, los chavales rompen filas, se lavan los dientes e inician una hora de repaso escolar. Después se repite la estructura de cada día: tiempo libre, merienda, dos horas de deporte en las pistas polideportivas del centro (los del módulo cerrado tienen las suyas), ducha, actividades extraescolares, cena, ocio (televisión, ordenador sin internet, videoconsola, parchís o lectura, según el día) y, a las once de la noche, a dormir. Cada interno entra en su habitación y un fraile de los terciarios capuchinos, que dirigen el centro desde 1922, hace de centinela en cada módulo, excepto en el de las chicas, del que se ocupa una educadora.

Trato humano y afectivo

Al extraño en La Colonia le sorprende la docilidad con la que se comportan unos menores *a priori* tan conflictivos. Y, aunque tampoco salten de alegría, es cierto que no se los ve resentidos. Como mucho, ligeramente apesadumbrados. En ello influye el trato humano y afectivo que desde siempre ha dispensado el personal de La Colonia a sus internos. Es la marca de la casa y el mejor camino para lograr el objetivo final del internamiento: «transformar un castigo de la justicia en una oportunidad para que los chavales vean que hay alternativas a robar y delinquir», sintetiza el coordinador de los centros de reeducación valencianos, Vicent Llopis.

¿Y lo consiguen? Según el director de La Colonia, José Miguel Bello, «el nivel de reinserción positiva de los chavales que pasan por el centro está entre el 70 y el 75 %». La respuesta de los internos resulta esperanzadora. El ex *latin king* sólo ansía salir de La Colonia para «no hacer nada y vivir tranquilo». El novillero encerrado por maltrato familiar tampoco duda: «Claro que me está cambiando. Yo sé que esta experiencia me influirá durante el resto de mi vida». Abel, un interno de semiabierto que lleva dos años y dos meses por maltrato familiar —y que llegó a pasar seis días encerrado en el cuarto de aislamiento por castigo—, afirma que antes no podía estar en su casa por las trifulcas que se armaban y que «ahora todo está bien» cuando regresa los fines de semana. Tanto es así que a los dieciséis años ha descubierto su vocación: de mayor quiere ser educador de reformatorio. El quinceañero de la Ribera que sufría por reprimirse los impulsos da una visión particular y sincera de la reinserción: «Creo que muy pocas personas que salen de aquí cambian de verdad. Quiero decir que no es que ahí fuera ya no hagan nada malo porque han cambiado. No. Lo que ocurre es que no cometen delitos para no tener que volver aquí». Eso mismo, asegura, piensa hacer él. Que no es poco.

7. TRATAMIENTOS APLICADOS A INFRACTORES JUVENILES II. MEDIDAS EN MEDIO ABIERTO

A lo largo de este bloque temático se realiza un análisis de las principales medidas, como la libertad vigilada, las prestaciones de servicio en beneficio de la comunidad y otras medidas de medio abierto y sus principios de actuación.

La ejecución de las medidas en medio abierto se realizará en el entorno social del menor y con utilización de las redes sociales.

Los objetivos generales que se persiguen en la aplicación de medidas judiciales en medio abierto, entre otros, serían los siguientes:

- Favorecer una mejor interacción del menor en la comunidad, utilizando los recursos que el tejido social proporciona.

- Intervenir de forma individual en la situación personal y en el entorno sociofamiliar del menor.

- Controlar la evolución personal y social del menor, incidiendo en las causas de sus conductas desadaptativas.

Estas medidas son:

- Tratamiento ambulatorio

- Asistencia a centro de día

- Permanencia de fin de semana en domicilio

- Libertad vigilada (reglas de conducta)

- Convivencia con otra persona, familia o grupo educativo

- Prestación en beneficio de la comunidad

- Tareas socioeducativas

- Prohibición de acercamiento a la víctima

- Amonestación

- Privación de permiso de conducir ciclomotor o vehículos a motor o derecho a obtenerlo

- Inhabilitación absoluta

Una vez dictada la medida, las fases de ejecución son las siguientes:

1.ª fase:

- Esta primera fase deberá caracterizarse por:

    a) La **observación y recogida de datos** que permitan un conocimiento profundo de la realidad del menor, de sus necesidades y carencias, así como de sus posibilidades y potencialidades

    b) Elaboración de un **diagnóstico** que se concretará en la formulación de una serie de **objetivos** relativos a cada una de las áreas o ámbitos de intervención (personal/social, escolar/laboral y familiar) y actividades que realizar.

    c) Elaboración del PIE (**Proyecto Individualizado de Ejecución**), entendiéndose este como el conjunto de acciones planificadas y dirigidas a intervenir en la realidad del menor.

2.ª fase:

- Participación en las actividades que permitan el desarrollo de los objetivos planteados en el PIE.

3.ª fase:

- Finalización del programa de trabajo, consolidación de los objetivos y desvinculación.

BIBLIOGRAFÍA DE REFERENCIA

Arias, C. y Ferreiros, C. (2010) "La responsabilidad penal de los menores", en A. Bueno (coord). *Infancia y juventud en riesgo social: programas de intervención, fundamentación y experiencias*. Servicio de Publicaciones de la Universidad de Alicante, pp.379-411. (Disponible en anexos)

Equipo de medidas judiciales de Nazaret (2010). "Aplicacion de las medidas judiciales en régimen abierto en jóvenes infractores", en A. Bueno (coord.) *Infancia y juventud en riesgo social: programas de intervención, fundamentación y experiencias*. Servicio de Publicaciones de la Universidad de Alicante, pp. 449-464.

PRÁCTICA 1
Diseño de un programa educativo individualizado (PIE) en medidas de medio abierto

En el caso de Juan, en función de los factores de riesgo y/o necesidades criminógenas señaladas en el texto, especifica cinco objetivos educativos que debería contener su programa educativo individualizado en la libertad vigilada

---

CASO PRÁCTICO: JUAN

Caso extraído y adaptado de VV. AA. *Nuevas perspectivas de intervención psicosocial de menores infractores.* **Madrid: Mepsyd**

Juan es un menor de dieciséis años que pertenece a una familia monoparental, su padre falleció cuando el menor contaba con la edad de siete años.

La madre, que pertenece a una clase social alta, desde entonces, se encuentra bajo una fuerte depresión que le ha impedido ocuparse adecuadamente del menor. La madre ha contado con el apoyo y la colaboración de una hermana y una persona de confianza del servicio doméstico en el cuidado y educación de Juan. Las relaciones son afectuosas, pero la madre no es una figura de autoridad para él.

Desde que inició la enseñanza secundaria se han sucedido continuos cambios de centro escolar y no ha logrado adaptarse a ninguno de ellos. Ha perdido la motivación, su rendimiento ha disminuido sensiblemente y ha protagonizado diversas conductas disruptivas en el aula con faltas de respeto a la autoridad del profesorado, altercados y peleas con los compañeros, etc., que han supuesto sanciones y la expulsión del centro.

Estos problemas no se deben a la falta de capacidad intelectual, sino a la baja motivación y la ausencia de hábitos de estudio. No cuenta con un proyecto de futuro. Tiene pocos amigos, suele salir con sus primos, que le aprecian y se preocupan por él. Últimamente ha conocido a una menor que le interesa y que le hace reflexionar sobre su comportamiento y las consecuencias del mismo.

Cuenta con habilidades sociales para relacionarse con los adultos, pero carece de expectativas de futuro claras que le permitan estructurar su vida, no acepta la autoridad de los adultos. Por lo que actúa, en función del momento, sin reflexionar o anticipar las consecuencias de su impulsividad en sus decisiones.

Ha cometido su primer delito: un robo en una tienda por valor de tres mil euros en compañía de otros dos menores. Para poder acceder rompieron la puerta ayudados por una cizalla, durante la noche.

Se trata de un robo con fuerza en el que el juez de menores le ha impuesto una medida educativa, en medio abierto, que consiste en una libertad vigilada con una duración de seis meses.

8. TRATAMIENTOS EXTRAJUDICIALES

A lo largo de este tema se estudian los programas de reparación y conciliación víctima-delincuente y los principios para la puesta en marcha de un modelo de justicia restaurativa.

Podemos definir la reparación o mediación como aquella «intervención educativa a instancias judiciales que implica la confrontación del sujeto infractor con la propia conducta y sus consecuencias, la responsabilización de las propias acciones y la compensación posterior a la víctima o en su caso la realización de una actividad en beneficio suyo» (Martí y Funes, 1992, pág. 32).

Existen varias formas de llevar a cabo la reparación:

- La conciliación: implica el encuentro de ambas partes, infractor y víctima, con un mediador profesional; este último debe favorecer el encuentro entre ambas partes.

- La reparación: supone la realización por parte del menor de una serie de actividades encaminadas a reparar el daño causado a la víctima, previa entrevista de mediación entre ambas partes.

- Servicio en beneficio de la comunidad: tiene lugar en aquellos casos en los que la víctima no es conocida, en los que no puede ser reparada personalmente o cuando los derechos lesionados son los de la comunidad.

La reparación y el trabajo en beneficio de la comunidad forman parte de lo que Trenczeck (1993) llama programas de restitución, destinados a hacer responsable civil al menor de los daños causados, asumiendo un carácter penal, pues lo importante es la propia compensación material.

El fin de estos programas es «humanizar el proceso de la justicia penal; aumentar la responsabilidad personal del infractor; aportar a las víctimas roles significativos y restitución; castigar al infractor; ayudar al infractor a que se mantenga alejado de los problemas; crear medidas alternativas al encarcelamiento; disminuir el flujo de casos del servicio de libertad vigilada; aumentar en la comunidad la comprensión sobre los delitos y la justicia penal, proporcionar una oportunidad para la reconciliación» (Trenczeck, 1993, pág. 113).

BIBLIOGRAFÍA DE REFERENCIA

Álvarez-Ramos, F. (2008). "Mediación penal y juvenil y otras soluciones extrajudiciales". *International e-journal of criminal science*, 3(2).

Cruz, B. (2005). "La mediación en la Ley Orgánica 5/2000, reguladora de la responsabilidad penal de los menores: conciliación y reparación del daño". *Revista electrónica de ciencia penal y criminología*, 7-14, 14:1-14:34. Disponible en: www.criminet.ugr.es/recpc07-14.pdf

Martí, J. y Funes, J. (1992). *La mediación en la justicia juvenil*. Departament de Justícia de la Generalitat de Catalunya.

PRÁCTICA 1
Estudio de un caso de aplicación de una medida de mediación juvenil extrajudicial

A la vista del relato del siguiente caso:

1. Indicar cuáles son las fases que se pueden identificar en su abordaje.

2. Señalar, en tu opinión, cuáles han sido los objetivos de la medida

    a) Para el menor

    b) Para la víctima

    c) Para la comunidad

3. A la hora de valorar el programa, reflexionar sobre dónde radica el valor educativo y restitutivo del programa para las partes.

CASO PRÁCTICO MEDIACIÓN PENAL JUVENIL: CONCILIACIÓN

Varios menores vaciaron un extintor en la planta de arriba de un centro comercial, dirigiendo el mismo hacia la puerta de una tienda de chucherías.

Estos hechos tuvieron una gran trascendencia a nivel psicológico para la víctima, quien vivenció el hecho con gran angustia al pensar que se había producido fuego en sus instalaciones. Hay que resaltar que la propietaria de la tienda se desplazaba en silla de ruedas debido a una discapacidad.

En las primeras entrevistas mantenidas con los menores, uno de ellos, Manuel, asumió su responsabilidad, reconociendo haber utilizado el extintor, motivado principalmente por la curiosidad («nunca habíamos visto cómo funcionaba»), valorando de forma negativa su comportamiento («estuvo mal vaciarlo»), y expresando su deseo de encontrarse con la parte perjudicada para pedirle disculpas.

No obstante, si bien Ramón al inicio del proceso reconocía su responsabilidad en el conflicto, reflejaba una escasa toma de conciencia sobre la trascendencia del mismo («al final tampoco ha pasado nada, yo también he salido perjudicado»).

En la entrevista mantenida con María, parte perjudicada, esta manifestó su deseo de participar en un encuentro de conciliación con Ramón, valorando suficiente una petición de disculpas por parte de este para solucionar el conflicto.

En el acto de conciliación, tras explicar su versión, el menor escuchó atentamente a María, propietaria de la tienda, cuando esta le describía sus sentimientos de angustia al no poder desplazarse con facilidad.

Ante la dueña de la tienda, Ramón reconoció no haber pensado en cómo ella había vivido los hechos, modificando su forma de pensar y mostrando comprenderla («ella tenía razón al denunciar, es la más perjudicada»).

Al disculparse, Ramón reflejó su capacidad de empatía y reconocimiento de los sentimientos de la parte perjudicada, expresándole: «Le pido perdón por haber vaciado el extintor, por haberle hecho tragar humo y por haberle asustado y haberle hecho pasar malos ratos».

PRÁCTICA 2
Un caso con posibles soluciones extrajudiciales

A partir de la lectura del caso de Daniel, extraído de VV. AA. *Nuevas perspectivas de intervención psicosocial de menores infractores* y se reflexionará sobre las siguientes cuestiones:

1.- En el supuesto previsto del art. 19 de la L.O. 5/2000 y su reglamento:

    a) Señala dos condiciones que se dan en este caso práctico y que permiten resolver el expediente a través de una solución extrajudicial:

        1._____

        2._____

    b) ¿Qué modalidad sería más adecuada?

        _____

    c) Indica cuál sería el primer paso del equipo técnico para concretar la propuesta de la solución extrajudicial.

        _____

    d) Si no fuese posible la conciliación o la reparación directa, ¿qué modalidad de solución extrajudicial propondrías para el caso concreto de Daniel?

        _____

CASO: DANIEL

Caso extraído y adaptado de VV. AA. *Nuevas perspectivas de intervención psicosocial de menores infractores.* **Madrid: Mepsyd**

Daniel, de quince años, es un menor que convive con su madre y hermanos junto a la pareja de su madre. El padre falleció cuando Daniel tenía doce años. Esta pérdida supuso un fuerte impacto, que hizo necesario acudir a la consulta del pediatra y la derivación posterior para recibir apoyo psicológico, pues estaba muy apegado a él.

En la actualidad, en las relaciones con su familia, aunque son cálidas, ha empezado a mostrar unas conductas de rebeldía y contestación ante las normas que su madre tiene establecidas, especialmente mantiene una actitud muy negativa e incluso impulsiva, sobre todo cuando las indicaciones o controles son apoyados por la pareja de su madre.

Repite 2.º de ESO en un instituto de enseñanza secundaria. La trayectoria escolar ha sido adecuada en la etapa de enseñanza primaria pero, al iniciar la etapa secundaria, se detectan algunas dificultades adaptativas y en el rendimiento académico. Las dificultades en este ámbito se centran en las primeras faltas de asistencia, con conductas irrespetuosas ante la autoridad de algunos profesores. Ha tenido ciertas sanciones que han dado lugar a dos expulsiones de tres días.

Los amigos de Daniel son de su barrio, auque ha comenzado a intensificar las relaciones y las actividades con compañeros del instituto, sobre los cuales su familia tiene un mayor desconocimiento y distancia. Esta circunstancia le permite manejarse con cierta autonomía y anonimato en algunas conductas disruptivas en grupo. Sin embargo, la familia, aunque con oposición, logra mantener cierto control en la vida social del menor.

Los hechos que motivan la apertura de un expediente en la Fiscalía de Menores han sido: la denuncia realizada por un vecino ante los actos de vandalismo que tenían lugar en el parque. Los desperfectos que se producen son la rotura de la tulipa de una farola, una papelera, y algunas pintadas en un banco. Daniel junto con otro menor fueron sorprendidos por la Policía Local cuando se marchaban y reconocidos por el vecino que había avisado a los agentes. Les detuvieron y fueron conducidos a la comisaría, donde se les tomó declaración.

9. TRATAMIENTOS EN SITUACIONES PRIVATIVAS DE LIBERTAD

Las tradicionales penas privativas de libertad, como, por ejemplo, la prisión en nuestro ordenamiento, implican la pérdida de libertad ambulatoria del condenado. Este deberá permanecer en el interior de un establecimiento el tiempo que se determine en sentencia, sin perjuicio de que parte de la condena pueda cumplirla en contacto con el exterior o incluso en régimen de libertad, sometiéndose, en su caso, a unas determinadas reglas de conducta.

En este tema se hace un recorrido sobre la evolución histórica de las penas privativas de libertad intentando buscar una progresiva humanización y racionalización, pretendiendo la disminución de los efectos negativos que el cumplimiento de dichas medidas supone para el preso.

A lo largo de estas páginas se abre un importante debate referido a aspectos relacionados con la aplicación de la pena de prisión. Este debate gira en torno del mayor o menor uso que debe hacerse de tal medida así como de su duración. Por norma general, se acepta que deberíamos tender a utilizarla lo menos posible, siempre que no pierda su capacidad de prevención general, y con una duración suficiente como para poder dar cumplimiento a la finalidad de reinserción del preso (ni demasiado corta, ni excesivamente larga).

Asimismo, se describe la clasificación más generalizada sobre las medidas privativas de libertad, esto es:

1) la prisión,

2) la localización permanente y

3) la responsabilidad personal subsidiaria por impago de multa.

Finalmente, se describen los tratamientos individualizados que se aplican durante las medidas privativas de libertad.

PRÁCTICA 1
Tratamiento de la delincuencia

A partir del siguiente artículo de S. Redondo, disponible en el siguiente enlace:

http://www.uned-illesbalears.net/Tablas/serrano7.pdf

LA APROXIMACIÓN PSICOLÓGICA EN ESPAÑA AL TRATAMIENTO DE LA DELINCUENCIA

Autor: Santiago Redondo Illescas. Profesor de Criminología. Universidad de Barcelona

Esta obra constituye un homenaje al profesor Alfonso Serrano Gómez por el conjunto de su amplia, diversa y magnífica obra científica, en la que de modo precoz trató en España temáticas, entre otras, de tanta modernidad y actualidad como la prevención y el tratamiento de los delincuentes (Serrano Gómez, 1973, 1976), la evolución de la criminalidad (1975, 1986), la delincuencia juvenil (1969, 1970), la criminología crítica (1983), o criminalidad y movimientos migratorios (1969). Al profesor Serrano Gómez me une una querencia general por los asuntos criminológicos y de la justicia. Pero, además, comparto con él un notable paralelismo curricular, consistente en haber iniciado nuestros primeros pasos profesionales en el campo penitenciario para después acabar recalando en el mundo académico. Como consecuencia de nuestra común experiencia profesional penitenciaria (que, créame el lector, nunca deja impasible, sino que es un ejercicio inolvidable que condiciona en cierto grado los intereses posteriores), tanto el profesor Serrano Gómez como yo mismo hemos reflexionado en diversos escritos sobre lo penitenciario, y específicamente sobre la prevención y el tratamiento de la delincuencia. En el marco de este homenaje quiero hacer gala de esta notable coincidencia de experiencias e intereses compartidos, y orientar mi contribución en esta obra al campo del tratamiento psicológico de la delincuencia en España, que constituyó (y posiblemente sigue constituyendo en la actualidad) mi primera dedicación profesional y académica. Es el mejor homenaje que está en mi mano ofrecer al profesor Alfonso Serrano.

Lee el artículo citado y responde a las siguientes cuestiones:

1. Cita y diferencia entre las distintas corrientes precursoras existentes en el tratamiento de la delincuencia (2 folios)

2. Comenta brevemente las etapas por la que ha transcurrido la evolución del tratamiento de la delincuencia en España (2 folios)

10. TRATAMIENTOS EN SITUACIÓN DE LIBERTAD

Este tema comienza con una reflexión sobre los modelos de tratamiento en contextos de privación de libertad y sus críticas, que vienen fundamentalmente desde tres perspectivas:

1. Pedagógica.

2. Teoría del control social.

3. Práctica diaria penitenciaria.

A continuación y fuera de una clasificación doctrinal penológica, se describen las alternativas a las penas privativas de libertad, que se pueden clasificar en dos tipos: las no penitenciarias y las penitenciarias.

En la primera opción, las alternativas no penitenciarias ponen de manifiesto la evidente dificultad de lo penitenciario para propiciar los fines resocializadores pretendidos. Nacida a finales del XVIII como respuesta para el fenómeno delictivo, la prisión muy pronto demostró que raramente contribuía a resolver alguno de los conflictos individuales o sociales puestos de manifiesto o suscitados por el crimen. De ahí que junto a los esfuerzos (presentes en el sistema penitenciario desde sus orígenes) por lograr sistemas más suaves y eficaces de ejecución de la pena (por ejemplo, la prisión abierta), ya desde la segunda mitad del XIX asistimos a un proceso de búsqueda e invención de alternativas a la institución carcelaria.

Por su parte, las alternativas penitenciarias consisten en a) la semilibertad, cuyo objetivo es facilitar la plena integración social, familiar y laboral, y que se puede desarrollar dentro de la prisión en módulos diferenciados o en centros específicos de inserción e integración social y b) la libertad condicional, la cual se consigue si se está clasificado en 3.er grado, se ha satisfecho en su caso la responsabilidad civil o se ha comprometido a hacerlo, se han cumplido las 3/4 partes de la condena penal y hay una evolución conductual positiva.

Si, además, se han realizado regularmente actividades de tratamiento durante el cumplimiento, la libertad condicional se puede adelantar al cumplimiento de los 2/3 de la condena. Estas condiciones generales tienen excepciones más o menos complejas contempladas en el Código Penal. Una de ellas es la relativa a septuagenarios y enfermos terminales, a los que se les exime del cumplimiento de las 3/4 ó 2/3 de condena si cumplen los demás requisitos.

PRÁCTICA
Medidas sustitutivas a la privación de libertad

A partir de los contenidos del tema 7 y del texto de Escobar (2011) sobre medidas sustitutivas disponible en el siguiente enlace:

http://www.derechoyhumanidades.uchile.cl/index.php/RDH/article/viewFile/19462/20622

MEDIDAS SUSTITUTIVAS A LA PENA DE PRIVACIÓN DE LA LIBERTAD
Autor: Rodrigo Escobar Gil
Universidad Javeriana de Colombia

El objetivo de esta disertación consiste en plantear unas reflexiones que permitan formular un diseño y configuración de las medidas alternativas o sustitutivas a la privación de la libertad, inspiradas en valores y principios humanistas y democráticos, y de esta manera explorar caminos distintos a la tradicional pena de prisión que resulten efectivos e idóneos para cumplir con la función resocializadora de la pena.

En primer lugar, abordaremos el tema de los fines del Derecho Penal y de las penas, lo que nos permitirá contextualizar nuestro tema de estudio. En segundo lugar, analizaremos brevemente la naturaleza y características de la pena privativa de la libertad. Posteriormente, examinaremos las medidas sustitutivas a la privación de la libertad, precisando sus funciones, particularidades, instrumentos internacionales que las consagran y ejemplos de algunas de ellas. Finalmente, cerraremos esta exposición con unas breves conclusiones y reflexiones sobre la adopción de las medidas sustitutivas a la privación de la libertad en los diferentes ordenamientos penales nacionales.

1. Indica cuáles son los objetivos de las medidas sustitutivas de libertad (10-15 líneas)

2. Pon un ejemplo de una medida no privativa de libertad existente en nuestro país. Comenta brevemente en qué consiste y de qué manera es rehabilitadora (aprox. un folio)

11. EVALUACIÓN DE INTERVENCIONES Y TRATAMIENTO DE LA DELINCUENCIA

A lo largo de este último tema se presenta el panorama actual de la evaluación de programas así como una aplicación de ello a la evaluación de los programas penitenciarios. De este modo, se repasan tanto las razones para que los programas penitenciarios deban ser técnicamente evaluados como las dificultades que ello presenta.

Posteriormente, hace referencia a los pasos y conceptos del proceso de evaluación. El tema se adentra en el análisis de las necesidades que pueden ser abordadas, de los indicadores utilizables, de la construcción de programas, diseños para la evaluación, componentes de los programas, análisis de costos y previsión del impacto de los mismos.

Con todo esto se pueden desarrollar y poner en práctica planes de acción e intervenciones diversas para abordar los complejos problemas penitenciarios. Actuaciones dirigidas a resolver la masificación en las prisiones, promover la educación y el trabajo, decrecer la violencia, mejorar la clasificación de los internos, planes de acción cultural, intervenciones con toxicómanos, programas sanitarios y de prevención de enfermedades, aplicación de técnicas psicológicas, etc.

Sin embargo, en general, existen severas dudas de si estas intervenciones están siendo eficaces, lo que impide tomar decisiones razonables sobre su finalización, continuación o modificación. En la base de esta importantísima dificultad se encuentra la ausencia de metodología evaluativa en las intervenciones penitenciarias. Muy pocas actuaciones en las prisiones son diseñadas de *modo* que puedan conocerse con alguna precisión sus efectos.

PRÁCTICA 1
Efectividad de los programas para delincuentes

A partir de los contenidos del tema 8 y del texto de Redondo, Meca y Garrido (1999) sobre la evaluación de los tratamientos disponible en el siguiente enlace:

http://www.um.es/metaanalysis/pdf/7053.pdf

TRATAMIENTO DE LOS DELINCUENTES Y REINCIDENCIA: UNA EVALUACIÓN DE LA EFECTIVIDAD DE LOS PROGRAMAS APLICADOS EN EUROPA.

Redondo, Sánchez-Meca y Garrido (1999).
Universidad de Barcelona

A lo largo de las últimas décadas se ha ido conformando la denominada Psicología de la delincuencia, que aglutina conocimientos científicos en torno a los fenómenos delictivos. Entre sus principales ámbitos de interés se encuentran la explicación del comportamiento antisocial, en donde son relevantes las teorías del aprendizaje, los análisis de las características y rasgos individuales, las hipótesis tensión-agresión, los estudios sobre vinculación social y delito, y los análisis sobre carreras delictivas. Este último sector, también denominado «criminología del desarrollo», investiga la relación que guardan con el inicio y mantenimiento de la actividad criminal diversos factores o predictores de riesgo (individuales y sociales, estáticos y dinámicos).

Sus resultados han tenido gran relevancia para la creación de programas de prevención y tratamiento de la delincuencia. Los tratamientos psicológicos de los delincuentes se orientan a modificar aquellos factores de riesgo, denominados de «necesidad criminogénica», que se consideran directamente relacionados con su actividad delictiva. En concreto se dirigen a dotar a los delincuentes (ya sean jóvenes, maltratadores, agresores sexuales, etc.) con nuevos repertorios de conducta prosocial, desarrollar su pensamiento, regular sus emociones iracundas, y prevenir las recaídas o reincidencias en el delito. Por último, en la actualidad la Psicología de la delincuencia pone un énfasis especial en la predicción y gestión del riesgo de comportamientos violentos y antisociales.

Tal y como indican los autores del artículo:

¿Cuál es el perfil de los participantes?

¿Responden de la misma forma a los tratamientos analizados todos los infractores o funcionan mejor con los infractores con un determinado perfil?

12. PRÁCTICA TRASVERSAL 1

En clase se visualizará la película *Volando voy* de Miguel Albadalejo (2006), de la que se adjunta la ficha técnica. Se trata de la puesta en escena en el cine de una historia real, la de un joven delincuente de los años setenta hoy en día reinsertado.

A continuación, se realizará una puesta en común sobre los aspectos más relevantes de la película a la luz de los temas vistos en la asignatura.

A partir de esta discusión, se realizará una ficha de trabajo atendiendo a las siguientes cuestiones:

1. Señala esquemáticamente los elementos de la historia del Pera que se pueden considerar factores de riesgo para el inicio de su carrera delictiva.

2. Indica, también de forma esquemática, los posibles factores de protección existentes.

3. Señala un objetivo prioritario de la intervención con el Pera en prevención primaria y cómo llevarlo a cabo.

4. Señala un objetivo prioritario de la intervención con el Pera en prevención secundaria y cómo llevarlo a cabo.

5. Tras una espectacular carrera delictiva, el Pera llega al Cemu[2], donde parece encontrar el entorno favorable para su reinserción. Señala los elementos que, a tu juicio, hacen posible esta recuperación (apóyate para ello en los documentos de trabajo adjuntos).

Para su realización se aportan dos documentos de trabajo que pueden ilustrar y ampliar tu conocimiento del caso.

---

[2] Ciudad Escuela de los Muchachos

Documentos de trabajo:

Ficha técnica de la película (Filmaffinitty)

Artículo de prensa «Yo fui el Pera». *El País*, 15/01/2006

BIBLIOGRAFÍA DE REFERENCIA

Bueno, A. (1990). "Terapia institucional. Planteamiento de intervención en menores". *Revista de Serveis Socials*, 1, 33-40.

FICHA TÉCNICA

VOLANDO VOY

TÍTULO ORIGINAL	**Volando voy**
AÑO	2006
DURACIÓN	105 min.
PAÍS	España
DIRECTOR	Miguel Albaladejo
GUION	Miguel Albaladejo
MÚSICA	Lucio Godoy
FOTOGRAFÍA	Alfonso Sanz
REPARTO	Borja Navas, Álex Casanovas, Mariola Fuentes, Fernando Tejero, Mar Regueras, José Luis García Pérez
PRODUCTORA	Mediapro / Sogecine / Estudios Picaso presentan una producción de Bailando en la Luna
GÉNERO	Drama / Años 70
SINOPSIS	Getafe, finales de los años 70. La gente mira extrañada como un 600 sin conductor atraviesa la calle a toda velocidad. Al volante va Juan Carlos, el Pera, un niño de nueve años con una extraordinaria habilidad para conducir coches... y para robarlos. Sus padres, desesperados, intentan alejarle de sus amigos, los chavales más problemáticos del barrio, pero el Pera elige la calle como centro de operaciones y lugar de aprendizaje, sin reglas ni límites. Pero su suerte cambia cuando llega a la Ciudad Escuela de los Muchachos. Allí, en un arriesgado pulso, el carisma y convicción del Tío Alberto intentarán rescatar al niño que, al fin y al cabo, el Pera lleva dentro. *Volando Voy* está basada en la historia real de Juan Carlos Delgado, el Pera. (FILMAFFINITY)

REPORTAJE:
Yo fui el Pera

Entre los siete y los once años atracaba bancos y robó centenares de coches. Tras su reinserción, en los ochenta, ha conseguido vivir de sus pasiones: la velocidad y los automóviles. La película Volando voy *recupera ahora sus años salvajes.*

Iker Seisdedos, *El País*, 15 de enero de 2006

http://elpais.com/diario/2006/01/15/eps/1137310012_850215.html

«Albaladejo ha sido un gran notario de esa parte de mi vida»

El Renault 5 Copa Turbo amarillo enfila la Castellana a más de cien kilómetros por hora. A su espalda, varios Seat 131 Supermirafiori de la Policía Nacional zumban como un enjambre de avispas. El Pera adivina un atasco a la altura del café Gijón. Imposible echar a volar por encima de los edificios. ¿Dejarse atrapar? Ni en broma. El Pera piensa tan rápido como vive. Un volantazo, y el coche amarillo, robado poco antes, invade el bulevar peatonal que fractura en dos los ocho carriles de la Castellana. Pisa el acelerador a fondo y lo lanza durante un kilómetro entre madres con bebés, paseantes ociosos y conductores atascados. Mira atrás. No hay rastro de la policía.

Corre el verano de 1979 y la vida se compone de episodios como este para Juan Carlos Delgado (alias El Pera), líder de una banda de delincuentes que tiene en jaque a la policía del sur de Madrid. Roba coches por decenas y los exprime hasta el final. Da palos en joyerías y bancos. Cuenta millones de pesetas, que, igual que entran, salen. Escapa una y otra vez de los reformatorios. Acaba de cumplir diez años.

Ha llovido mucho desde entonces. Hoy, Juan Carlos conoce el mundo desde habitaciones en hoteles de cinco estrellas gracias a su trabajo como probador de coches. Cena con su amigo Miguel Bosé, recibe llamadas en el móvil de Manuel Fraga o da clases de conducción evasiva para el Ministerio del Interior. Mucho más importante: puede recordar persecuciones como la de la Castellana.

«Cada persona tiene una película que contar», admite Juan Carlos, de treinta y seis años, las manos hundidas en los bolsillos de un anorak que le cubre hasta los ojos. A diferencia de la de casi todo el mundo, la suya ya se ha rodado, y se proyecta en los cines con el título de *Volando voy*. Dirigida por Miguel Albaladejo, la cinta se centra en los años salvajes de Juan Carlos Delgado, cuya biografía se abandona al comienzo del segundo acto, cuando un inesperado giro, en forma de segunda oportunidad, le sacó de las calles. De la vida que, como él recuerda constantemente, llevó al resto de los que viajaban en el Renault 5 Copa Turbo amarillo a la muerte.

La lluvia cae sobre la Ciudad Escuela de los Muchachos (Cemu) en una incómoda mañana de diciembre. Para acceder a este complejo educacional (cincuenta mil metros cuadrados en el centro del nuevo Leganés), en el que conviven ciento diez muchachos internos con unos cuatrocientos alumnos externos, hay que dejar atrás una señal de aduana y un mural de estridente tono naíf en el que las gaviotas sobrevuelan un bosque lleno de juguetes. Es la misma puerta que Juan Carlos cruzó hace veinticinco años. La que su personaje observa, con el desdén de un chico de la calle que se las sabe todas, al principio de la película. Él llegó con la etiqueta de irrecuperable, rebotado de cuatro reformatorios, con un historial delictivo interminable y de la mano de unos padres desesperados. La Cemu, a medio camino entre un centro de menores y un colegio al uso, era su última opción.

Al otro lado de la aduana esperaba Alberto Muñiz, fundador de la ciudad y querido por todos como Tío Alberto: arquitecto de profesión, escritor, pintor, educador, biólogo y médico frustrado. Hizo dinero proyectando edificios durante el *boom* inmobiliario del desarrollismo y lo invirtió en 1969 en esta parcela a las afueras de Leganés donde hacer realidad su proyecto personal: una ciudad en la que acoger a huérfanos, niños difíciles y delincuentes como el Pera. En la que los críos se gobernasen a sí mismos y las verjas no superasen en altura la de sus rodillas. «Juan Carlos es probablemente mi logro más espectacular», admite Tío Alberto, alto, delgado, con un discurso culto, de otra época, sentado en su «estudio-isla», la casa que se construyó como refugio en la Cemu. «A veces lo pienso. ¿Cuántas muertes habré evitado? Cientos, miles…».

Entre fotografías de niños que han pasado por la ciudad (unos mil quinientos en total), libros de pedagogía, cuadros protagonizados por ángeles o bocetos de esculturas que esperan ser materializadas, pasa la mayor parte del día, ahora que una junta directiva (de la que forma parte el Pera) se encarga de casi todas sus tareas de antaño. «Cuando llegó Juan Carlos», recuerda, «traía una cartera escolar en la que había literalmente una telaraña. No es solo que no supiese leer, que hubiese que partir de cero, es que estaba a menos de cero. Había vivido mucho, sí, pero por el mal camino. Había que desandarlo».

La senda de Juan Carlos era, más que un camino, una carretera que se conducía a toda velocidad. Nació como el primogénito de una familia de clase media-baja de Getafe; de padre albañil (Juan Francisco, interpretado por Fernando Tejero en la película) y madre ama de casa (Pepita, cuyo personaje hace Mariola Fuentes). Único varón entre cinco hermanas. «Mi primer delito debió de ser robarle el bocata a un compañero; de ahí, a birlar alguna cosa en un supermercado, y luego… [se detiene], bueno, el resto». «Mi madre nos llevaba siempre al colegio, él esperaba a que se marchase y entonces se daba la vuelta y saltaba la verja para irse con sus amigos», recuerda su hermana María José, un año y medio menor que Juan Carlos y, de siempre, la que más unida estuvo a él. En las calles de Getafe conoció a los que iban a ser sus compañeros de correrías delictivas. Alguien le enseñó a hacer un puente. Otro, a fabricar ganzúas a partir de una lata de sardinas. Abrían las puertas de cualquier tipo de coche.

«La primera vez que conduje fue en un descampado de Getafe. Le di un par de vueltas al coche. Pronto quedó claro que tenía un don». Gracias a esa habilidad fuera de lo común, Juan Carlos pasó de ser uno más a líder en una banda en la que algunos de sus miembros le llevaban quince años. El mote le cayó más o menos en esa época, un día en el que robó un abrigo a un chico en el barrio de Salamanca. «Decían que con él parecía un niño pera», recuerda. Comenzaron los robos en casas, en almacenes de supermercados, en bancos; los atracos en farmacias… Casi siempre con la complicidad de un alto cargo de la policía de Getafe, que un día los detenía y al otro les pasaba los detalles para el siguiente golpe. Los escenarios cambiaban, pero nunca el chaval bajito y poco desarrollado para su edad que urdía los planes y se ponía al volante. La policía del sur de Madrid le conocía como «el conductor fantasma». Apenas llegaba a los pedales y solo veía la carretera a través del hueco entre el volante y el salpicadero. «Cuando veían un coche que parecía no tener piloto sabían que el Pera iba en él. Se ataban los machos y se preparaban para la acción», dice Juan Carlos, todavía con cierto orgullo. La acción podía consistir, por ejemplo, en una persecución a cien kilómetros por hora por los callejones de Toledo o en salir ileso de un coche que recibió ciento veintinueve impactos de bala en un polígono a las afueras de Madrid.

«Mi padre salía de madrugada a trabajar de peón», recuerda su hermana, «y al volver a casa tenía que ir prácticamente todas las tardes a recogerle a la comisaría». «"Por mucho bien que causes", siempre me dicen mis padres, "nunca vas a hacernos recuperar de todo lo malo que nos hiciste"», confiesa Juan Carlos. La película refleja bien la desesperación de unos padres impotentes por un chaval determinado, al que los psicólogos tildaban de hiperactivo, con un imán para los problemas y que acababa cada dos por tres en reformatorios de los que siempre lograba escapar. Hasta que una asistente social habló a la madre de Juan Carlos de la Cemu y de la labor de Tío Alberto. ¿Un reformatorio sin vallas, en el que los chicos podían marcharse cuando quisieran? Tras cuatro años de infierno, cualquier posibilidad merecía ser probada.

Las cualidades que Tío Alberto (Álex Casanovas en la película) fomentó para la transformación del Pera fueron las mismas que, paradójicamente, habían impulsado su carrera criminal. Por un lado, su sed de adrenalina, que desde entonces Juan Carlos ha canalizado en la conducción de coches (como piloto de carreras, primero, y como probador de automóviles, después). Por otro, su capacidad de liderazgo. En el particular sistema de gobierno de la Ciudad de los Muchachos, el jefe de la policía y el alcalde son elegidos por los propios niños entre sus compañeros. Tío Alberto le involucró en la comunidad al proponerle como encargado del orden público (durante poco más de un año, que se recuerda como el de mayor cumplimiento de la ley) y como alcalde.

La transformación no fue, con todo, inmediata. A veces, Juan Carlos volvía a ser el Pera. Escapaba, robaba un par de coches y era detenido. Pero cada vez que volvía a las andadas, la vieja vida le resultaba más extraña. «Lo que terminó de convencerle fue correr. Empezó con un *kart* hecho artesanalmente. Y el Tío Alberto le dejaba conducir su Renault 11 como premio. Era, como yo digo, el caramelo», recuerda María José, que ingresó voluntariamente y vivió durante cuatro años en la Cemu para acompañar a su hermano.

Un día, el premio de Tío Alberto consistió en llevarle al circuito del Jarama. Les esperaba Manuel Gómez Blanco, hoy periodista especializado en motor, y, entonces (1987), mánager de Luis Pérez Sala, un piloto a punto de dar el salto a la Fórmula 1. «Nos montamos en el coche y empezó a correr. Cada vez más rápido y como un loco. Yo le grité que parase.

Cuando al fin hizo caso me miró sin comprender nada. Le pedí que mirase por el retrovisor. «¿Te sigue la policía?», le pregunté. Negó con la cabeza. «Pues no corras como si así fuese», recuerda. Gómez Blanco, Pérez Sala y su compañero, el piloto asturiano Luis Villamil, le ayudaron a empezar. «Cuando le conocí», dice Villamil, «pensé que quería subir los peldaños en la vida de tres en tres. Lo más difícil era enseñarle a ir despacio. Algo que, aunque no lo parezca, es fundamental en un buen piloto».

El Pera comenzó a correr en 1989 en el Campeonato de España de la Copa Renault Iniciación. En 1990 fue subcampeón; al año siguiente, lo ganó. «Toda la técnica de la que carecía la suplía con una sobredosis de valor que rayaba en lo temerario», dice Villamil. En 1992 pasó a la Fórmula Renault, con monoplazas, y dos años después colgó el casco. «Empecé demasiado tarde a correr. Corría para ganar. Cuando vi que no podía ser el mejor lo dejé. También fue una cuestión de dinero. A un cierto nivel necesitas una financiación con la que no contaba», se lamenta Juan Carlos.

Aquella no fue su única decepción de la época. En el verano de 1990, la Cemu acabó en los periódicos envuelta en un turbio asunto de pederastia. Tío Alberto fue acusado de diez delitos de corrupción de menores y se enfrentó a una petición de sesenta años de prisión. La Audiencia Provincial le absolvió al no considerar probado ninguno de los cargos. «Lo recordaré toda mi vida», admite el Pera. «Fue injusto y precipitado. No entendían que una persona hiciese una cosa desinteresada. La ciudad está recuperada. Al cien por cien», añade tajante.

Para entonces, ya había encontrado otra faceta en la que ocupar su personalidad hiperactiva. Antonio D. Olano, escritor y periodista, dirigía a principios de los noventa el gabinete de prensa del Atlético de Madrid. Un día, el Pera llegó a su despacho en busca de financiación para el Renault con el que competía. «Al final no le concedimos patrocinio, pero le ofrecí llevar la sección de motor de la revista del club». Fue su primer trabajo como periodista. Desde entonces, Juan Carlos colabora continuadamente como especialista en motor (actualmente en una decena de medios, que incluyen Radio Nacional y el diario *Marca*). Esta actividad, así como su faceta de probador de coches —«las marcas me buscan para que saque la esencia de los nuevos modelos», explica—, le han permitido mantener el contacto con el mundo del automovilismo, donde todos parecen tener una historia que contar sobre él. «Ejerce una enorme fascinación en la gente», explica Miguel Albaladejo, «y acaba conociendo a todo el que se propone»..

Una de las relaciones de amistad más difundidas es la que mantiene con Santiago López Valdivielso. Se conocieron cuando este era director general de la Guardia Civil, en un premio de Fórmula 1 celebrado en Jerez. Al poco, Juan Carlos tenía una nueva ocupación: monitor de conducción evasiva del Ministerio del Interior. Que el antiguo delincuente diese clases a sus perseguidores hizo gracia a la prensa, que publicó historias como una de septiembre de 2001, cuando López Valdivielso y Juan Carlos participaron juntos en las 24 Horas de Automovilismo de Barcelona.

Por entonces, el director alicantino Miguel Albaladejo estaba inmerso en la promoción de su última película, *Rencor*, mientras trabajaba en el *casting* de la siguiente, *Cachorro*. Leyó la historia en los periódicos y reconoció un gran material. El sueño de un amante de las segundas oportunidades. «En la primera reunión estábamos el productor, Fernando Garcillán; Juan Carlos, Antonio D. Olano [ambos acababan de publicar *Yo fui El Pera. De amo de la calle a rey de los circuitos*] y yo. Hablaron de dinero estadounidense interesado en la historia. Me da que se estaban dando importancia», cuenta Albaladejo entre risas.

Desechada la primera idea –adaptar el libro–, comenzaron las entrevistas con los implicados y las reuniones con el Pera. «Al principio estaba a la defensiva. Luego empezamos a prescindir de la grabadora, a hablar tomando unas cañas». Reunido todo el material, centró su guion en los cuatro años de delincuencia (que comprimió en dos, por exigencias dramáticas) y en los primeros compases de la transformación.

Las pruebas de selección para dar con Borja Navas, el chico que protagoniza el filme, duraron nueve meses. Javier Mori, director de reparto, recorrió los colegios del cinturón de Madrid. Borja esperaba en un aula de Alcorcón. «Buscaba un chico un punto chulito, que te pudieses creer al volante de un coche, que te sostiene una mirada de mala hostia. Borja lo tenía», recuerda Mori.

El Pera de verdad camina entre los edificios de aroma setentero de la Cemu. «Miguel ha sido un gran notario de esa parte de mi vida. Sin morbo ni crueldad, y con respeto». Enseña la iglesia de la ciudad –que llaman «la catedral del niño»–, el Ayuntamiento, la avenida de Gloria Fuertes… Al entrar al comedor, los críos chillan su nombre. «¡Mira, mira! ¡Me estoy comiendo una pera!», dice uno que parece más listo que el hambre. A sus treinta y seis años, Juan Carlos aún vive aquí, en un apartamento de la Cemu. «He pasado temporadas fuera», explica. «La última, por una relación que terminó hace poco. Los edificios de viviendas me deprimen. Aquí me siento bien y puedo devolver lo que hicieron por mí». Por eso forma parte de la junta directiva y es jefe de prensa y responsable de recursos (un trabajo que consiste en obtener dinero, ordenadores o pantalones gratis para los habitantes de la Cemu). Lo último ha sido lograr que la recaudación del día del estreno de *Volando voy* se destine al centro. También quiere hacer un pase especial allí. Al fin y al cabo, ellos son los que mejor saben una historia que llevan contándose veinticinco años los unos a los otros.

13. PRÁCTICA TRASVERSAL 2

En clase se visualizará la película *American History X* de Tony Kaye (1998), de la que se adjunta la ficha técnica.

La película cuenta la historia de un joven californiano de ideología neonazi.

A continuación, se realizará una puesta en común sobre los aspectos más relevantes de la película a la luz de los temas vistos en la asignatura.

A partir de esta discusión, se realizará una ficha de trabajo sobre la película.

FICHA TÉCNICA

AMERICAN HISTORY X

TÍTULO ORIGINAL American History X
AÑO 1998
DURACIÓN 119 min.
PAÍS Estados Unidos
DIRECTOR Tony Kaye
GUION David McKenna
GÉNERO Drama. Nazismo. 1998
1 nominación al mejor actor (Edward Norton)
SINOPSIS Derek (Edward Norton), un joven *skin head* californiano de ideología neonazi, fue encarcelado por asesinar a un negro que pretendía robarle su furgoneta. Cuando sale de prisión y regresa a su barrio dispuesto a alejarse del mundo de la violencia, se encuentra con que su hermano pequeño (Edward Furlong), para quien Derek es el modelo a seguir, sigue el mismo camino que a él lo condujo a la cárcel. (FILMAFFINITY)

FICHA DE TRABAJO

Teniendo en cuenta los factores de riesgo (estáticos y dinámicos) en el origen y mantenimiento del comportamiento delictivo:

1. ¿Cuáles son los factores de riesgo estáticos que llevan al protagonista (Derek) a ese perfil delincuente?

2. Describe los factores dinámicos.

3. ¿A qué crees que se debe el cambio en su comportamiento delictivo?

4. Con respecto a su hermano, ¿qué medidas toma el centro para reeducarlo?

5. A la luz de lo que ocurre en la película, indica la opinión personal sobre la efectividad de los tratamientos penitenciarios.

14. ANEXOS

Ley Orgánica 5/2000, de 12 de enero, reguladora de la responsabilidad penal de los menores.

Jefatura del Estado
«BOE» núm. 11, de 13 de enero de 2000
Referencia: BOE-A-2000-641

TEXTO CONSOLIDADO
Última modificación: 28 de diciembre de 2012

JUAN CARLOS I

REY DE ESPAÑA

A todos los que la presente vieren y entendieren.

Sabed: Que las Cortes Generales han aprobado y Yo vengo en sancionar la siguiente Ley Orgánica.

EXPOSICIÓN DE MOTIVOS

I

1. La promulgación de la presente Ley Orgánica reguladora de la responsabilidad penal de los menores era una necesidad impuesta por lo establecido en la Ley Orgánica 4/1992, de 5 de junio, sobre reforma de la Ley reguladora de la competencia y el procedimiento de los Juzgados de Menores; en la moción aprobada por el Congreso de los Diputados el 10 de mayo de 1994, y en el artículo 19 de la vigente Ley Orgánica 10/1995, de 23 de noviembre, del Código Penal.

2. La Ley Orgánica 4/1992, promulgada como consecuencia de la sentencia del Tribunal Constitucional 36/1991, de 14 de febrero, que declaró inconstitucional el artículo 15 de la Ley de Tribunales Tutelares de Menores, texto refundido de 11 de junio de 1948, establece un marco flexible para que los Juzgados de Menores puedan determinar las medidas aplicables a éstos en cuanto infractores penales, sobre la base de valorar especialmente el interés del menor, entendiendo por menores a tales efectos a las personas comprendidas entre los doce y los dieciséis años. Simultáneamente, encomienda al Ministerio Fiscal la iniciativa procesal, y le concede amplias facultades para acordar la terminación del proceso con la intención de evitar, dentro de lo posible, los efectos aflictivos que el mismo pudiera llegar a producir. Asimismo, configura al equipo técnico como instrumento imprescindible para alcanzar el objetivo que persiguen las medidas y termina estableciendo un procedimiento de naturaleza sancionadora-educativa, al que otorga todas las garantías derivadas de nuestro ordenamiento constitucional, en sintonía con lo establecido en la aludida sentencia del Tribunal Constitucional y lo dispuesto en el artículo 40 de la Convención de los Derechos del Niño de 20 de noviembre de 1989.

Dado que la expresada Ley Orgánica se reconocía a sí misma expresamente "el carácter de una reforma urgente, que adelanta parte de una renovada legislación sobre reforma de menores, que será objeto de medidas legislativas posteriores", es evidente la oportunidad de la presente Ley Orgánica, que constituye esa necesaria reforma legislativa, partiendo de los principios básicos que ya guiaron la redacción de aquélla (especialmente, el principio del superior interés del menor), de las garantías de nuestro ordenamiento constitucional, y de las normas de Derecho internacional, con particular atención a la citada Convención de los Derechos del Niño de 20 de noviembre de 1989, y esperando responder de este modo a las expectativas creadas en la sociedad española, por razones en parte coyunturales y en parte permanentes, sobre este tema concreto.

3. Los principios expuestos en la moción aprobada unánimemente por el Congreso de los Diputados el día 10 de mayo de 1994, sobre medidas para mejorar el marco jurídico vigente de protección del menor, se refieren esencialmente al establecimiento de la mayoría de edad penal en los dieciocho años y a la promulgación de "una ley penal del menor y juvenil que contemple la exigencia de responsabilidad para los jóvenes infractores que no hayan alcanzado la mayoría de edad penal, fundamentada en principios orientados hacia la reeducación de los menores de edad infractores, en base a las circunstancias personales, familiares y sociales, y que tenga especialmente en cuenta las competencias de las Comunidades Autónomas en esta materia...".

4. El artículo 19 del vigente Código Penal, aprobado por la Ley Orgánica 10/1995, de 23 de noviembre, fija efectivamente la mayoría de edad penal en los dieciocho años y exige la regulación expresa de la responsabilidad penal de los menores de dicha edad en una Ley independiente. También para responder a esta exigencia se aprueba la presente Ley Orgánica, si bien lo dispuesto en este punto en el Código Penal debe ser complementado en un doble sentido. En primer lugar, asentando firmemente el principio de que la responsabilidad penal de los menores presenta frente a la de los adultos un carácter primordial de intervención educativa que trasciende a todos los aspectos de su regulación jurídica y que determina considerables diferencias entre el sentido y el procedimiento de las sanciones en uno y otro sector, sin perjuicio de las garantías comunes a todo justiciable. En segundo término, la edad límite de dieciocho años establecida por el Código Penal para referirse a la responsabilidad penal de los menores precisa de otro límite mínimo a partir del cual comience la posibilidad de exigir esa responsabilidad y que se ha concretado en los catorce años, con base en la convicción de que las infracciones cometidas por los niños menores de esta edad son en general irrelevantes y que, en los escasos supuestos en que aquéllas pueden producir alarma social, son suficientes para darles una respuesta igualmente adecuada los ámbitos familiar y asistencial civil, sin necesidad de la intervención del aparato judicial sancionador del Estado.

5. Asimismo, han sido criterios orientadores de la redacción de la presente Ley Orgánica, como no podía ser de otra manera, los contenidos en la doctrina del Tribunal Constitucional, singularmente en los fundamen tos jurídicos de las sentencias 36/1991, de 14 de febrero, y 60/1995, de 17 de marzo, sobre las garantías y el respeto a los derechos fundamentales que necesariamente han de imperar en el procedimiento seguido ante los Juzgados de Menores, sin perjuicio de las modulaciones que, respecto del procedimiento ordinario, permiten tener en cuenta la naturaleza y finalidad de aquel tipo de proceso, encaminado a la adopción de unas medidas que, como ya se ha dicho, fundamentalmente no pueden ser represivas, sino preventivo-especiales, orientadas hacia la efectiva reinserción y el superior interés del menor, valorados con criterios que han de buscarse primordialmente en el ámbito de las ciencias no jurídicas.

II

6. Como consecuencia de los principios, criterios y orientaciones a que se acaba de hacer referencia, puede decirse que la redacción de la presente Ley Orgánica ha sido conscientemente guiada por los siguientes principios generales: naturaleza formalmente penal pero materialmente sancionadora-educativa del procedimiento y de las medidas aplicables a los infractores menores de edad, reconocimiento expreso de todas las garantías que se derivan del respeto de los derechos constitucionales y de las especiales exigencias del interés del menor, diferenciación de diversos tramos a efectos procesales y

sancionadores en la categoría de infractores menores de edad, flexibilidad en la adopción y ejecución de las medidas aconsejadas por las circunstancias del caso concreto, competencia de las entidades autonómicas relacionadas con la reforma y protección de menores para la ejecución de las medidas impuestas en la sentencia y control judicial de esta ejecución.

7. La presente Ley Orgánica tiene ciertamente la naturaleza de disposición sancionadora, pues desarrolla la exigencia de una verdadera responsabilidad jurídica a los menores infractores, aunque referida específicamente a la comisión de hechos tipificados como delitos o faltas por el Código Penal y las restantes leyes penales especiales. Al pretender ser la reacción jurídica dirigida al menor infractor una intervención de naturaleza educativa, aunque desde luego de especial intensidad, rechazando expresamente otras finalidades esenciales del Derecho penal de adultos, como la proporcionalidad entre el hecho y la sanción o la intimidación de los destinatarios de la norma, se pretende impedir todo aquello que pudiera tener un efecto contraproducente para el menor, como el ejercicio de la acción por la víctima o por otros particulares.

Y es que en el Derecho penal de menores ha de primar, como elemento determinante del procedimiento y de las medidas que se adopten, el superior interés del menor. Interés que ha de ser valorado con criterios técnicos y no formalistas por equipos de profesionales especializados en el ámbito de las ciencias no jurídicas, sin perjuicio desde luego de adecuar la aplicación de las medidas a principios garantistas generales tan indiscutibles como el principio acusatorio, el principio de defensa o el principio de presunción de inocencia.

8. Sin embargo, la Ley tampoco puede olvidar el interés propio del perjudicado o víctima del hecho cometido por el menor, estableciendo un procedimiento singular, rápido y poco formalista para el resarcimiento, en su caso, de daños y perjuicios, dotando de amplias facultades al Juez de Menores para la incorporación a los autos de documentos y testimonios relevantes de la causa principal. En este ámbito de atención a los intereses y necesidades de las víctimas, la Ley introduce el principio en cierto modo revolucionario de la responsabilidad solidaria con el menor responsable de los hechos de sus padres, tutores, acogedores o guardadores, si bien permitiendo la moderación judicial de la misma y recordando expresamente la aplicabilidad en su caso de la Ley 30/1992, de 26 de noviembre, de Régimen Jurídico de las Administraciones Públicas y del Procedimiento Administrativo Común, así como de la Ley 35/1995, de 11 de diciembre, de ayudas y asistencia a las víctimas de delitos violentos y contra la libertad sexual.

Asimismo la Ley regula, para procedimientos por delitos graves cometidos por mayores de dieciséis años, un régimen de intervención del perjudicado en orden a salvaguardar el interés de la víctima en el esclarecimiento de los hechos y su enjuiciamiento por el orden jurisdiccional competente, sin contaminar el procedimiento propiamente educativo y sancionador del menor.

Esta Ley arbitra un amplio derecho de participación a las víctimas ofreciéndoles la oportunidad de intervenir en las actuaciones procesales proponiendo y practicando prueba, formulando conclusiones e interponiendo recursos. Sin embargo, esta participación se establece de un modo limitado ya que respecto de los menores no cabe reconocer a los particulares el derecho a constituirse propiamente en parte acusadora con plenitud de derechos y cargas procesales. No existe aquí ni la acción particular de los perjudicados por el hecho criminal, ni la acción popular de los ciudadanos, porque en estos casos el interés prioritario para la sociedad y para el Estado coincide con el interés del menor.

9. Conforme a las orientaciones declaradas por el Tribunal Constitucional, anteriormente aludidas, se instaura un sistema de garantías adecuado a la pretensión procesal, asegurando que la imposición de la sanción se efectuará tras vencer la presunción de inocencia, pero sin obstaculizar los criterios educativos y de valoración del interés del menor que presiden este proceso, haciendo al mismo tiempo un uso flexible del principio de intervención mínima, en el sentido de dotar de relevancia a las posibilidades de no apertura del procedimiento o renuncia al mismo, al resarcimiento anticipado o conciliación entre el infractor y la víctima, y a los supuestos de suspensión condicional de la medida impuesta o de sustitución de la misma durante su ejecución.

La competencia corresponde a un Juez ordinario, que, con categoría de Magistrado y preferentemente especialista, garantiza la tutela judicial efectiva de los derechos en conflicto. La posición del Ministerio Fiscal es relevante, en su doble condición de institución que constitucionalmente tiene encomendada la función de promover la acción de la Justicia y la defensa de la legalidad, así como de los derechos de los menores, velando por el interés de éstos. El letrado del menor tiene participación en todas y cada una de las fases del proceso, conociendo en todo momento el contenido del expediente, pudiendo proponer pruebas e interviniendo en todos los actos que se refieren a la valoración del interés del menor y a la ejecución de la medida, de la que puede solicitar la modificación.

La adopción de medidas cautelares sigue el modelo de solicitud de parte, en audiencia contradictoria, en la que debe valorarse especialmente, una vez más, el superior interés del menor.

En defensa de la unidad de doctrina, el sistema de recursos ordinario se confía a las Salas de Menores de los Tribunales Superiores de Justicia, que habrán de crearse, las cuales, con la inclusión de Magistrados especialistas, aseguran y refuerzan la efectividad de la tutela judicial en relación con las finalidades que se propone la Ley. En el mismo sentido, procede destacar la instauración del recurso de casación para unificación de doctrina, reservado a los casos de mayor gravedad, en paralelismo con el proceso penal de adultos, reforzando la garantía de la unidad de doctrina en el ámbito del derecho sancionador de menores a través de la jurisprudencia del Tribunal Supremo.

10. Conforme a los principios señalados, se establece, inequívocamente, el límite de los catorce años de edad para exigir este tipo de responsabilidad sancionadora a los menores de edad penal y se diferencian, en el ámbito de aplicación de la Ley y de la graduación de las consecuencias por los hechos cometidos, dos tramos, de catorce a dieciséis y de diecisiete a dieciocho años, por presentar uno y otro grupo diferencias características que requieren, desde un punto de vista científico y jurídico, un tratamiento diferenciado, constituyendo una agravación específica en el tramo de los mayores de dieciséis años la comisión de delitos que se caracterizan por la violencia, intimidación o peligro para las personas.

La aplicación de la presente Ley a los mayores de dieciocho años y menores de veintiuno, prevista en el artículo 69 del Código Penal vigente, podrá ser acordada por el Juez atendiendo a las circunstancias personales y al grado de madurez del autor, y a la naturaleza y gravedad de los hechos. Estas personas reciben, a los efectos de esta Ley, la denominación genérica de "jóvenes".

Se regulan expresamente, como situaciones que requieren una respuesta específica, los supuestos en los que el menor presente síntomas de enajenación mental o la concurrencia de otras circunstancias modificativas de su responsabilidad, debiendo promover el Ministerio Fiscal, tanto la adopción de las medidas más adecuadas al interés del menor que se encuentre en tales situaciones, como la constitución de los organismos tutelares previstos por las leyes. También se establece que las acciones u omisiones imprudentes no puedan ser sancionadas con medidas de internamiento en régimen cerrado.

11. Con arreglo a las orientaciones expuestas, la Ley establece un amplio catálogo de medidas aplicables, desde la referida perspectiva sancionadora-educativa, debiendo primar nuevamente el interés del menor en la flexible adopción judicial de la medida más idónea, dadas las características del caso concreto y de la evolución personal del sancionado durante la ejecución de la medida. La concreta finalidad que las ciencias de la conducta exigen que se persiga con cada una de las medidas relacionadas, se detalla con carácter orientador en el apartado III de esta exposición de motivos.

12. La ejecución de las medidas judicialmente impuestas corresponde a las entidades públicas de protección y reforma de menores de las Comunidades Autónomas, bajo el inexcusable control del Juez de Menores.

Se mantiene el criterio de que el interés del menor tiene que ser atendido por especialistas en las áreas de la educación y la formación, pertenecientes a esferas de mayor inmediación que el Estado. El Juez de Menores, a instancia de las partes y oídos los equipos técnicos del propio Juzgado y de la entidad pública de la correspondiente Comunidad Autónoma, dispone de amplias facultades para suspender o sustituir por otras las medidas impuestas, naturalmente sin mengua de las garantías procesales que constituyen otro de los objetivos primordiales de la nueva regulación, o permitir la participación de los padres del menor en la aplicación y consecuencias de aquéllas.

13. Un interés particular revisten en el contexto de la Ley los temas de la reparación del daño causado y la conciliación del delincuente con la víctima como situaciones que, en aras del principio de intervención mínima, y con el concurso mediador del equipo técnico, pueden

dar lugar a la no incoación o sobreseimiento del expediente, o a la finalización del cumplimiento de la medida impuesta, en un claro predominio, una vez más, de los criterios educativos y resocializadores sobre los de una defensa social esencialmente basada en la prevención general y que pudiera resultar contraproducente para el futuro.

La reparación del daño causado y la conciliación con la víctima presentan el común denominador de que el ofensor y el perjudicado por la infracción llegan a un acuerdo, cuyo cumplimiento por parte del menor termina con el conflicto jurídico iniciado por su causa. La conciliación tiene por objeto que la víctima reciba una satisfacción psicológica a cargo del menor infractor, quien ha de arrepentirse del daño causado y estar dispuesto a disculparse. La medida se aplicará cuando el menor efectivamente se arrepienta y se disculpe, y la persona ofendida lo acepte y otorgue su perdón. En la reparación el acuerdo no se alcanza únicamente mediante la vía de la satisfacción psicológica, sino que requiere algo más: el menor ejecuta el compromiso contraído con la víctima o perjudicado de reparar el daño causado, bien mediante trabajos en beneficio de la comunidad, bien mediante acciones, adaptadas a las necesidades del sujeto, cuyo beneficiario sea la propia víctima o perjudicado.

III

14. En la medida de amonestación, el Juez, en un acto único que tiene lugar en la sede judicial, manifiesta al menor de modo concreto y claro las razones que hacen socialmente intolerables los hechos cometidos, le expone las consecuencias que para él y para la víctima han tenido o podían haber tenido tales hechos, y le formula recomendaciones para el futuro.

15. La medida de prestaciones en beneficio de la comunidad, que, en consonancia con el artículo 25.2 de nuestra Constitución, no podrá imponerse sin consentimiento del menor, consiste en realizar una actividad, durante un número de sesiones previamente fijado, bien sea en beneficio de la colectividad en su conjunto, o de personas que se encuentren en una situación de precariedad por cualquier motivo. Preferentemente, se buscará relacionar la naturaleza de la actividad en que consista esta medida con la de los bienes jurídicos afectados por los hechos cometidos por el menor.

Lo característico de esta medida es que el menor ha de comprender, durante su realización, que la colectividad o determinadas personas han sufrido de modo injustificado unas consecuencias negativas derivadas de su conducta. Se pretende que el sujeto comprenda que actuó de modo incorrecto, que merece el reproche formal de la sociedad, y que la prestación de los trabajos que se le exigen es un acto de reparación justo.

16. Las medidas de internamiento responden a una mayor peligrosidad, manifestada en la naturaleza peculiarmente grave de los hechos cometidos, caracterizados en los casos más destacados por la violencia, la intimidación o el peligro para las personas. El objetivo prioritario de la medida es disponer de un ambiente que provea de las condiciones educativas adecuadas para que el menor pueda reorientar aquellas disposiciones o deficiencias que han caracterizado su comportamiento antisocial, cuando para ello sea necesario, al menos de manera temporal, asegurar la estancia del infractor en un régimen físicamente restrictivo de su libertad. La mayor o menor intensidad de tal restricción da lugar a los diversos tipos de internamiento, a los que se va a aludir a continuación. El internamiento, en todo caso, ha de proporcionar un clima de seguridad personal para todos los implicados, profesionales y menores infractores, lo que hace imprescindible que las condiciones de estancia sean las correctas para el normal desarrollo psicológico de los menores.

El internamiento en régimen cerrado pretende la adquisición por parte del menor de los suficientes recur sos de competencia social para permitir un comportamiento responsable en la comunidad, mediante una gestión de control en un ambiente restrictivo y progresivamente autónomo.

El internamiento en régimen semiabierto implica la existencia de un proyecto educativo en donde desde el principio los objetivos sustanciales se realizan en contacto con personas e instituciones de la comunidad, teniendo el menor su residencia en el centro, sujeto al programa y régimen interno del mismo.

El internamiento en régimen abierto implica que el menor llevará a cabo todas las actividades del proyecto educativo en los servicios normalizados del entorno, residiendo en el centro como domicilio habitual.

El internamiento terapéutico se prevé para aquellos casos en los que los menores, bien por razón de su adicción al alcohol o a otras drogas, bien por disfunciones significativas en su psiquismo, precisan de un contexto estructurado en el que poder realizar una programación terapéutica, no dándose, ni, de una parte, las condiciones idóneas en el menor o en su entorno para el tratamiento ambulatorio, ni, de otra parte, las condiciones de riesgo que exigirían la aplicación a aquél de un internamiento en régimen cerrado.

17. En la asistencia a un centro de día, el menor es derivado a un centro plenamente integrado en la comunidad, donde se realizan actividades educativas de apoyo a su competencia social. Esta medida sirve el propósito de proporcionar a un menor un ambiente estructurado durante buena parte del día, en el que se lleven a cabo actividades socio--educativas que puedan compensar las carencias del ambiente familiar de aquél. Lo característico del centro de día es que en ese lugar es donde toma cuerpo lo esencial del proyecto socio-educativo del menor, si bien éste puede asistir también a otros lugares para hacer uso de otros recursos de ocio o culturales. El sometido a esta medida puede, por lo tanto, continuar residiendo en su hogar, o en el de su familia, o en el establecimiento de acogida.

18. En la medida de libertad vigilada, el menor infractor está sometido, durante el tiempo establecido en la sentencia, a una vigilancia y supervisión a cargo de personal especializado, con el fin de que adquiera las habilidades, capacidades y actitudes necesarias para un correcto desarrollo personal y social. Durante el tiempo que dure la libertad vigilada, el menor también deberá cumplir las obligaciones y prohibiciones que, de acuerdo con esta Ley, el Juez puede imponerle.

19. La realización de tareas socio-educativas consiste en que el menor lleve a cabo actividades específicas de contenido educativo que faciliten su reinserción social. Puede ser una medida de carácter autónomo o formar parte de otra más compleja. Empleada de modo autónomo, pretende satisfacer necesidades concretas del menor percibidas como limitadoras de su desarrollo integral. Puede suponer la asistencia y participación del menor a un programa ya existente en la comunidad, o bien a uno creado "ad hoc" por los profesionales encargados de ejecutar la medida. Como ejemplos de tareas socio-educativas, se pueden mencionar las siguientes: asistir a un taller ocupacional, a un aula de educación compensatoria o a un curso de preparación para el empleo; participar en actividades estructuradas de animación sociocultural, asistir a talleres de aprendizaje para la competencia social, etc.

20. El tratamiento ambulatorio es una medida destinada a los menores que disponen de las condiciones adecuadas en su vida para beneficiarse de un programa terapéutico que les ayude a superar procesos adictivos o disfunciones significativas de su psiquismo. Previsto para los menores que presenten una dependencia al alcohol o las drogas, y que en su mejor interés puedan ser tratados de la misma en la comunidad, en su realización pueden combinarse diferentes tipos de asistencia médica y psicológica. Resulta muy apropiado para casos de desequilibrio psicológico o perturbaciones del psiquismo que puedan ser atendidos sin necesidad de internamiento. La diferencia más clara con la tarea socio-educativa es que ésta pretende lograr una capacitación, un logro de aprendizaje, empleando una metodología, no tanto clínica, sino de orientación psicoeducativa. El tratamiento ambulatorio también puede entenderse como una tarea socio-educativa muy específica para un problema bien definido.

21. La permanencia de fin de semana es la expresión que define la medida por la que un menor se ve obligado a permanecer en su hogar desde la tarde o noche del viernes hasta la noche del domingo, a excepción del tiempo en que realice las tareas socio-educativas asignadas por el Juez. En la práctica, combina elementos del arresto de fin de semana y de la medida de tareas socio-educativas o prestaciones en beneficio de la comunidad. Es adecuada para menores que cometen actos de vandalismo o agresiones leves en los fines de semana.

22. La convivencia con una persona, familia o grupo educativo es una medida que intenta proporcionar al menor un ambiente de socialización positivo, mediante su convivencia, durante un período determinado por el Juez, con una persona, con una familia

distinta a la suya o con un grupo educativo que se ofrezca a cumplir la función de la familia en lo que respecta al desarrollo de pautas socioafectivas prosociales en el menor.

23. La privación del permiso de conducir ciclomotores o vehículos a motor, o del derecho a obtenerlo, o de licencias administrativas para caza o para el uso de cualquier tipo de armas, es una medida accesoria que se podrá imponer en aquellos casos en los que el hecho cometido tenga relación con la actividad que realiza el menor y que ésta necesite autorización administrativa.

24. Por último, procede poner de manifiesto que los principios científicos y los criterios educativos a que han de responder cada una de las medidas, aquí sucintamente expuestos, se habrán de regular más extensamente en el Reglamento que en su día se dicte en desarrollo de la presente Ley Orgánica.

TÍTULO PRELIMINAR

Artículo 1. *Declaración general.*

1. Esta Ley se aplicará para exigir la responsabilidad de las personas mayores de catorce años y menores de dieciocho por la comisión de hechos tipificados como delitos o faltas en el Código Penal o las leyes penales especiales.

2. Las personas a las que se aplique la presente Ley gozarán de todos los derechos reconocidos en la Constitución y en el ordenamiento jurídico, particularmente en la Ley Orgánica 1/1996, de 15 de enero, de Protección Jurídica del Menor, así como en la Convención sobre los Derechos del Niño de 20 de noviembre de 1989 y en todas aquellas normas sobre protección de menores contenidas en los Tratados válidamente celebrados por España.

TÍTULO I

Del ámbito de aplicación de la Ley

Artículo 2. *Competencia de los Jueces de Menores.*

1. Los Jueces de Menores serán competentes para conocer de los hechos cometidos por las personas mencionadas en el artículo 1 de esta Ley, así como para hacer ejecutar las sentencias, sin perjuicio de las facultades atribuidas por esta Ley a las Comunidades Autónomas respecto a la protección y reforma de menores.

2. Los Jueces de Menores serán asimismo competentes para resolver sobre las responsabilidades civiles derivadas de los hechos cometidos por las personas a las que resulta aplicable la presente Ley.

3. La competencia corresponde al Juez de Menores del lugar donde se haya cometido el hecho delictivo, sin perjuicio de lo establecido en el artículo 20.3 de esta Ley.

4. La competencia para conocer de los delitos previstos en los artículos 571 a 580 del Código Penal corresponderá al Juzgado Central de Menores de la Audiencia Nacional.

Corresponderá igualmente al Juzgado Central de Menores de la Audiencia Nacional la competencia para conocer de los delitos cometidos por menores en el extranjero cuando conforme al artículo 23 de la Ley Orgánica 6/1985, de 1 de julio, del Poder Judicial y a los Tratados Internacionales corresponda su conocimiento a la jurisdicción española.

La referencia del último inciso del apartado 4 del artículo 17 y cuantas otras se contienen en la presente Ley al Juez de Menores se entenderán hechas al Juez Central de Menores en lo que afecta a los menores imputados por cualquiera de los delitos a que se refieren los dos párrafos anteriores.

Artículo 3. *Régimen de los menores de catorce años.*

Cuando el autor de los hechos mencionados en los artículos anteriores sea menor de catorce años, no se le exigirá responsabilidad con arreglo a la presente Ley, sino que se le aplicará lo dispuesto en las normas sobre protección de menores previstas en el Código Civil y demás disposiciones vigentes. El Ministerio Fiscal deberá remitir a la entidad pública de protección de menores testimonio de los particulares que considere precisos respecto al menor, a fin de valorar su situación, y dicha entidad habrá de promover las medidas de protección adecuadas a las circunstancias de aquél conforme a lo dispuesto en la Ley Orgánica 1/1996, de 15 de enero.

Artículo 4. *Derechos de las víctimas y de los perjudicados.*

El Ministerio Fiscal y el Juez de Menores velarán en todo momento por la protección de los derechos de las víctimas y de los perjudicados por las infracciones cometidas por los menores.

De manera inmediata se les instruirá de las medidas de asistencia a las víctimas que prevé la legislación vigente.

Las víctimas y los perjudicados tendrán derecho a personarse y ser parte en el expediente que se incoe al efecto, para lo cual el secretario judicial les informará en los términos previstos en los artículos 109 y 110 de la Ley de Enjuiciamiento Criminal, instruyéndoles de su derecho a nombrar abogado o instar el nombramiento de abogado de oficio en caso de ser titulares del derecho a la asistencia jurídica gratuita. Asimismo, les informará de que, de no personarse en el expediente y no hacer renuncia ni reserva de acciones civiles, el Ministerio Fiscal las ejercitará si correspondiere.

Los que se personaren podrán desde entonces tomar conocimiento de lo actuado e instar la práctica de diligencias y cuanto a su derecho convenga. Sin perjuicio de lo anterior, el secretario judicial deberá comunicar a las víctimas y perjudicados, se hayan o no personado, todas aquellas resoluciones que se adopten tanto por el Ministerio Fiscal como por el Juez de Menores, que puedan afectar a sus intereses.

En especial, cuando el Ministerio Fiscal, en aplicación de lo dispuesto en el artículo 18 de esta Ley, desista de la incoación del expediente deberá inmediatamente ponerlo en conocimiento de las víctimas y perjudicados haciéndoles saber su derecho a ejercitar las acciones civiles que les asisten ante la jurisdicción civil.

Del mismo modo, el secretario judicial notificará por escrito la sentencia que se dicte a las víctimas y perjudicados por la infracción penal, aunque no se hayan mostrado parte en el expediente.

Artículo 5. *Bases de la responsabilidad de los menores.*

1. Los menores serán responsables con arreglo a esta Ley cuando hayan cometido los hechos a los que se refiere el artículo 1 y no concurra en ellos ninguna de las causas de exención o extinción de la responsabilidad criminal previstas en el vigente Código Penal.

2. No obstante lo anterior, a los menores en quienes concurran las circunstancias previstas en los números 1.º, 2.º y 3.º del artículo 20 del vigente Código Penal les serán aplicables, en caso necesario, las medidas terapéuticas a las que se refiere el artículo 7.1, letras d) y e), de la presente Ley.

3. Las edades indicadas en el articulado de esta Ley se han de entender siempre referidas al momento de la comisión de los hechos, sin que el haberse rebasado las mismas antes del comienzo del procedimiento o durante la tramitación del mismo tenga incidencia alguna sobre la competencia atribuida por esta misma Ley a los Jueces y Fiscales de Menores.

Artículo 6. *De la intervención del Ministerio Fiscal.*

Corresponde al Ministerio Fiscal la defensa de los derechos que a los menores reconocen las leyes, así como la vigilancia de las actuaciones que deban efectuarse en su interés y la observancia de las garantías del procedimiento, para lo cual dirigirá personalmente la investigación de los hechos y ordenará que la policía judicial practique las actuaciones necesarias para la comprobación de aquéllos y de la participación del menor en los mismos, impulsando el procedimiento.

TÍTULO II

De las medidas

Artículo 7. *Definición de las medidas susceptibles de ser impuestas a los menores y reglas generales de determinación de las mismas.*

1. Las medidas que pueden imponer los Jueces de Menores, ordenadas según la restricción de derechos que suponen, son las siguientes:

a) Internamiento en régimen cerrado. Las personas sometidas a esta medida residirán en el centro y desarrollarán en el mismo las actividades formativas, educativas, laborales y de ocio.

b) Internamiento en régimen semiabierto. Las personas sometidas a esta medida residirán en el centro, pero podrán realizar fuera del mismo alguna o algunas de las actividades formativas, educativas, laborales y de ocio establecidas en el programa individualizado de ejecución de la medida. La realización de actividades fuera del centro quedará condicionada a la evolución de la persona y al cumplimiento de los objetivos previstos en las mismas, pudiendo el Juez de Menores suspenderlas por tiempo determinado, acordando que todas las actividades se lleven a cabo dentro del centro.

c) Internamiento en régimen abierto. Las personas sometidas a esta medida llevarán a cabo todas las actividades del proyecto educativo en los servicios normalizados del entorno, residiendo en el centro como domicilio habitual, con sujeción al programa y régimen interno del mismo.

d) Internamiento terapéutico en régimen cerrado, semiabierto o abierto. En los centros de esta naturaleza se realizará una atención educativa especializada o tratamiento específico dirigido a personas que padezcan anomalías o alteraciones psíquicas, un estado de dependencia de bebidas alcohólicas, drogas tóxicas o sustancias psicotrópicas, o alteraciones en la percepción que determinen una alteración grave de la conciencia de la realidad. Esta medida podrá aplicarse sola o como complemento de otra medida prevista en este artículo. Cuando el interesado rechace un tratamiento de deshabituación, el Juez habrá de aplicarle otra medida adecuada a sus circunstancias.

e) Tratamiento ambulatorio. Las personas sometidas a esta medida habrán de asistir al centro designado con la periodicidad requerida por los facultativos que las atiendan y seguir las pautas fijadas para el adecuado tratamiento de la anomalía o alteración psíquica, adicción al consumo de bebidas alcohólicas, drogas tóxicas o sustancias psicotrópicas, o alteraciones en la percepción que padezcan. Esta medida podrá aplicarse sola o como complemento de otra medida prevista en este artículo. Cuando el interesado rechace un tratamiento de deshabituación, el Juez habrá de aplicarle otra medida adecuada a sus circunstancias.

f) Asistencia a un centro de día. Las personas sometidas a esta medida residirán en su domicilio habitual y acudirán a un centro, plenamente integrado en la comunidad, a realizar actividades de apoyo, educativas, formativas, laborales o de ocio.

g) Permanencia de fin de semana. Las personas sometidas a esta medida permanecerán en su domicilio o en un centro hasta un máximo de treinta y seis horas entre la tarde o noche del viernes y la noche del domingo, a excepción, en su caso, del tiempo que deban dedicar a las tareas socio-educativas asignadas por el Juez que deban llevarse a cabo fuera del lugar de permanencia.

h) Libertad vigilada. En esta medida se ha de hacer un seguimiento de la actividad de la persona sometida a la misma y de su asistencia a la escuela, al centro de formación profesional o al lugar de trabajo, según los casos, procurando ayudar a aquélla a superar los factores que determinaron la infracción cometida. Asimismo, esta medida obliga, en su caso, a seguir las pautas socio-educativas que señale la entidad pública o el profesional encargado de su seguimiento, de acuerdo con el programa de intervención elaborado al efecto y aprobado por el Juez de Menores. La persona sometida a la medida también queda obligada a mantener con dicho profesional las entrevistas establecidas en el programa y a cumplir, en su caso, las reglas de conducta impuestas por el Juez, que podrán ser alguna o algunas de las siguientes:

1.ª Obligación de asistir con regularidad al centro docente correspondiente, si el menor está en edad de escolarización obligatoria, y acreditar ante el Juez dicha asistencia regular o justificar en su caso las ausencias, cuantas veces fuere requerido para ello.

2.ª Obligación de someterse a programas de tipo formativo, cultural, educativo, profesional, laboral, de educación sexual, de educación vial u otros similares.

3.ª Prohibición de acudir a determinados lugares, establecimientos o espectáculos.

4.ª Prohibición de ausentarse del lugar de residencia sin autorización judicial previa.

5.ª Obligación de residir en un lugar determinado.

6.ª Obligación de comparecer personalmente ante el Juzgado de Menores o profesional que se designe, para informar de las actividades realizadas y justificarlas.

7.ª Cualesquiera otras obligaciones que el Juez, de oficio o a instancia del Ministerio Fiscal, estime convenientes para la reinserción social del sentenciado, siempre que no atenten contra su dignidad como persona. Si alguna de estas obligaciones implicase la imposibilidad del menor de continuar conviviendo con sus padres, tutores o guardadores, el Ministerio Fiscal deberá remitir testimonio de los particulares a la entidad pública de protección del menor, y dicha entidad deberá promover las medidas de protección adecuadas a las circunstancias de aquél, conforme a lo dispuesto en la Ley Orgánica 1/1996.

i) La prohibición de aproximarse o comunicarse con la víctima o con aquellos de sus familiares u otras personas que determine el Juez. Esta medida impedirá al menor acercarse a ellos, en cualquier lugar donde se encuentren, así como a su domicilio, a su centro docente, a sus lugares de trabajo y a cualquier otro que sea frecuentado por ellos. La prohibición de comunicarse con la víctima, o con aquellos de sus familiares u otras personas que determine el Juez o Tribunal, impedirá al menor establecer con ellas, por cualquier medio de comunicación o medio informático o telemático, contacto escrito, verbal o visual. Si esta medida implicase la imposibilidad del menor de continuar viviendo con sus padres, tutores o guardadores, el Ministerio Fiscal deberá remitir testimonio de los particulares a la entidad pública de protección del menor, y dicha entidad deberá promover las medidas de protección adecuadas a las circunstancias de aquél, conforme a lo dispuesto en la Ley Orgánica 1/1996.

j) Convivencia con otra persona, familia o grupo educativo. La persona sometida a esta medida debe convivir, durante el período de tiempo establecido por el Juez, con otra persona, con una familia distinta a la suya o con un grupo educativo, adecuadamente seleccionados para orientar a aquélla en su proceso de socialización.

k) Prestaciones en beneficio de la comunidad. La persona sometida a esta medida, que no podrá imponerse sin su consentimiento, ha de realizar las actividades no retribuidas que se le indiquen, de interés social o en beneficio de personas en situación de precariedad.

l) Realización de tareas socio-educativas. La persona sometida a esta medida ha de realizar, sin internamiento ni libertad vigilada, actividades específicas de contenido educativo encaminadas a facilitarle el desarrollo de su competencia social.

m) Amonestación. Esta medida consiste en la represión de la persona llevada a cabo por el Juez de Menores y dirigida a hacerle comprender la gravedad de los hechos cometidos y las consecuencias que los mismos han tenido o podrían haber tenido, instándole a no volver a cometer tales hechos en el futuro.

n) Privación del permiso de conducir ciclomotores y vehículos a motor, o del derecho a obtenerlo, o de las licencias administrativas para caza o para uso de cualquier tipo de armas. Esta medida podrá imponerse como accesoria cuando el delito o falta se hubiere cometido utilizando un ciclomotor o un vehículo a motor, o un arma, respectivamente.

ñ) Inhabilitación absoluta. La medida de inhabilitación absoluta produce la privación definitiva de todos los honores, empleos y cargos públicos sobre el que recayere, aunque sean electivos; así como la incapacidad para obtener los mismos o cualesquiera otros honores, cargos o empleos públicos, y la de ser elegido para cargo público, durante el tiempo de la medida.

2. Las medidas de internamiento constarán de dos períodos: el primero se llevará a cabo en el centro correspondiente, conforme a la descripción efectuada en el apartado anterior de este artículo, el segundo se llevará a cabo en régimen de libertad vigilada, en la modalidad

elegida por el Juez. La duración total no excederá del tiempo que se expresa en los artículos 9 y 10. El equipo técnico deberá informar respecto del contenido de ambos períodos, y el Juez expresará la duración de cada uno en la sentencia.

3. Para la elección de la medida o medidas adecuadas se deberá atender de modo flexible, no sólo a la prueba y valoración jurídica de los hechos, sino especialmente a la edad, las circunstancias familiares y sociales, la personalidad y el interés del menor, puestos de manifiesto los dos últimos en los informes de los equipos técnicos y de las entidades públicas de protección y reforma de menores cuando éstas hubieran tenido conocimiento del menor por haber ejecutado una medida cautelar o definitiva con anterioridad, conforme a lo dispuesto en el artículo 27 de la presente Ley. El Juez deberá motivar en la sentencia las razones por las que aplica una determinada medida, así como el plazo de duración de la misma, a los efectos de la valoración del mencionado interés del menor.

4. El Juez podrá imponer al menor una o varias medidas de las previstas en esta Ley con independencia de que se trate de uno o más hechos, sujetándose si procede a lo dispuesto en el artículo 11 para el enjuiciamiento conjunto de varias infracciones; pero, en ningún caso, se impondrá a un menor en una misma resolución más de una medida de la misma clase, entendiendo por tal cada una de las que se enumeran en el apartado 1 de este artículo.

Artículo 8. *Principio acusatorio.*

El Juez de Menores no podrá imponer una medida que suponga una mayor restricción de derechos ni por un tiempo superior a la medida solicitada por el Ministerio Fiscal o por el acusador particular.

Tampoco podrá exceder la duración de las medidas privativas de libertad contempladas en el artículo 7.1.ª), b), c), d) y g), en ningún caso, del tiempo que hubiera durado la pena privativa de libertad que se le hubiere impuesto por el mismo hecho, si el sujeto, de haber sido mayor de edad, hubiera sido declarado responsable, de acuerdo con el Código Penal.

Artículo 9. *Régimen general de aplicación y duración de las medidas.*

No obstante lo establecido en los apartados 3 y 4 del artículo 7, la aplicación de las medidas se atendrá a las siguientes reglas:

1. Cuando los hechos cometidos sean calificados de falta, sólo se podrán imponer las medidas de libertad vigilada hasta un máximo de seis meses, amonestación, permanencia de fin de semana hasta un máximo de cuatro fines de semana, prestaciones en beneficio de la comunidad hasta cincuenta horas, privación del permiso de conducir o de otras licencias administrativas hasta un año, la prohibición de aproximarse o comunicarse con la víctima o con aquellos de sus familiares u otras personas que determine el Juez hasta seis meses, y la realización de tareas socio-educativas hasta seis meses.

2. La medida de internamiento en régimen cerrado sólo podrá ser aplicable cuando:

a) Los hechos estén tipificados como delito grave por el Código Penal o las leyes penales especiales.

b) Tratándose de hechos tipificados como delito menos grave, en su ejecución se haya empleado violencia o intimidación en las personas o se haya generado grave riesgo para la vida o la integridad física de las mismas.

c) Los hechos tipificados como delito se cometan en grupo o el menor perteneciere o actuare al servicio de una banda, organización o asociación, incluso de carácter transitorio, que se dedicare a la realización de tales actividades.

3. La duración de las medidas no podrá exceder de dos años, computándose, en su caso, a estos efectos el tiempo ya cumplido por el menor en medida cautelar, conforme a lo dispuesto en el artículo 28.5 de la presente Ley. La medida de prestaciones en beneficio de la comunidad no podrá superar las cien horas. La medida de permanencia de fin de semana no podrá superar los ocho fines de semana.

4. Las acciones u omisiones imprudentes no podrán ser sancionadas con medidas de internamiento en régimen cerrado.

5. Cuando en la postulación del Ministerio Fiscal o en la resolución dictada en el procedimiento se aprecien algunas de las circunstancias a las que se refiere el artículo 5.2

de esta Ley, sólo podrán aplicarse las medidas terapéuticas descritas en el artículo 7.1, letras d) y e) de la misma.

Artículo 10. *Reglas especiales de aplicación y duración de las medidas.*

1. Cuando se trate de los hechos previstos en el apartado 2 del artículo anterior, el Juez, oído el Ministerio Fiscal, las partes personadas y el equipo técnico, actuará conforme a las reglas siguientes:

a) si al tiempo de cometer los hechos el menor tuviere catorce o quince años de edad, la medida podrá alcanzar tres años de duración. Si se trata de prestaciones en beneficio de la comunidad, dicho máximo será de ciento cincuenta horas, y de doce fines de semana si la medida impuesta fuere la de permanencia de fin de semana.

b) si al tiempo de cometer los hechos el menor tuviere dieciséis o diecisiete años de edad, la duración máxima de la medida será de seis años; o, en sus respectivos casos, de doscientas horas de prestaciones en beneficio de la comunidad o permanencia de dieciséis fines de semana. En este supuesto, cuando el hecho revista extrema gravedad, el Juez deberá imponer una medida de internamiento en régimen cerrado de uno a seis años, complementada sucesivamente con otra medida de libertad vigilada con asistencia educativa hasta un máximo de cinco años. Sólo podrá hacerse uso de lo dispuesto en los artículos 13 y 51.1 de esta Ley Orgánica una vez transcurrido el primer año de cumplimiento efectivo de la medida de internamiento. A los efectos previstos en el párrafo anterior, se entenderán siempre supuestos de extrema gravedad aquellos en los que se apreciara reincidencia.

2. Cuando el hecho sea constitutivo de alguno de los delitos tipificados en los artículos 138, 139, 179, 180 y 571 a 580 del Código Penal, o de cualquier otro delito que tenga señalada en dicho Código o en las leyes penales especiales pena de prisión igual o superior a quince años, el Juez deberá imponer las medidas siguientes:

a) si al tiempo de cometer los hechos el menor tuviere catorce o quince años de edad, una medida de internamiento en régimen cerrado de uno a cinco años de duración, complementada en su caso por otra medida de libertad vigilada de hasta tres años.

b) si al tiempo de cometer los hechos el menor tuviere dieciséis o diecisiete años de edad, una medida de internamiento en régimen cerrado de uno a ocho años de duración, complementada en su caso por otra de libertad vigilada con asistencia educativa de hasta cinco años. En este supuesto sólo podrá hacerse uso de las facultades de modificación, suspensión o sustitución de la medida impuesta a las que se refieren los artículos 13, 40 y 51.1 de esta Ley Orgánica, cuando haya transcurrido al menos, la mitad de la duración de la medida de internamiento impuesta.

3. En el caso de que el delito cometido sea alguno de los comprendidos en los artículos 571 a 580 del Código Penal, el Juez, sin perjuicio de las demás medidas que correspondan con arreglo a esta Ley, también impondrá al menor una medida de inhabilitación absoluta por un tiempo superior entre cuatro y quince años al de la duración de la medida de internamiento en régimen cerrado impuesta, atendiendo proporcionalmente a la gravedad del delito, el número de los cometidos y a las circunstancias que concurran en el menor.

4. Las medidas de libertad vigilada previstas en este artículo deberán ser ratificadas mediante auto motivado, previa audiencia del Ministerio Fiscal, del letrado del menor y del representante de la entidad pública de protección o reforma de menores al finalizar el internamiento, y se llevará a cabo por las instituciones públicas encargadas del cumplimiento de las penas.

Artículo 11. *Pluralidad de infracciones.*

1. Los límites máximos establecidos en el artículo 9 y en el apartado 1 del artículo 10 serán aplicables, con arreglo a los criterios establecidos en el artículo 7, apartados 3 y 4, aunque el menor fuere responsable de dos o más infracciones, en el caso de que éstas sean conexas o se trate de una infracción continuada, así como cuando un sólo hecho constituya dos o más infracciones. No obstante, en estos casos, el Juez, para determinar la medida o medidas a imponer, así como su duración, deberá tener en cuenta, además del interés del menor, la naturaleza y el número de las infracciones, tomando como referencia la más grave

de todas ellas. Si pese a lo dispuesto en el artículo 20.1 de esta Ley dichas infracciones hubiesen sido objeto de diferentes procedimientos, el último Juez sentenciador señalará la medida o medidas que debe cumplir el menor por el conjunto de los hechos, dentro de los límites y con arreglo a los criterios expresados en el párrafo anterior.

2. Cuando alguno o algunos de los hechos a los que se refiere el apartado anterior fueren de los mencionados en el artículo 10.2 de esta Ley, la medida de internamiento en régimen cerrado podrá alcanzar una duración máxima de diez años para los mayores de dieciséis años y de seis años para los menores de esa edad, sin perjuicio de la medida de libertad vigilada que, de forma complementaria, corresponda imponer con arreglo a dicho artículo.

3. Cuando el menor hubiere cometido dos o más infracciones no comprendidas en el apartado 1 de este artículo será de aplicación lo dispuesto en el artículo 47 de la presente Ley.

Artículo 12. *Procedimiento de aplicación de medidas en supuestos de pluralidad de infracciones.*

1. A los fines previstos en el artículo anterior, en cuanto el Juez sentenciador tenga conocimiento de la existencia de otras medidas firmes en ejecución, pendientes de ejecución o suspendidas condicionalmente, impuestas al mismo menor por otros jueces de menores en anteriores sentencias, y una vez que la medida o medidas por él impuestas sean firmes, ordenará al secretario judicial que dé traslado del testimonio de su sentencia, por el medio más rápido posible, al Juez que haya dictado la primera sentencia firme, el cual será el competente para la ejecución de todas, asumiendo las funciones previstas en el apartado 2 de este artículo.

2. El Juez competente para la ejecución procederá a la refundición y a ordenar la ejecución de todas las medidas impuestas conforme establece el artículo 47 de esta Ley. Desde ese momento, pasará a ser competente a todos los efectos con exclusión de los órganos judiciales que hubieran dictado las posteriores resoluciones.

Artículo 13. *Modificación de la medida impuesta.*

1. El Juez competente para la ejecución, de oficio o a instancia del Ministerio Fiscal o del letrado del menor, previa audiencia de éstos e informe del equipo técnico y, en su caso, de la entidad pública de protección o reforma de menores, podrá en cualquier momento dejar sin efecto la medida impuesta, reducir su duración o sustituirla por otra, siempre que la modificación redunde en el interés del menor y se exprese suficientemente a éste el reproche merecido por su conducta.

2. En los casos anteriores, el Juez resolverá por auto motivado, contra el cual se podrán interponer los recursos previstos en la presente Ley.

Artículo 14. *Mayoría de edad del condenado.*

1. Cuando el menor a quien se le hubiere impuesto una medida de las establecidas en esta Ley alcanzase la mayoría de edad, continuará el cumplimiento de la medida hasta alcanzar los objetivos propuestos en la sentencia en que se le impuso conforme a los criterios expresados en los artículos anteriores.

2. Cuando se trate de la medida de internamiento en régimen cerrado y el menor alcance la edad de dieciocho años sin haber finalizado su cumplimiento, el Juez de Menores, oído el Ministerio Fiscal, el letrado del menor, el equipo técnico y la entidad pública de protección o reforma de menores, podrá ordenar en auto motivado que su cumplimiento se lleve a cabo en un centro penitenciario conforme al régimen general previsto en la Ley Orgánica General Penitenciaria si la conducta de la persona internada no responde a los objetivos propuestos en la sentencia.

3. No obstante lo señalado en los apartados anteriores, cuando las medidas de internamiento en régimen cerrado sean impuestas a quien haya cumplido veintiún años de edad o, habiendo sido impuestas con anterioridad, no hayan finalizado su cumplimiento al alcanzar la persona dicha edad, el Juez de Menores, oídos el Ministerio Fiscal, el letrado del menor, el equipo técnico y la entidad pública de protección o reforma de menores, ordenará su cumplimiento en centro penitenciario conforme al régimen general previsto en la Ley

Orgánica General Penitenciaria, salvo que, excepcionalmente, entienda en consideración a las circunstancias concurrentes que procede la utilización de las medidas previstas en los artículos 13 y 51 de la presente Ley o su permanencia en el centro en cumplimiento de tal medida cuando el menor responda a los objetivos propuestos en la sentencia.

4. Cuando el menor pase a cumplir la medida de internamiento en un centro penitenciario, quedarán sin efecto el resto de medidas impuestas por el Juez de Menores que estuvieren pendientes de cumplimiento sucesivo o que estuviera cumpliendo simultáneamente con la de internamiento, si éstas no fueren compatible con el régimen penitenciario, todo ello sin perjuicio de que excepcionalmente proceda la aplicación de los artículos 13 y 51 de esta Ley.

5. La medida de internamiento en régimen cerrado que imponga el Juez de Menores con arreglo a la presente Ley se cumplirá en un centro penitenciario conforme al régimen general previsto en la Ley Orgánica General Penitenciaria siempre que, con anterioridad al inicio de la ejecución de dicha medida, el responsable hubiera cumplido ya, total o parcialmente, bien una pena de prisión impuesta con arreglo al Código Penal, o bien una medida de internamiento ejecutada en un centro penitenciario conforme a los apartados 2 y 3 de este artículo.

Artículo 15. *De la prescripción.*

1. Los hechos delictivos cometidos por los menores prescriben:

1.º Con arreglo a las normas contenidas en el Código Penal, cuando se trate de los hechos delictivos tipificados en los artículos 138, 139, 179, 180 y 571 a 580 del Código Penal o cualquier otro sancionado en el Código Penal o en las leyes penales especiales con pena de prisión igual o superior a quince años.

2.º A los cinco años, cuando se trate de un delito grave sancionado en el Código Penal con pena superior a diez años.

3.º A los tres años, cuando se trate de cualquier otro delito grave.

4.º Al año, cuando se trate de un delito menos grave. 5.º A los tres meses, cuando se trate de una falta.

2. Las medidas que tengan una duración superior a los dos años prescribirán a los tres años. Las restantes medidas prescribirán a los dos años, excepto la amonestación, las prestaciones en beneficio de la comunidad y la permanencia de fin de semana, que prescribirán al año.

TÍTULO III

De la instrucción del procedimiento

CAPÍTULO I

Reglas generales

Artículo 16. *Incoación del expediente.*

1. Corresponde al Ministerio Fiscal la instrucción de los procedimientos por los hechos a los que se refiere el artículo 1 de esta Ley.

2. Quienes tuvieren noticia de algún hecho de los indicados en el apartado anterior, presuntamente cometido por un menor de dieciocho años, deberán ponerlo en conocimiento del Ministerio Fiscal, el cual admitirá o no a trámite la denuncia, según que los hechos sean o no indiciariamente constitutivos de delito; custodiará las piezas, documentos y efectos que le hayan sido remitidos, y practicará, en su caso, las diligencias que estime pertinentes para la comprobación del hecho y de la responsabilidad del menor en su comisión, pudiendo resolver el archivo de las actuaciones cuando los hechos no constituyan delito o no tengan autor conocido. La resolución recaída sobre la denuncia deberá notificarse a quienes hubieran formulado la misma.

3. Una vez efectuadas las actuaciones indicadas en el apartado anterior, el Ministerio Fiscal dará cuenta de la incoación del expediente al Juez de Menores, quien iniciará las diligencias de trámite correspondientes.

4. El Juez de Menores ordenará al propio tiempo la apertura de la pieza separada de responsabilidad civil, que se tramitará conforme a lo establecido en las reglas del artículo 64 de esta Ley.

5. Cuando los hechos mencionados en el artículo 1 hubiesen sido cometidos conjuntamente por mayores de edad penal y por personas de las edades indicadas en el mismo artículo 1, el Juez de Instrucción competente para el conocimiento de la causa, tan pronto como compruebe la edad de los imputados, adoptará las medidas necesarias para asegurar el éxito de la actividad investigadora respecto de los mayores de edad y ordenará remitir testimonio de los particulares precisos al Ministerio Fiscal, a los efectos prevenidos en el apartado 2 de este artículo.

Artículo 17. *Detención de los menores.*

1. Las autoridades y funcionarios que intervengan en la detención de un menor deberán practicarla en la forma que menos perjudique a éste y estarán obligados a informarle, en un lenguaje claro y comprensible y de forma inmediata, de los hechos que se le imputan, de las razones de su detención y de los derechos que le asisten, especialmente los reconocidos en el artículo 520 de la Ley de Enjuiciamiento Criminal, así como a garantizar el respeto de los mismos. También deberán notificar inmediatamente el hecho de la detención y el lugar de la custodia a los representantes legales del menor y al Ministerio Fiscal. Si el menor detenido fuera extranjero, el hecho de la detención se notificará a las correspondientes autoridades consulares cuando el menor tuviera su residencia habitual fuera de España o cuando así lo solicitaran el propio menor o sus representantes legales.

2. Toda declaración del detenido, se llevará a cabo en presencia de su letrado y de aquéllos que ejerzan la patria potestad, tutela o guarda del menor -de hecho o de derecho-, salvo que, en este último caso, las circunstancias aconsejen lo contrario. En defecto de estos últimos la declaración se llevará a cabo en presencia del Ministerio Fiscal, representado por persona distinta del instructor del expediente.

El menor detenido tendrá derecho a la entrevista reservada con su abogado con anterioridad y al término de la práctica de la diligencia de toma de declaración.

3. Mientras dure la detención, los menores deberán hallarse custodiados en dependencias adecuadas y separadas de las que se utilicen para los mayores de edad, y recibirán los cuidados, protección y asistencia social, psicológica, médica y física que requieran, habida cuenta de su edad, sexo y características individuales.

4. La detención de un menor por funcionarios de policía no podrá durar más tiempo del estrictamente necesario para la realización de las averiguaciones tendentes al esclarecimiento de los hechos, y, en todo caso, dentro del plazo máximo de veinticuatro horas, el menor detenido deberá ser puesto en libertad o a disposición del Ministerio Fiscal. Se aplicará, en su caso, lo dispuesto en el artículo 520 bis de la Ley de Enjuiciamiento Criminal, atribuyendo la competencia para las resoluciones judiciales previstas en dicho precepto al Juez de Menores.

5. Cuando el detenido sea puesto a disposición del Ministerio Fiscal, éste habrá de resolver, dentro de las cuarenta y ocho horas a partir de la detención, sobre la puesta en libertad del menor, sobre el desistimiento al que se refiere el artículo siguiente, o sobre la incoación del expediente, poniendo a aquél a disposición del Juez de Menores competente e instando del mismo las oportunas medidas cautelares, con arreglo a lo establecido en el artículo 28.

6. El Juez competente para el procedimiento de hábeas corpus en relación a un menor será el Juez de Instrucción del lugar en el que se encuentre el menor privado de libertad; si no constare, el del lugar donde se produjo la detención, y, en defecto de los anteriores, el del lugar donde se hayan tenido las últimas noticias sobre el paradero del menor detenido. Cuando el procedimiento de hábeas corpus sea instado por el propio menor, la fuerza pública responsable de la detención lo notificará inmediatamente al Ministerio Fiscal, además de dar curso al procedimiento conforme a la ley orgánica reguladora.

Artículo 18. *Desistimiento de la incoación del expediente por corrección en el ámbito educativo y familiar.*

El Ministerio Fiscal podrá desistir de la incoación del expediente cuando los hechos denunciados constituyan delitos menos graves sin violencia o intimidación en las personas o faltas, tipificados en el Código Penal o en las leyes penales especiales. En tal caso, el Ministerio Fiscal dará traslado de lo actuado a la entidad pública de protección de menores para la aplicación de lo establecido en el artículo 3 de la presente Ley. Asimismo, el Ministerio Fiscal comunicará a los ofendidos o perjudicados conocidos el desistimiento acordado.

No obstante, cuando conste que el menor ha cometido con anterioridad otros hechos de la misma naturaleza, el Ministerio Fiscal deberá incoar el expediente y, en su caso, actuar conforme autoriza el artículo 27.4 de la presente Ley.

Artículo 19. *Sobreseimiento del expediente por conciliación o reparación entre el menor y la víctima.*

1. También podrá el Ministerio Fiscal desistir de la continuación del expediente, atendiendo a la gravedad y circunstancias de los hechos y del menor, de modo particular a la falta de violencia o intimidación graves en la comisión de los hechos, y a la circunstancia de que además el menor se haya conciliado con la víctima o haya asumido el compromiso de reparar el daño causado a la víctima o al perjudicado por el delito, o se haya comprometido a cumplir la actividad educativa propuesta por el equipo técnico en su informe.

El desistimiento en la continuación del expediente sólo será posible cuando el hecho imputado al menor constituya delito menos grave o falta.

2. A efectos de lo dispuesto en el apartado anterior, se entenderá producida la conciliación cuando el menor reconozca el daño causado y se disculpe ante la víctima, y ésta acepte sus disculpas, y se entenderá por reparación el compromiso asumido por el menor con la víctima o perjudicado de realizar determinadas acciones en beneficio de aquéllos o de la comunidad, seguido de su realización efectiva. Todo ello sin perjuicio del acuerdo al que hayan llegado las partes en relación con la responsabilidad civil.

3. El correspondiente equipo técnico realizará las funciones de mediación entre el menor y la víctima o perjudicado, a los efectos indicados en los apartados anteriores, e informará al Ministerio Fiscal de los compromisos adquiridos y de su grado de cumplimiento.

4. Una vez producida la conciliación o cumplidos los compromisos de reparación asumidos con la víctima o perjudicado por el delito o falta cometido, o cuando una u otros no pudieran llevarse a efecto por causas ajenas a la voluntad del menor, el Ministerio Fiscal dará por concluida la instrucción y solicitará del Juez el sobreseimiento y archivo de las actuaciones, con remisión de lo actuado.

5. En el caso de que el menor no cumpliera la reparación o la actividad educativa acordada, el Ministerio Fiscal continuará la tramitación del expediente.

6. En los casos en los que la víctima del delito o falta fuere menor de edad o incapaz, el compromiso al que se refiere el presente artículo habrá de ser asumido por el representante legal de la misma, con la aprobación del Juez de Menores.

Artículo 20. *Unidad de expediente.*

1. El Ministerio Fiscal incoará un procedimiento por cada hecho delictivo, salvo cuando se trate de hechos delictivos conexos.

2. Todos los procedimientos tramitados a un mismo menor se archivarán en el expediente personal que del mismo se haya abierto en la Fiscalía. De igual modo se archivarán las diligencias en el Juzgado de Menores respectivo.

3. En los casos en los que los delitos atribuidos al menor expedientado hubieran sido cometidos en diferentes territorios, la determinación del órgano judicial competente para el enjuiciamiento de todos ellos en unidad de expediente, así como de las entidades públicas competentes para la ejecución de las medidas que se apliquen, se hará teniendo en cuenta el lugar del domicilio del menor y, subsidiariamente, los criterios expresados en el artículo 18 de la Ley de Enjuiciamiento Criminal.

4. Los procedimientos de la competencia de la Audiencia Nacional no podrán ser objeto de acumulación con otros procedimientos instruidos en el ámbito de la jurisdicción de menores, sean o no los mismos los sujetos imputados.

Artículo 21. *Remisión al órgano competente.*

Cuando el conocimiento de los hechos no corresponda a la competencia de los Juzgados de Menores, el Fiscal acordará la remisión de lo actuado al órgano legalmente competente.

Artículo 22. *De la incoación del expediente.*

1. Desde el mismo momento de la incoación del expediente, el menor tendrá derecho a:

a) Ser informado por el Juez, el Ministerio Fiscal, o agente de policía de los derechos que le asisten.

b) Designar abogado que le defienda, o a que le sea designado de oficio y a entrevistarse reservadamente con él, incluso antes de prestar declaración.

c) Intervenir en las diligencias que se practiquen durante la investigación preliminar y en el proceso judicial, y a proponer y solicitar, respectivamente, la práctica de diligencias.

d) Ser oído por el Juez o Tribunal antes de adoptar cualquier resolución que le concierna personalmente.

e) La asistencia afectiva y psicológica en cualquier estado y grado del procedimiento, con la presencia de los padres o de otra persona que indique el menor, si el Juez de Menores autoriza su presencia.

f) La asistencia de los servicios del equipo técnico adscrito al Juzgado de Menores.

2. El expediente será notificado al menor desde el momento mismo de su incoación, a salvo lo dispuesto en el artículo 24. A tal fin, el Fiscal requerirá al menor y a sus representantes legales para que designen letrado en el plazo de tres días, advirtiéndoles que, de no hacerlo, se le nombrará de oficio de entre los integrantes del turno de especialistas del correspondiente Colegio de Abogados. Una vez producida dicha designación, el Fiscal la comunicará al Juez de Menores.

3. Igualmente, el Ministerio Fiscal notificará a quien aparezca como perjudicado, desde el momento en que así conste en la instrucción del expediente, la posibilidad de ejercer las acciones civiles que le puedan corresponder, personándose ante el Juez de Menores en la pieza de responsabilidad civil que se tramitará por el mismo.

Artículo 23. *Actuación instructora del Ministerio Fiscal.*

1. La actuación instructora del Ministerio Fiscal tendrá como objeto, tanto valorar la participación del menor en los hechos para expresarle el reproche que merece su conducta, como proponer las concretas medidas de contenido educativo y sancionador adecuadas a las circunstancias del hecho y de su autor y, sobre todo, al interés del propio menor valorado en la causa.

2. El Ministerio Fiscal deberá dar vista del expediente al letrado del menor y, en su caso, a quien haya ejercitado la acción penal, en un plazo no superior a veinticuatro horas, tantas veces como aquel lo solicite.

3. El Ministerio Fiscal no podrá practicar por sí mismo diligencias restrictivas de derechos fundamentales, sino que habrá de solicitar del Juzgado la práctica de las que sean precisas para el buen fin de las investigaciones. El Juez de Menores resolverá sobre esta petición por auto motivado. La práctica de tales diligencias se documentará en pieza separada.

Artículo 24. *Secreto del expediente.*

El Juez de Menores, a solicitud del Ministerio Fiscal, del menor o de su familia, o de quien ejercite la acción penal, podrá decretar mediante auto motivado el secreto del expediente, en su totalidad o parcialmente, durante toda la instrucción o durante un período limitado de ésta. No obstante, el letrado del menor y quien ejercite la acción penal deberán, en todo caso, conocer en su integridad el expediente al evacuar el trámite de alegaciones. Este incidente se tramitará por el Juzgado en pieza separada.

Artículo 25. *De la acusación particular.*

Podrán personarse en el procedimiento como acusadores particulares, a salvo de las acciones previstas por el artículo 61 de esta ley, las personas directamente ofendidas por el delito, sus padres, sus herederos o sus representantes legales si fueran menores de edad o incapaces, con las facultades y derechos que derivan de ser parte en el procedimiento, entre los que están, entre otros, los siguientes:

a) Ejercitar la acusación particular durante el procedimiento.

b) Instar la imposición de las medidas a las que se refiere esta ley.

c) Tener vista de lo actuado, siendo notificado de las diligencias que se soliciten y acuerden.

d) Proponer pruebas que versen sobre el hecho delictivo y las circunstancias de su comisión, salvo en lo referente a la situación psicológica, educativa, familiar y social del menor.

e) Participar en la práctica de las pruebas, ya sea en fase de instrucción ya sea en fase de audiencia ; a estos efectos, el órgano actuante podrá denegar la práctica de la prueba de careo, si esta fuera solicitada, cuando no resulte fundamental para la averiguación de los hechos o la participación del menor en los mismos.

f) Ser oído en todos los incidentes que se tramiten durante el procedimiento.

g) Ser oído en caso de modificación o de sustitución de medidas impuestas al menor.

h) Participar en las vistas o audiencias que se celebren.

i) Formular los recursos procedentes de acuerdo con esta ley.

Una vez admitida por el Juez de Menores la personación del acusador particular, se le dará traslado de todas las actuaciones sustanciadas de conformidad con esta ley y se le permitirá intervenir en todos los trámites en defensa de sus intereses.

Artículo 26. *Diligencias propuestas por las partes.*

1. Las partes podrán solicitar del Ministerio Fiscal la práctica de cuantas diligencias consideren necesarias. El Ministerio Fiscal decidirá sobre su admisión, mediante resolución motivada que notificará al letrado del menor y a quien en su caso ejercite la acción penal y que pondrá en conocimiento del Juez de Menores. Las partes podrán, en cualquier momento, reproducir ante el Juzgado de Menores la petición de las diligencias no practicadas.

2. No obstante lo dispuesto en el apartado anterior, cuando alguna de las partes proponga que se lleve a efecto la declaración del menor, el Ministerio Fiscal deberá recibirla en el expediente, salvo que ya hubiese concluido la instrucción y el expediente hubiese sido elevado al Juzgado de Menores.

3. Si las diligencias propuestas por alguna de las partes afectaren a derechos fundamentales del menor o de otras personas, el Ministerio Fiscal, de estimar pertinente la solicitud, se dirigirá al Juez de Menores conforme a lo dispuesto en el artículo 23.3, sin perjuicio de la facultad de quien haya propuesto la diligencia de reproducir su solicitud ante el Juez de Menores conforme a lo dispuesto en el apartado 1 de este artículo.

Artículo 27. *Informe del equipo técnico.*

1. Durante la instrucción del expediente, el Ministerio Fiscal requerirá del equipo técnico, que a estos efectos dependerá funcionalmente de aquél sea cual fuere su dependencia orgánica, la elaboración de un informe o actualización de los anteriormente emitidos, que deberá serle entregado en el plazo máximo de diez días, prorrogable por un período no superior a un mes en casos de gran complejidad, sobre la situación psicológica, educativa y familiar del menor, así como sobre su entorno social, y en general sobre cualquier otra circunstancia relevante a los efectos de la adopción de alguna de las medidas previstas en la presente Ley.

2. El equipo técnico podrá proponer, asimismo, una intervención socio-educativa sobre el menor, poniendo de manifiesto en tal caso aquellos aspectos del mismo que considere relevantes en orden a dicha intervención.

3. De igual modo, el equipo técnico informará, si lo considera conveniente y en interés del menor, sobre la posibilidad de que éste efectúe una actividad reparadora o de

conciliación con la víctima, de acuerdo con lo dispuesto en el artículo 19 de esta Ley, con indicación expresa del contenido y la finalidad de la mencionada actividad. En este caso, no será preciso elaborar un informe de las características y contenidos del apartado 1 de este artículo.

4. Asimismo podrá el equipo técnico proponer en su informe la conveniencia de no continuar la tramitación del expediente en interés del menor, por haber sido expresado suficientemente el reproche al mismo a través de los trámites ya practicados, o por considerar inadecuada para el interés del menor cualquier intervención, dado el tiempo transcurrido desde la comisión de los hechos. En estos casos, si se reunieran los requisitos previstos en el artículo 19.1 de esta Ley, el Ministerio Fiscal podrá remitir el expediente al Juez con propuesta de sobreseimiento, remitiendo además, en su caso, testimonio de lo actuado a la entidad pública de protección de menores que corresponda, a los efectos de que actúe en protección del menor.

5. En todo caso, una vez elaborado el informe del equipo técnico, el Ministerio Fiscal lo remitirá inmediatamente al Juez de Menores y dará copia del mismo al letrado del menor.

6. El informe al que se refiere el presente artículo podrá ser elaborado o complementado por aquellas entidades públicas o privadas que trabajen en el ámbito de la educación de menores y conozcan la situación del menor expedientado.

CAPÍTULO II
De las medidas cautelares

Artículo 28. *Reglas generales.*

1. El Ministerio Fiscal, de oficio o a instancia de quien haya ejercitado la acción penal, cuando existan indicios racionales de la comisión de un delito y el riesgo de eludir u obstruir la acción de la justicia por parte del menor o de atentar contra los bienes jurídicos de la víctima, podrá solicitar del Juez de Menores, en cualquier momento, la adopción de medidas cautelares para la custodia y defensa del menor expedientado o para la debida protección de la víctima. Dichas medidas podrán consistir en internamiento en centro en el régimen adecuado, libertad vigilada, prohibición de aproximarse o comunicarse con la víctima o con aquellos de sus familiares u otras personas que determine el Juez, o convivencia con otra persona, familia o grupo educativo. El Juez, oído el letrado del menor, así como el equipo técnico y la representación de la entidad pública de protección o reforma de menores, que informarán especialmente sobre la naturaleza de la medida cautelar, resolverá sobre lo propuesto tomando en especial consideración el interés del menor. La medida cautelar adoptada podrá mantenerse hasta que recaiga sentencia firme.

2. Para la adopción de la medida cautelar de internamiento se atenderá a la gravedad de los hechos, valorando también las circunstancias personales y sociales del menor, la existencia de un peligro cierto de fuga, y, especialmente, el que el menor hubiera cometido o no con anterioridad otros hechos graves de la misma naturaleza. El Juez de Menores resolverá, a instancia del Ministerio Fiscal o de la acusación particular, en una comparecencia a la que asistirán también el letrado del menor, las demás partes personadas, el representante del equipo técnico y el de la entidad pública de protección o reforma de menores, los cuales informarán al Juez sobre la conveniencia de la adopción de la medida solicitada en función de los criterios consignados en este artículo. En dicha comparecencia el Ministerio Fiscal y las partes personadas podrán proponer los medios de prueba que puedan practicarse en el acto o dentro de las veinticuatro horas siguientes.

3. El tiempo máximo de la medida cautelar de internamiento será de seis meses, y podrá prorrogarse, a instancia del Ministerio Fiscal, previa audiencia del letrado del menor y mediante auto motivado, por otros tres meses como máximo.

4. Las medidas cautelares se documentarán en el Juzgado de Menores en pieza separada del expediente.

5. El tiempo de cumplimiento de las medidas cautelares se abonará en su integridad para el cumplimiento de las medidas que se puedan imponer en la misma causa o, en su defecto, en otras causas que hayan tenido por objeto hechos anteriores a la adopción de aquéllas. El Juez, a propuesta del Ministerio Fiscal y oídos el letrado del menor y el equipo

técnico que informó la medida cautelar, ordenará que se tenga por ejecutada la medida impuesta en aquella parte que estime razonablemente compensada por la medida cautelar.

Artículo 29. *Medidas cautelares en los casos de exención de la responsabilidad.*

Si en el transcurso de la instrucción que realice el Ministerio Fiscal quedara suficientemente acreditado que el menor se encuentra en situación de enajenación mental o en cualquiera otra de las circunstancias previstas en los apartados 1.º, 2.º ó 3.º del artículo 20 del Código Penal vigente, se adoptarán las medidas cautelares precisas para la protección y custodia del menor conforme a los preceptos civiles aplicables, instando en su caso las actuaciones para la incapacitación del menor y la constitución de los organismos tutelares conforme a derecho, sin perjuicio todo ello de concluir la instrucción y de efectuar las alegaciones previstas en esta Ley conforme a lo que establecen sus artículos 5.2 y 9, y de solicitar, por los trámites de la misma, en su caso, alguna medida terapéutica adecuada al interés del menor de entre las previstas en esta Ley.

CAPÍTULO III

De la conclusión de la instrucción

Artículo 30. *Remisión del expediente al Juez de Menores.*

1. Acabada la instrucción, el Ministerio Fiscal resolverá la conclusión del expediente, notificándosela a las partes personadas, y remitirá al Juzgado de Menores el expediente, junto con las piezas de convicción y demás efectos que pudieran existir, con un escrito de alegaciones en el que constará la descripción de los hechos, la valoración jurídica de los mismos, el grado de participación del menor, una breve reseña de las circunstancias personales y sociales de éste, la proposición de alguna medida de las previstas en esta Ley con exposición razonada de los fundamentos jurídicos y educativos que la aconsejen, y, en su caso, la exigencia de responsabilidad civil.

2. En el mismo acto propondrá el Ministerio Fiscal la prueba de que intente valerse para la defensa de su pretensión procesal.

3. Asimismo, podrá proponer el Ministerio Fiscal la participación en el acto de la audiencia de aquellas personas o representantes de instituciones públicas y privadas que puedan aportar al proceso elementos valorativos del interés del menor y de la conveniencia o no de las medidas solicitadas. En todo caso serán llamadas al acto de audiencia las personas o instituciones perjudicadas civilmente por el delito, así como los responsables civiles.

4. El Ministerio Fiscal podrá también solicitar del Juez de Menores el sobreseimiento de las actuaciones por alguno de los motivos previstos en la Ley de Enjuiciamiento Criminal, así como la remisión de los particulares necesarios a la entidad pública de protección de menores en su caso.

TÍTULO IV

De la fase de audiencia

Artículo 31. *Apertura de la fase de audiencia.*

Recibido el escrito de alegaciones con el expediente, las piezas de convicción, los efectos y demás elementos relevantes para el proceso remitidos por el Ministerio Fiscal, el secretario del Juzgado de Menores los incorporará a las diligencias, y el Juez de Menores procederá a abrir el trámite de audiencia, para lo cual el secretario judicial dará traslado simultáneamente a quienes ejerciten la acción penal y la civil para que en un plazo común de cinco días hábiles formulen sus respectivos escritos de alegaciones y propongan las pruebas que consideren pertinentes. Evacuado este trámite, el secretario judicial dará traslado de todo lo actuado al letrado del menor y, en su caso, a los responsables civiles, para que en un plazo de cinco días hábiles formule a su vez escrito de alegaciones y proponga la prueba que considere pertinente.

Artículo 32. *Sentencia de conformidad.*

Si el escrito de alegaciones de la acusación solicitara la imposición de alguna o algunas de las medidas previstas en las letras e) a ñ) del apartado 1 del artículo 7, y hubiere conformidad del menor y de su letrado, así como de los responsables civiles, la cual se expresará en comparecencia ante el Juez de Menores en los términos del artículo 36, éste dictará sentencia sin más trámite.

Cuando el menor y su letrado disintiesen únicamente respecto de la responsabilidad civil, se limitará la audiencia a la prueba y discusión de los puntos relativos a dicha responsabilidad.

Cuando la persona o personas contra quienes se dirija la acción civil no estuvieren conformes con la responsabilidad civil solicitada, se sustanciará el trámite de la audiencia sólo en lo relativo a este último extremo, practicándose la prueba propuesta a fin de determinar el alcance de aquella.

Artículo 33. *Otras decisiones del Juez de Menores.*

En los casos no previstos en el artículo anterior, a la vista de la petición del Ministerio Fiscal y de los escritos de alegaciones de las partes, el Juez adoptará alguna de las siguientes decisiones:

a) La celebración de la audiencia.

b) El sobreseimiento, mediante auto motivado, de las actuaciones.

c) El archivo por sobreseimiento de las actuaciones con remisión de particulares a la entidad pública de protección de menores correspondiente cuando así se haya solicitado por el Ministerio Fiscal.

d) La remisión de las actuaciones al Juez competente, cuando el Juez de Menores considere que no le corresponde el conocimiento del asunto.

e) Practicar por sí las pruebas propuestas por las partes y que hubieran sido denegadas por el Fiscal durante la instrucción, conforme a lo dispuesto en el artículo 26.1 de la presente Ley, y que no puedan celebrarse en el transcurso de la audiencia, siempre que considere que son relevantes a los efectos del proceso. Una vez practicadas, dará traslado de los resultados al Ministerio Fiscal y a las partes personadas, antes de iniciar las sesiones de la audiencia.

Contra las precedentes resoluciones cabrán los recursos previstos en esta Ley.

Artículo 34. *Pertinencia de pruebas y señalamiento de la audiencia.*

El Juez de Menores, dentro del plazo de cinco días desde la presentación del escrito de alegaciones del letrado del menor y, en su caso, de los responsables civiles, o una vez transcurrido el plazo para la presentación sin que ésta se hubiere efectuado, acordará, en su caso, lo procedente sobre la pertinencia de las pruebas propuestas, mediante auto de apertura de la audiencia, y el secretario judicial señalará el día y hora en que deba comenzar ésta dentro de los diez días siguientes.

Artículo 35. *Asistentes y no publicidad de la audiencia.*

1. La audiencia se celebrará con asistencia del Ministerio Fiscal, de las partes personadas, del letrado del menor, de un representante del equipo técnico que haya evacuado el informe previsto en el artículo 27 de esta Ley, y del propio menor, el cual podrá estar acompañado de sus representantes legales, salvo que el Juez, oídos los citados Ministerio Fiscal, letrado del menor y representante del equipo técnico, acuerde lo contrario. También podrá asistir el representante de la entidad pública de protección o reforma de menores que haya intervenido en las actuaciones de la instrucción, cuando se hubiesen ejecutado medidas cautelares o definitivas impuestas al menor con anterioridad. Igualmente, deberán comparecer la persona o personas a quienes se exija responsabilidad civil; aunque su inasistencia injustificada no será por sí misma causa de suspensión de la audiencia.

2. El Juez podrá acordar, en interés de la persona imputada o de la víctima, que las sesiones no sean públicas y en ningún caso se permitirá que los medios de comunicación social obtengan o difundan imágenes del menor ni datos que permitan su identificación.

3. Quienes ejerciten la acción penal en el procedimiento regulado en la presente Ley, habrán de respetar rigurosamente el derecho del menor a la confidencialidad y a la no difusión de sus datos personales o de los datos que obren en el expediente instruido, en los términos que establezca el Juez de Menores. Quien infrinja esta regla será acreedor de las responsabilidades civiles y penales a que haya lugar.

Artículo 36. *Conformidad del menor.*

1. El secretario judicial informará al menor expedientado, en un lenguaje comprensible y adaptado a su edad, de las medidas y responsabilidad civil solicitadas por el Ministerio Fiscal y, en su caso, la acusación particular y el actor civil, en sus escritos de alegaciones, así como de los hechos y de la causa en que se funden.

2. El Juez seguidamente preguntará al menor si se declara autor de los hechos y si está de acuerdo con las medidas solicitadas y con la responsabilidad civil. Si mostrase su conformidad con dichos extremos, oídos el letrado del menor y la persona o personas contra quienes se dirija la acción civil, el Juez podrá dictar resolución de conformidad. Si el letrado no estuviese de acuerdo con la conformidad prestada por el propio menor, el Juez resolverá sobre la continuación o no de la audiencia, razonando esta decisión en la sentencia.

3. Si el menor estuviere conforme con los hechos pero no con la medida solicitada, se sustanciará el trámite de la audiencia sólo en lo relativo a este último extremo, practicándose la prueba propuesta a fin de determinar la aplicación de dicha medida o su sustitución por otra más adecuada al interés del menor y que haya sido propuesta por alguna de las partes.

4. Cuando el menor o la persona o personas contra quienes se dirija la acción civil no estuvieren conformes con la responsabilidad civil solicitada, se sustanciará el trámite de la audiencia sólo en lo relativo a este último extremo, practicándose la prueba propuesta a fin de determinar el alcance de aquélla.

Artículo 37. *Celebración de la audiencia.*

1. Cuando proceda la celebración de la audiencia, el Juez invitará al Ministerio Fiscal, a quienes hayan ejercitado, en su caso, la acción penal, al letrado del menor, y eventualmente y respecto de las cuestiones que estrictamente tengan que ver con la responsabilidad civil al actor civil y terceros responsables civilmente, a que manifiesten lo que tengan por conveniente sobre la práctica de nuevas pruebas o sobre la vulneración de algún derecho fundamental en la tramitación del procedimiento, o, en su caso, les pondrá de manifiesto la posibilidad de aplicar una distinta calificación o una distinta medida de las que hubieran solicitado. Seguidamente, el Juez acordará la continuación de la audiencia o la subsanación del derecho vulnerado, si así procediere. Si acordara la continuación de la audiencia, el Juez resolverá en la sentencia sobre los extremos planteados.

2. Seguidamente se iniciará la práctica de la prueba propuesta y admitida y la que, previa declaración de pertinencia, ofrezcan las partes para su práctica en el acto, oyéndose, asimismo, al equipo técnico sobre las circunstancias del menor. A continuación, el Juez oirá al Ministerio Fiscal, a quien haya ejercitado en su caso la acción penal, al letrado del menor y al actor civil y terceros responsables civilmente respecto de los derechos que le asisten, sobre la valoración de la prueba, su calificación jurídica y la procedencia de las medidas propuestas; sobre este último punto, se oirá también al equipo técnico y, en su caso, a la entidad pública de protección o reforma de menores. Por último, el Juez oirá al menor, dejando el expediente visto para sentencia.

3. En su caso, en este procedimiento se aplicará lo dispuesto en la legislación relativa a la protección de testigos y peritos en causas penales.

4. Si en el transcurso de la audiencia el Juez considerara, de oficio o a solicitud de las partes, que el interés del menor aconseja que éste abandone la sala, podrá acordarlo así motivadamente, ordenando que continúen las actuaciones hasta que el menor pueda retornar a aquélla.

TÍTULO V

De la sentencia

Artículo 38. *Plazo para dictar sentencia.*

Finalizada la audiencia, el Juez de Menores dictará sentencia en un plazo máximo de cinco días.

Artículo 39. *Contenido y registro de la sentencia.*

1. La sentencia contendrá todos los requisitos previstos en la vigente Ley Orgánica del Poder Judicial y en ella, valorando las pruebas practicadas, las razones expuestas por el Ministerio Fiscal, por las partes personadas y por el letrado del menor, lo manifestado en su caso por éste, tomando en consideración las circunstancias y gravedad de los hechos, así como todos los datos debatidos sobre la personalidad, situación, necesidades y entorno familiar y social del menor, la edad de éste en el momento de dictar la sentencia, y la circunstancia de que el menor hubiera cometido o no con anterioridad otros hechos de la misma naturaleza, resolverá sobre la medida o medidas propuestas, con indicación expresa de su contenido, duración y objetivos a alcanzar con las mismas. La sentencia será motivada, consignando expresamente los hechos que se declaren probados y los medios probatorios de los que resulte la convicción judicial. En la misma sentencia se resolverá sobre la responsabilidad civil derivada del delito o falta, con el contenido indicado en el artículo 115 del Código Penal. También podrá ser anticipado oralmente el fallo al término de las sesiones de la audiencia, sin perjuicio de su documentación con arreglo al artículo 248.3 de la citada Ley Orgánica del Poder Judicial.

2. El Juez, al redactar la sentencia, procurará expresar sus razonamientos en un lenguaje claro y comprensible para la edad del menor.

3. Cada Juzgado de Menores llevará un registro de sentencias en el que se incluirán firmadas todas las definitivas. La llevanza y custodia de dicho registro es responsabilidad del secretario judicial.

Artículo 40. *Suspensión de la ejecución del fallo.*

1. El Juez competente para la ejecución, de oficio o a instancia del Ministerio Fiscal o del letrado del menor, y oídos en todo caso éstos, así como el representante del equipo técnico y de la entidad pública de protección o reforma de menores, podrá acordar motivadamente la suspensión de la ejecución del fallo contenido en la sentencia, cuando la medida impuesta no sea superior a dos años de duración, durante un tiempo determinado y hasta un máximo de dos años. Dicha suspensión se acordará en la propia sentencia o por auto motivado del Juez competente para la ejecución cuando aquélla sea firme, debiendo expresar, en todo caso, las condiciones de la misma. Se exceptúa de la suspensión el pronunciamiento sobre la responsabilidad civil derivada del delito o falta.

2. Las condiciones a las que estará sometida la suspensión de la ejecución del fallo contenido en la sentencia dictada por el Juez de Menores serán las siguientes:

a) No ser condenado en sentencia firme por delito cometido durante el tiempo que dure la suspensión, si ha alcanzado la mayoría de edad, o no serle aplicada medida en sentencia firme en procedimiento regulado por esta Ley durante el tiempo que dure la suspensión.

b) Que el menor asuma el compromiso de mostrar una actitud y disposición de reintegrarse a la sociedad, no incurriendo en nuevas infracciones.

c) Además, el Juez puede establecer la aplicación de un régimen de libertad vigilada durante el plazo de suspensión o la obligación de realizar una actividad socio-educativa, recomendada por el equipo técnico o la entidad pública de protección o reforma de menores en el precedente trámite de audiencia, incluso con compromiso de participación de los padres, tutores o guardadores del menor, expresando la naturaleza y el plazo en que aquella actividad deberá llevarse a cabo.

3. Si las condiciones expresadas en el apartado anterior no se cumplieran, el Juez alzará la suspensión y se procederá a ejecutar la sentencia en todos sus extremos. Contra la resolución que así lo acuerde se podrán interponer los recursos previstos en esta Ley.

TÍTULO VI

Del régimen de recursos

Artículo 41. *Recursos procedentes y tramitación.*

1. Contra la sentencia dictada por el Juez de Menores en el procedimiento regulado en esta Ley cabe recurso de apelación ante la correspondiente Audiencia Provincial, que se interpondrá ante el Juez que dictó aquélla en el plazo de cinco días a contar desde su notificación, y se resolverá previa celebración de vista pública, salvo que en interés de la persona imputada o de la víctima, el Juez acuerde que se celebre a puerta cerrada. A la vista deberán asistir las partes y, si el Tribunal lo considera oportuno, el representante del equipo técnico y el representante de la entidad pública de protección o reforma de menores que hayan intervenido en el caso concreto. El recurrente podrá solicitar del Tribunal la práctica de la prueba que, propuesta y admitida en la instancia, no se hubiera celebrado, conforme a las reglas de la Ley de Enjuiciamiento Criminal.

2. Contra los autos y providencias de los Jueces de Menores cabe recurso de reforma ante el propio órgano, que se interpondrá en el plazo de tres días a partir de la notificación. El auto que resuelva la impugnación de la providencia será susceptible de recurso de apelación.

3. Contra los autos que pongan fin al procedimiento o resuelvan el incidente de los artículos 13, 28, 29 y 40 de esta Ley, cabe recurso de apelación ante la Audiencia Provincial por los trámites que regula la Ley de Enjuiciamiento Criminal para el procedimiento abreviado.

4. Contra los autos y sentencias dictados por el Juzgado Central de Menores de la Audiencia Nacional cabe recurso de apelación ante la Sala de lo Penal de la Audiencia Nacional.

5. Contra las resoluciones dictadas por los secretarios judiciales caben los mismos recursos que los expresados en la Ley de Enjuiciamiento Criminal, que se sustanciarán en la forma que en ella se determina.

Artículo 42. *Recurso de casación para unificación de doctrina.*

1. Son recurribles en casación, ante la Sala Segunda del Tribunal Supremo, las sentencias dictadas en apelación por la Audiencia Nacional y por las Audiencias Provinciales cuando se hubiere impuesto una de las medidas a las que se refiere el artículo 10.

2. El recurso tendrá por objeto la unificación de doctrina con ocasión de sentencias dictadas en apelación que fueran contradictorias entre sí, o con sentencias del Tribunal Supremo, respecto de hechos y valoraciones de las circunstancias del menor que, siendo sustancialmente iguales, hayan dado lugar, sin embargo, a pronunciamientos distintos.

3. El recurso podrá prepararlo el Ministerio Fiscal o cualquiera de las partes que pretenda la indicada unificación de doctrina dentro de los diez días siguientes a la notificación de la sentencia de la Audiencia Nacional o Provincial, en escrito dirigido a la misma. El escrito de preparación deberá contener una relación precisa y circunstanciada de la contradicción alegada, con designación de las sentencias aludidas y de los informes en que se funde el interés del menor valorado en sentencia.

4. Si la Audiencia Nacional o Provincial ante quien se haya preparado el recurso estimara acreditados los requisitos a los que se refiere el apartado anterior, el secretario judicial requerirá testimonio de las sentencias citadas a los Tribunales que las dictaron, y en un plazo de diez días remitirá la documentación a la Sala Segunda del Tribunal Supremo, emplazando al recurrente y al Ministerio Fiscal, si no lo fuera, ante dicha Sala.

5. El recurso de casación se interpondrá ante la Sala Segunda del Tribunal Supremo, siendo de aplicación en la interposición, sustanciación y resolución del recurso lo dispuesto en la Ley de Enjuiciamiento Criminal, en cuanto resulte aplicable.

TÍTULO VII

De la ejecución de las medidas

CAPÍTULO I

Disposiciones generales

Artículo 43. *Principio de legalidad.*

1. No podrá ejecutarse ninguna de las medidas establecidas en esta Ley sino en virtud de sentencia firme dictada de acuerdo con el procedimiento regulado en la misma.

2. Tampoco podrán ejecutarse dichas medidas en otra forma que la prescrita en esta Ley y en los reglamentos que la desarrollen.

Artículo 44. *Competencia judicial.*

1. La ejecución de las medidas previstas en esta Ley se realizará bajo el control del Juez de Menores que haya dictado la sentencia correspondiente, salvo cuando por aplicación de lo dispuesto en los artículos 12 y 47 de esta Ley sea competente otro, el cual resolverá por auto motivado, oídos el Ministerio Fiscal, el letrado del menor y la representación de la entidad pública que ejecute aquélla, sobre las incidencias que se puedan producir durante su transcurso.

2. Para ejercer el control de la ejecución, corresponden especialmente al Juez de Menores, de oficio o a instancia del Ministerio Fiscal o del letrado del menor, las funciones siguientes:

a) Adoptar todas las decisiones que sean necesarias para proceder a la ejecución efectiva de las medidas impuestas.

b) Resolver las propuestas de revisión de las medidas.

c) Aprobar los programas de ejecución de las medidas.

d) Conocer de la evolución de los menores durante el cumplimiento de las medidas a través de los informes de seguimiento de las mismas.

e) Resolver los recursos que se interpongan contra las resoluciones dictadas para la ejecución de las medidas, conforme establece el artículo 52 de esta Ley.

f) Acordar lo que proceda en relación a las peticiones o quejas que puedan plantear los menores sancionados sobre el régimen, el tratamiento o cualquier otra circunstancia que pueda afectar a sus derechos fundamentales.

g) Realizar regularmente visitas a los centros y entrevistas con los menores.

h) Formular a la entidad pública de protección o reforma de menores correspondiente las propuestas y recomendaciones que considere oportunas en relación con la organización y el régimen de ejecución de las medidas.

i) Adoptar las resoluciones que, en relación con el régimen disciplinario, les atribuye el artículo 60 de esta Ley.

3. Cuando, por aplicación de lo dispuesto en el artículo 14 de esta Ley, la medida de internamiento se cumpla en un establecimiento penitenciario, el Juez de Menores competente para la ejecución conservará la competencia para decidir sobre la pervivencia, modificación o sustitución de la medida en los términos previstos en esta Ley, asumiendo el Juez de Vigilancia Penitenciaria el control de las incidencias de la ejecución de la misma en todas las cuestiones y materias a que se refiere la legislación penitenciaria.

Artículo 45. *Competencia administrativa.*

1. La ejecución de las medidas adoptadas por los Jueces de Menores en sus sentencias firmes es competencia de las Comunidades Autónomas y de las Ciudades de Ceuta y Melilla, con arreglo a la disposición final vigésima segunda de la Ley Orgánica 1/1996, de 15 de enero, de Protección Jurídica del Menor. Dichas entidades públicas llevarán a cabo, de acuerdo con sus respectivas normas de organización, la creación, dirección, organización y gestión de los servicios, instituciones y programas adecuados para garantizar la correcta ejecución de las medidas previstas en esta Ley.

2. La ejecución de las medidas corresponderá a las Comunidades Autónomas y Ciudades de Ceuta y Melilla, donde se ubique el Juzgado de Menores que haya dictado la sentencia, sin perjuicio de lo dispuesto en el apartado 3 del artículo siguiente.

3. Las Comunidades Autónomas y las Ciudades de Ceuta y Melilla podrán establecer los convenios o acuerdos de colaboración necesarios con otras entidades, bien sean públicas, de la Administración del Estado, Local o de otras Comunidades Autónomas, o privadas sin ánimo de lucro, para la ejecución de las medidas de su competencia, bajo su directa supervisión, sin que ello suponga en ningún caso la cesión de la titularidad y responsabilidad derivada de dicha ejecución.

CAPÍTULO II

Reglas para la ejecución de las medidas

Artículo 46. *Liquidación de la medida y traslado del menor a un centro.*

1. Una vez firme la sentencia y aprobado el programa de ejecución de la medida impuesta, el secretario del Juzgado de Menores competente para la ejecución de la medida practicará la liquidación de dicha medida, indicando las fechas de inicio y de terminación de la misma, con abono en su caso del tiempo cumplido por las medidas cautelares impuestas al interesado, teniendo en cuenta lo dispuesto en el artículo 28.5. Al propio tiempo, abrirá un expediente de ejecución en el que se harán constar las incidencias que se produzcan en el desarrollo de aquélla conforme a lo establecido en la presente Ley.

2. De la liquidación mencionada en el apartado anterior y del testimonio de particulares que el Juez considere necesario y que deberá incluir los informes técnicos que obren en la causa, el secretario judicial dará traslado a la entidad pública de protección o reforma de menores competente para el cumplimiento de las medidas acordadas en la sentencia firme. También notificará al Ministerio Fiscal el inicio de la ejecución, y al letrado del menor si así lo solicitara del Juez de Menores.

3. Recibidos por la entidad pública el testimonio y la liquidación de la medida indicados en el apartado anterior, aquélla designará de forma inmediata un profesional que se responsabilizará de la ejecución de la medida impuesta, y, si ésta fuera de internamiento, designará el centro más adecuado para su ejecución de entre los más cercanos al domicilio del menor en los que existan plazas disponibles para la ejecución por la entidad pública competente en cada caso. El traslado a otro centro distinto de los anteriores sólo se podrá fundamentar en el interés del menor de ser alejado de su entorno familiar y social y requerirá en todo caso la aprobación del Juzgado de Menores competente para la ejecución de la medida. En todo caso los menores pertenecientes a una banda, organización o asociación no podrán cumplir la medida impuesta en el mismo centro, debiendo designárseles uno distinto aunque la elección del mismo suponga alejamiento del entorno familiar o social.

Artículo 47. *Refundición de medidas impuestas.*

1. Si se hubieran impuesto al menor varias medidas en la misma resolución judicial, y no fuere posible su cumplimiento simultáneo, el Juez competente para la ejecución ordenará su cumplimiento sucesivo conforme a las reglas establecidas en el apartado 5 de este artículo.

La misma regla se aplicará a las medidas impuestas en distintas resoluciones judiciales, siempre y cuando dichas medidas sean de distinta naturaleza entre sí. En este caso será el Juez competente para la ejecución quien ordene el cumplimiento simultáneo o sucesivo con arreglo al apartado 5 de este artículo, según corresponda.

2. Si se hubieren impuesto al menor en diferentes resoluciones judiciales dos o más medidas de la misma naturaleza, el Juez competente para la ejecución, previa audiencia del letrado del menor, refundirá dichas medidas en una sola, sumando la duración de las mismas, hasta el límite del doble de la más grave de las refundidas.

El Juez, previa audiencia del letrado del menor, deberá proceder de este modo respecto de cada grupo de medidas de la misma naturaleza que hayan sido impuestas al menor, de modo que una vez practicada la refundición no quedará por ejecutar más de una medida de cada clase de las enumeradas en el artículo 7 de esta Ley.

3. En caso de que, estando sujeto a la ejecución de una medida, el menor volviera a cometer un hecho delictivo, el Juez competente para la ejecución, previa audiencia del letrado del menor, dictará la resolución que proceda en relación a la nueva medida que, en su caso se haya impuesto, conforme a lo dispuesto en los dos apartados anteriores. En este caso podrá aplicar además las reglas establecidas en el artículo 50 para el supuesto de quebrantamiento de la ejecución.

4. A los fines previstos en este artículo, en cuanto el Juez sentenciador tenga conocimiento de la existencia de otras medidas firmes de ejecución, pendientes de ejecución o suspendidas condicionalmente, y una vez que la medida o medidas por él impuestas sean firmes, procederá conforme a lo dispuesto en el artículo 12 de esta Ley.

5. Cuando las medidas de distinta naturaleza, impuestas directamente o resultantes de la refundición prevista en los números anteriores, hubieren de ejecutarse de manera sucesiva, se atenderá a los siguientes criterios:

a) La medida de internamiento terapéutico se ejecutará con preferencia a cualquier otra.

b) La medida de internamiento en régimen cerrado se ejecutará con preferencia al resto de las medidas de internamiento.

c) La medida de internamiento se cumplirá antes que las no privativas de libertad, y en su caso interrumpirá la ejecución de éstas.

d) Las medidas de libertad vigilada contempladas en el artículo 10 se ejecutarán una vez finalizado el internamiento en régimen cerrado que se prevé en el mismo artículo.

e) En atención al interés del menor, el Juez podrá, previo informe del Ministerio Fiscal, de las demás partes y de la entidad pública de reforma o protección de menores, acordar motivadamente la alteración en el orden de cumplimiento previsto en las reglas anteriores.

6. Lo dispuesto en este artículo se entiende sin perjuicio de las previsiones del artículo 14 para el caso de que el menor pasare a cumplir una medida de internamiento en centro penitenciario al alcanzar la mayoría de edad.

7. Cuando una persona que se encuentre cumpliendo una o varias medidas impuestas con arreglo a esta Ley sea condenada a una pena o medida de seguridad prevista en el Código Penal o en leyes penales especiales, se ejecutarán simultáneamente aquéllas y éstas si fuere materialmente posible, atendida la naturaleza de ambas, su forma de cumplimiento o la eventual suspensión de la pena impuesta, cuando proceda.

No siendo posible la ejecución simultánea, se cumplirá la sanción penal, quedando sin efecto la medida o medidas impuestas en aplicación de la presente Ley, salvo que se trate de una medida de internamiento y la pena impuesta sea de prisión y deba efectivamente ejecutarse. En este último caso, a no ser que el Juez de Menores adopte alguna de las resoluciones previstas en el artículo 13 de esta Ley, la medida de internamiento terminará de cumplirse en el centro penitenciario en los términos previstos en el artículo 14, y una vez cumplida se ejecutará la pena.

Artículo 48. *Expediente personal de la persona sometida a la ejecución de una medida.*

1. La entidad pública abrirá un expediente personal único a cada menor respecto del cual tenga encomendada la ejecución de una medida, en el que se recogerán los informes relativos a aquél, las resoluciones judiciales que le afecten y el resto de la documentación generada durante la ejecución.

2. Dicho expediente tendrá carácter reservado y solamente tendrán acceso al mismo el Defensor del Pueblo o institución análoga de la correspondiente Comunidad Autónoma, los Jueces de Menores competentes, el Ministerio Fiscal y las personas que intervengan en la ejecución y estén autorizadas por la entidad pública de acuerdo con sus normas de organización. El menor, su letrado y, en su caso, su representante legal, también tendrán acceso al expediente.

3. La recogida, cesión y tratamiento automatizado de datos de carácter personal de las personas a las que se aplique la presente Ley, sólo podrá realizarse en ficheros informáticos de titularidad pública dependientes de las entidades públicas de protección de menores, Administraciones y Juzgados de Menores competentes o del Ministerio Fiscal, y se regirá por lo dispuesto en la Ley Orgánica 15/1999, de 13 de diciembre, de Protección de Datos de Cáracter Personal, y sus normas de desarrollo.

Artículo 49. *Informes sobre la ejecución.*

1. La entidad pública remitirá al Juez de Menores y al Ministerio Fiscal, con la periodicidad que se establezca reglamentariamente en cada caso y siempre que fuese requerida para ello o la misma entidad lo considerase necesario, informes sobre la ejecución de la medida y sus incidencias, y sobre la evolución personal de los menores sometidos a las mismas. Dichos informes se remitirán también al letrado del menor si así lo solicitare a la entidad pública competente.

2. En los indicados informes la entidad pública podrá solicitar del Ministerio Fiscal, cuando así lo estime procedente, la revisión judicial de las medidas en el sentido propugnado por el artículo 13.1 de la presente Ley.

Artículo 50. *Quebrantamiento de la ejecución.*

1. Cuando el menor quebrantare una medida privativa de libertad, se procederá a su reingreso en el mismo centro del que se hubiera evadido o en otro adecuado a sus condiciones, o, en caso de permanencia de fin de semana, en su domicilio, a fin de cumplir de manera ininterrumpida el tiempo pendiente.

2. Si la medida quebrantada no fuere privativa de libertad, el Ministerio Fiscal podrá instar del Juez de Menores la sustitución de aquélla por otra de la misma naturaleza. Excepcionalmente, y a propuesta del Ministerio Fiscal, oídos el letrado y el representante legal del menor, así como el equipo técnico, el Juez de Menores podrá sustituir la medida por otra de internamiento en centro semiabierto, por el tiempo que reste para su cumplimiento.

3. Asimismo, el Juez de Menores acordará que el secretario judicial remita testimonio de los particulares relativos al quebrantamiento de la medida al Ministerio Fiscal, por si el hecho fuese constitutivo de alguna de las infracciones a que se refiere el artículo 1 de la presente Ley Orgánica y merecedora de reproche sancionador.

Artículo 51. *Sustitución de las medidas.*

1. Durante la ejecución de las medidas el Juez de Menores competente para la ejecución podrá, de oficio o a instancia del Ministerio Fiscal, del letrado del menor o de la Administración competente, y oídas las partes, así como el equipo técnico y la representación de la entidad pública de protección o reforma de menores, dejar sin efecto aquellas o sustituirlas por otras que se estimen más adecuadas de entre las previstas en esta Ley, por tiempo igual o inferior al que reste para su cumplimiento, siempre que la nueva medida pudiera haber sido impuesta inicialmente atendiendo a la infracción cometida. Todo ello sin perjuicio de lo dispuesto en el apartado 2 del artículo anterior y de acuerdo con el artículo 13 de la presente Ley

2. Cuando el Juez de Menores haya sustituido la medida de internamiento en régimen cerrado por la de internamiento en régimen semiabierto o abierto, y el menor evolucione desfavorablemente, previa audiencia del letrado del menor, podrá dejar sin efecto la sustitución, volviéndose a aplicar la medida sustituida de internamiento en régimen cerrado. Igualmente, si la medida impuesta es la de internamiento en régimen semiabierto y el menor evoluciona desfavorablemente, el Juez de Menores podrá sustituirla por la de internamiento en régimen cerrado, cuando el hecho delictivo por la que se impuso sea alguno de los previstos en el artículo 9.2 de esta Ley.

3. La conciliación del menor con la víctima, en cualquier momento en que se produzca el acuerdo entre ambos a que se refiere el artículo 19 de la presente Ley, podrá dejar sin efecto la medida impuesta cuando el Juez, a propuesta del Ministerio Fiscal o del letrado del menor y oídos el equipo técnico y la representación de la entidad pública de protección o reforma de menores, juzgue que dicho acto y el tiempo de duración de la medida ya cumplido expresan suficientemente el reproche que merecen los hechos cometidos por el menor.

4. En todos los casos anteriores, el Juez resolverá por auto motivado, contra el cual se podrán interponer los recursos previstos en la presente Ley.

Artículo 52. *Presentación de recursos.*

1. Cuando el menor pretenda interponer ante el Juez de Menores recurso contra cualquier resolución adoptada durante la ejecución de las medidas que le hayan sido impuestas, lo presentará de forma escrita ante el Juez o Director del centro de internamiento, quien lo pondrá en conocimiento de aquél dentro del siguiente día hábil.

El menor también podrá presentar un recurso ante el Juez de forma verbal, o manifestar de forma verbal su intención de recurrir al Director del centro, quien dará traslado de esta manifestación al Juez de Menores en el plazo indicado. En este último caso, el Juez de Menores adoptará las medidas que resulten procedentes a fin de oír la alegación del menor.

El letrado del menor también podrá interponer los recursos, en forma escrita, ante las autoridades indicadas en el párrafo primero.

2. Si el Juez de Menores admitiese a trámite el recurso, el secretario judicial recabará informe del Ministerio Fiscal y, previa audiencia del letrado del menor, aquél resolverá el recurso en el plazo de dos días, mediante auto motivado. Contra este auto cabrá recurso de apelación ante la correspondiente Audiencia Provincial, conforme a lo dispuesto en el artículo 41 de la presente Ley.

Artículo 53. *Cumplimiento de la medida.*

1. Una vez cumplida la medida, la entidad pública remitirá a los destinatarios designados en el artículo 49.1 un informe final, y el Juez de Menores dictará auto acordando lo que proceda respecto al archivo de la causa. Dicho auto será notificado por el secretario judicial al Ministerio Fiscal, al letrado del menor, a la entidad pública y a la víctima.

2. El Juez, de oficio o a instancia del Ministerio Fiscal o del letrado del menor, podrá instar de la correspondiente entidad pública de protección o reforma de menores, una vez cumplida la medida impuesta, que se arbitren los mecanismos de protección del menor conforme a las normas del Código Civil, cuando el interés de aquél así lo requiera.

CAPÍTULO III

Reglas especiales para la ejecución de las medidas privativas de libertad

Artículo 54. *Centros para la ejecución de las medidas privativas de libertad.*

1. Las medidas privativas de libertad, la detención y las medidas cautelares de internamiento que se impongan de conformidad con esta Ley se ejecutarán en centros específicos para menores infractores, diferentes de los previstos en la legislación penitenciaria para la ejecución de las condenas penales y medidas cautelares privativas de libertad impuestas a los mayores de edad penal.

La ejecución de la detención preventiva, de las medidas cautelares de internamiento o de las medidas impuestas en la sentencia, acordadas por el Juez Central de Menores o por la Sala correspondiente de la Audiencia Nacional, se llevará a cabo en los establecimientos y con el control del personal especializado que el Gobierno ponga a disposición de la Audiencia Nacional, en su caso, mediante convenio con las Comunidades Autónomas.

La ejecución de las medidas impuestas por el Juez Central de Menores o por la Sala correspondiente de la Audiencia Nacional será preferente sobre las impuestas, en su caso, por otros Jueces o Salas de Menores.

2. No obstante lo dispuesto en el apartado anterior, las medidas de internamiento también podrán ejecutarse en centros socio-sanitarios cuando la medida impuesta así lo requiera. En todo caso se requerirá la previa autorización del Juez de Menores.

3. Los centros estarán divididos en módulos adecuados a la edad, madurez, necesidades y habilidades sociales de los menores internados y se regirán por una normativa de funcionamiento interno cuyo cumplimiento tendrá como finalidad la consecución de una convivencia ordenada, que permita la ejecución de los diferentes programas de intervención educativa y las funciones de custodia de los menores internados.

Artículo 55. *Principio de resocialización.*

1. Toda la actividad de los centros en los que se ejecuten medidas de internamiento estará inspirada por el principio de que el menor internado es sujeto de derecho y continúa formando parte de la sociedad.

2. En consecuencia, la vida en el centro debe tomar como referencia la vida en libertad, reduciendo al máximo los efectos negativos que el internamiento pueda representar para el menor o para su familia, favoreciendo los vínculos sociales, el contacto con los familiares y allegados, y la colaboración y participación de las entidades públicas y privadas en el proceso de integración social, especialmente de las más próximas geográfica y culturalmente.

3. A tal fin se fijarán reglamentariamente los permisos ordinarios y extraordinarios de los que podrá disfrutar el menor internado, a fin de mantener contactos positivos con el exterior y preparar su futura vida en libertad.

Artículo 56. *Derechos de los menores internados.*

1. Todos los menores internados tienen derecho a que se respete su propia personalidad, su libertad ideológica y religiosa y los derechos e intereses legítimos no afectados por el contenido de la condena, especialmente los inherentes a la minoría de edad civil cuando sea el caso.

2. En consecuencia, se reconocen a los menores internados los siguientes derechos:

a) Derecho a que la entidad pública de la que depende el centro vele por su vida, su integridad física y su salud, sin que puedan, en ningún caso, ser sometidos a tratos degradantes o a malos tratos de palabra o de obra, ni ser objeto de un rigor arbitrario o innecesario en la aplicación de las normas.

b) Derecho del menor de edad civil a recibir una educación y formación integral en todos los ámbitos y a la protección específica que por su condición le dispensan las leyes.

c) Derecho a que se preserve su dignidad y su intimidad, a ser designados por su propio nombre y a que su condición de internados sea estrictamente reservada frente a terceros.

d) Derecho al ejercicio de los derechos civiles, políticos, sociales, religiosos, económicos y culturales que les correspondan, salvo cuando sean incompatibles con el objeto de la detención o el cumplimiento de la condena.

e) Derecho a estar en el centro más cercano a su domicilio, de acuerdo a su régimen de internamiento, y a no ser trasladados fuera de su Comunidad Autónoma excepto en los casos y con los requisitos previstos en esta Ley y sus normas de desarrollo.

f) Derecho a la asistencia sanitaria gratuita, a recibir la enseñanza básica obligatoria que corresponda a su edad, cualquiera que sea su situación en el centro, y a recibir una formación educativa o profesional adecuada a sus circunstancias.

g) Derecho de los sentenciados a un programa de tratamiento individualizado y de todos los internados a participar en las actividades del centro.

h) Derecho a comunicarse libremente con sus padres, representantes legales, familiares u otras per sonas, y a disfrutar de salidas y permisos, con arreglo a lo dispuesto en esta Ley y sus normas de desarrollo.

i) Derecho a comunicarse reservadamente con sus letrados, con el Juez de Menores competente, con el Ministerio Fiscal y con los servicios de Inspección de centros de internamiento.

j) Derecho a una formación laboral adecuada, a un trabajo remunerado, dentro de las disponibilidades de la entidad pública, y a las prestaciones sociales que pudieran corresponderles, cuando alcancen la edad legalmente establecida.

k) Derecho a formular peticiones y quejas a la Dirección del centro, a la entidad pública, a las autoridades judiciales, al Ministerio Fiscal, al Defensor del Pueblo o institución análoga de su Comunidad Autónoma y a presentar todos los recursos legales que prevé esta Ley ante el Juez de Menores competente, en defensa de sus derechos e intereses legítimos.

l) Derecho a recibir información personal y actualizada de sus derechos y obligaciones, de su situación personal y judicial, de las normas de funcionamiento interno de los centros que los acojan, así como de los procedimientos concretos para hacer efectivos tales derechos, en especial para formular peticiones, quejas o recursos.

m) Derecho a que sus representantes legales sean informados sobre su situación y evolución y sobre los derechos que a ellos les corresponden, con los únicos límites previstos en esta Ley.

n) Derecho de las menores internadas a tener en su compañía a sus hijos menores de tres años, en las condiciones y con los requisitos que se establezcan reglamentariamente.

Artículo 57. *Deberes de los menores internados.*

Los menores internados estarán obligados a:

a) Permanecer en el centro a disposición de la autoridad judicial competente hasta el momento de su puesta en libertad, sin perjuicio de las salidas y actividades autorizadas que puedan realizar en el exterior.

b) Recibir la enseñanza básica obligatoria que legalmente les corresponda.

c) Respetar y cumplir las normas de funcionamiento interno del centro y las directrices o instrucciones que reciban del personal de aquél en el ejercicio legítimo de sus funciones.

d) Colaborar en la consecución de una actividad ordenada en el interior del centro y mantener una actitud de respeto y consideración hacia todos, dentro y fuera del centro, en especial hacia las autoridades, los trabajadores del centro y los demás menores internados.

e) Utilizar adecuadamente las instalaciones del centro y los medios materiales que se pongan a su disposición.

f) Observar las normas higiénicas y sanitarias, y sobre vestuario y aseo personal establecidas en el centro.

g) Realizar las prestaciones personales obligatorias previstas en las normas de funcionamiento interno del centro para mantener el buen orden y la limpieza del mismo.

h) Participar en las actividades formativas, educativas y laborales establecidas en función de su situación personal a fin de preparar su vida en libertad.

Artículo 58. *Información y reclamaciones.*

1. Los menores recibirán, a su ingreso en el centro, información escrita sobre sus derechos y obligaciones, el régimen de internamiento en el que se encuentran, las cuestiones de organización general, las normas de funcionamiento del centro, las normas disciplinarias y los medios para formular peticiones, quejas o recursos. La información se les facilitará en un idioma que entiendan. A los que tengan cualquier género de dificultad para comprender el contenido de esta información se les explicará por otro medio adecuado.

2. Todos los internados podrán formular, verbalmente o por escrito, en sobre abierto o cerrado, peticiones y quejas a la entidad pública sobre cuestiones referentes a su situación de internamiento. Dichas peticiones o quejas también podrán ser presentadas al Director del centro, el cual las atenderá si son de su competencia o las pondrá en conocimiento de la entidad pública o autoridades competentes, en caso contrario.

Artículo 59. *Medidas de vigilancia y seguridad.*

1. Las actuaciones de vigilancia y seguridad interior en los centros podrán suponer, en la forma y con la periodicidad que se establezca reglamentariamente, inspecciones de los locales y dependencias, así como registros de personas, ropas y enseres de los menores internados.

2. De igual modo se podrán utilizar exclusivamente los medios de contención que se establezcan reglamentariamente para evitar actos de violencia o lesiones de los menores, para impedir actos de fuga y daños en las instalaciones del centro o ante la resistencia activa o pasiva a las instrucciones del personal del mismo en el ejercicio legítimo de su cargo.

Artículo 60. *Régimen disciplinario.*

1. Los menores internados podrán ser corregidos disciplinariamente en los casos y de acuerdo con el procedimiento que se establezca reglamentariamente, de acuerdo con los principios de la Constitución, de esta Ley y del Título IX de la Ley 30/1992, de 26 de noviembre, de Régimen Jurídico de las Administraciones Públicas y del Procedimiento Administrativo Común, respetando en todo momento la dignidad de aquéllos y sin que en

ningún caso se les pueda privar de sus derechos de alimentación, enseñanza obligatoria y comunicaciones y visitas, previstos en esta Ley y disposiciones que la desarrollen.

2. Las faltas disciplinarias se clasificarán en muy graves, graves y leves, atendiendo a la violencia desarrollada por el sujeto, su intencionalidad, la importancia del resultado y el número de personas ofendidas.

3. Las únicas sanciones que se podrán imponer por la comisión de faltas muy graves serán las siguientes:

a) La separación del grupo por un período de tres a siete días en casos de evidente agresividad, violencia y alteración grave de la convivencia.

b) La separación del grupo durante tres a cinco fines de semana.

c) La privación de salidas de fin de semana de quince días a un mes.

d) La privación de salidas de carácter recreativo por un período de uno a dos meses.

4. Las únicas sanciones que se podrán imponer por la comisión de faltas graves serán las siguientes:

a) Las mismas que en los cuatro supuestos del apartado anterior, con la siguiente duración: dos días, uno o dos fines de semana, uno a quince días, y un mes respectivamente.

b) La privación de participar en las actividades recreativas del centro durante un período de siete a quince días.

5. Las únicas sanciones que se podrán imponer por la comisión de faltas leves serán las siguientes:

a) La privación de participar en todas o algunas de las actividades recreativas del centro durante un período de uno a seis días.

b) La amonestación.

6. La sanción de separación supondrá que el menor permanecerá en su habitación o en otra de análogas características a la suya, durante el horario de actividades del centro, excepto para asistir, en su caso, a la enseñanza obligatoria, recibir visitas y disponer de dos horas de tiempo al día al aire libre.

7. Las resoluciones sancionadoras podrán ser recurridas, antes del inicio de su cumplimiento, ante el Juez de Menores. A tal fin, el menor sancionado podrá presentar el recurso por escrito o verbalmente ante el Director del establecimiento, quien, en el plazo de veinticuatro horas, remitirá dicho escrito o testimonio de la queja verbal, con sus propias alegaciones, al Juez de Menores y éste, en el término de una audiencia y oído el Ministerio Fiscal, dictará auto, confirmando, modificando o anulando la sanción impuesta, sin que contra dicho auto quepa recurso alguno. El auto, una vez notificado al establecimiento, será de ejecución inmediata. En tanto se sustancia el recurso, en el plazo de dos días, la entidad pública ejecutora de la medida podrá adoptar las decisiones precisas para restablecer el orden alterado, aplicando al sancionado lo dispuesto en el apartado 6 de este artículo. El letrado del menor también podrá interponer los recursos a que se refiere el párrafo anterior.

TÍTULO VIII

De la responsabilidad civil

Artículo 61. *Reglas generales.*

1. La acción para exigir la responsabilidad civil en el procedimiento regulado en esta Ley se ejercitará por el Ministerio Fiscal, salvo que el perjudicado renuncie a ella, la ejercite por sí mismo en el plazo de un mes desde que se le notifique la apertura de la pieza separada de responsabilidad civil o se la reserve para ejercitarla ante el orden jurisdiccional civil conforme a los preceptos del Código Civil y de la Ley de Enjuiciamiento Civil.

2. Se tramitará una pieza separada de responsabilidad civil por cada uno de los hechos imputados.

3. Cuando el responsable de los hechos cometidos sea un menor de dieciocho años, responderán solidariamente con él de los daños y perjuicios causados sus padres, tutores,

acogedores y guardadores legales o de hecho, por este orden. Cuando éstos no hubieren favorecido la conducta del menor con dolo o negligencia grave, su responsabilidad podrá ser moderada por el Juez según los casos.

4. En su caso, se aplicará también lo dispuesto en el artículo 145 de la Ley 30/1992, de 26 de noviembre, de Régimen Jurídico de las Administraciones Públicas y del Procedimiento Administrativo Común, y en la Ley 35/1995, de 11 de diciembre, de ayudas y asistencia a las víctimas de delitos violentos y contra la libertad sexual, y sus disposiciones complementarias.

Artículo 62. *Extensión de la responsabilidad civil.*

La responsabilidad civil a la que se refiere el artículo anterior se regulará, en cuanto a su extensión, por lo dispuesto en el capítulo I del Título V del Libro I del Código Penal vigente.

Artículo 63. *Responsabilidad civil de los aseguradores.*

Los aseguradores que hubiesen asumido el riesgo de las responsabilidades pecuniarias derivadas de los actos de los menores a los que se refiere la presente Ley serán responsables civiles directos hasta el límite de la indemnización legalmente establecida o convencionalmente pactada, sin perjuicio de su derecho de repetición contra quien corresponda.

Artículo 64. *Reglas de procedimiento.*

Los trámites para la exigencia de la responsabilidad civil aludida en los artículos anteriores se acomodarán a las siguientes reglas:

1.ª Tan pronto como el Juez de Menores reciba el parte de la incoación del expediente por el Ministerio Fiscal, ordenará abrir de forma simultánea con el proceso principal una pieza separada de responsabilidad civil, notificando el secretario judicial a quienes aparezcan como perjudicados su derecho a ser parte en la misma, y estableciendo el plazo límite para el ejercicio de la acción.

2.ª En la pieza de referencia, que se tramitará de forma simultánea con el proceso principal, podrán personarse los perjudicados que hayan recibido notificación al efecto del Juez de Menores o del Ministerio Fiscal, conforme establece el artículo 22 de la presente Ley, y también espontáneamente quienes se consideren como tales. Asimismo, podrán personarse las compañías aseguradoras que se tengan por partes interesadas, dentro del plazo para el ejercicio de la acción de responsabilidad civil. En el escrito de personación, indicarán las personas que consideren responsables de los hechos cometidos y contra las cuales pretendan reclamar, bastando con la indicación genérica de su identidad.

3.ª El secretario judicial notificará al menor y a sus representantes legales, en su caso, su condición de posibles responsables civiles.

4.ª Una vez personados los presuntos perjudicados y responsables civiles, el Juez de Menores resolverá sobre su condición de partes, continuándose el procedimiento por las reglas generales.

5.ª La intervención en el proceso a los efectos de exigencia de responsabilidad civil se realizará en las condiciones que el Juez de Menores señale con el fin de preservar la intimidad del menor y que el conocimiento de los documentos obrantes en los autos se refiera exclusivamente a aquellos que tengan una conexión directa con la acción ejercitada por los mismos.

Disposición adicional primera. *Aplicación en la Jurisdicción Militar.*

(Derogada)

Disposición adicional segunda. *Aplicación de medidas en casos de riesgo para la salud.*

Cuando los Jueces de Menores aplicaren alguna de las medidas terapéuticas a las que se refieren los artículos 5.2, 7.1 y 29 de esta Ley, en caso de enfermedades transmisibles u otros riesgos para la salud de los menores o de quienes con ellos convivan, podrán encomendar a las autoridades o Servicios de Salud correspondientes su control y seguimiento, de conformidad con lo dispuesto en la Ley Orgánica 3/1986, de 14 de abril, de medidas especiales en materia de salud pública.

Disposición adicional tercera. *Registro de sentencias firmes dictadas en aplicación de lo dispuesto en la presente Ley.*

En el Ministerio de Justicia se llevará un Registro de sentencias firmes dictadas en aplicación de lo dispuesto en la presente Ley, cuyos datos sólo podrán ser utilizados por los Jueces de Menores y por el Ministerio Fiscal a efectos de lo establecido en los artículos 6, 30 y 47 de esta Ley, teniendo en cuenta lo dispuesto en la Ley Orgánica 15/1999, de 13 de diciembre, de Protección de Datos de Carácter Personal, y sus disposiciones complementarias.

Disposición adicional cuarta. *Aplicación a los delitos previstos en los artículos 138, 139, 179, 180, 571 a 580 y aquellos otros sancionados en el Código Penal con pena de prisión igual o superior a quince años.*

(Derogada)

Disposición adicional quinta.

El Gobierno dentro del plazo de cinco años desde la entrada en vigor de esta Ley Orgánica remitirá al Congreso de los Diputados un informe, en el que se analizarán y evaluarán los efectos y las consecuencias de la aplicación de la disposición adicional cuarta.

Disposición adicional sexta.

Evaluada la aplicación de esta ley orgánica, oídos el Consejo General del Poder Judicial, el Ministerio Fiscal, las comunidades autónomas y los grupos parlamentarios, el Gobierno procederá a impulsar las medidas orientadas a sancionar con más firmeza y eficacia los hechos delictivos cometidos por personas que, aun siendo menores, revistan especial gravedad, tales como los previstos en los artículos 138, 139, 179 y 180 del Código Penal.

A tal fin, se establecerá la posibilidad de prolongar el tiempo de internamiento, su cumplimiento en centros en los que se refuercen las medidas de seguridad impuestas y la posibilidad de su cumplimiento a partir de la mayoría de edad en centros penitenciarios.

Disposición transitoria única. *Régimen transitorio.*

1. A los hechos cometidos con anterioridad a la entrada en vigor de la presente Ley por los menores sujetos a la Ley Orgánica 4/1992, de 5 de junio, sobre Reforma de la Ley Reguladora de la Competencia y el Procedimiento de los Juzgados de Menores, que se deroga, les será de aplicación la legislación vigente en el momento de su comisión. Quienes estuvieren cumpliendo una medida de las previstas en la citada Ley Orgánica 4/1992 continuarán dicho cumplimiento hasta la extinción de la responsabilidad en las condiciones previstas en dicha Ley.

2. A la entrada en vigor de la presente Ley, cesará inmediatamente el cumplimiento de todas las medidas previstas en la Ley Orgánica 4/1992 que estuvieren cumpliendo personas menores de catorce años, extinguiéndose las correspondientes responsabilidades.

3. A los menores de dieciocho años, juzgados con arreglo a lo dispuesto en el Código Penal de 1973, en las leyes penales especiales derogadas o en la disposición derogatoria del Código Penal vigente, a quienes se hubiere impuesto una pena de dos años de prisión menor o una pena de prisión superior a dos años, que estuvieren pendientes de cumplimiento a la entrada en vigor de la presente Ley, dichas penas les serán sustituidas por alguna de las medidas previstas en esta Ley, a instancia del Ministerio Fiscal, previo informe del equipo técnico o de la correspondiente entidad pública de protección o reforma de menores. A tal efecto, se habrá de dar traslado al Ministerio Fiscal de la ejecutoria y de la liquidación provisional de las penas impuestas a los menores comprendidos en los supuestos previstos en este apartado.

4. Si, en los supuestos a los que se refiere el apartado anterior, la pena impuesta o pendiente de cumplimiento fuera de prisión inferior a dos años o de cualquiera otra naturaleza, se podrá imponer al condenado una medida de libertad vigilada simple por el

tiempo que restara de cumplimiento de la condena, si el Juez de Menores, a petición del Ministerio Fiscal y oídos el letrado del menor, su representante legal, la correspondiente entidad pública de protección o reforma de menores y el propio sentenciado, lo considerara acorde con la finalidad educativa que persigue la presente Ley. En otro caso, el Juez de Menores podrá tener por cumplida la pena y extinguida la responsabilidad del sentenciado.

5. Las decisiones del Juez de Menores a que se refieren los apartados anteriores se adoptarán en auto recurrible directamente en apelación, en el plazo de cinco días hábiles, ante la Sala de Menores del correspondiente Tribunal Superior de Justicia.

6. En los procedimientos penales en curso a la entrada en vigor de la presente Ley, en los que haya imputadas personas por la comisión de hechos delictivos cuando aún no hayan cumplido los dieciocho años, el Juez o Tribunal competente remitirá las actuaciones practicadas al Ministerio Fiscal para que instruya el procedimiento regulado en la misma. Si el imputado lo fuere por hechos cometidos cuando era mayor de dieciocho años y menor de veintiuno, el Juez instructor acordará lo que proceda, según lo dispuesto en el artículo 4 de esta Ley.

Disposición final primera. *Derecho supletorio.*

Tendrán el carácter de normas supletorias, para lo no previsto expresamente en esta Ley Orgánica, en el ámbito sustantivo, el Código Penal y las leyes penales especiales, y, en el ámbito del procedimiento, la Ley de Enjuiciamiento Criminal, en particular lo dispuesto para los trámites del procedimiento abreviado regulado en el Título III del Libro IV de la misma.

Disposición final segunda. *Modificación de la Ley Orgánica del Poder Judicial y del Estatuto Orgánico del Ministerio Fiscal.*

1. El Gobierno, en el plazo de seis meses a partir de la publicación de la presente Ley en el "Boletín Oficial del Estado", elevará al Parlamento un proyecto de Ley Orgánica de reforma de la Ley Orgánica 6/1985, de 1 de julio, del Poder Judicial, para la creación de las Salas de Menores de los Tribunales Superiores de Justicia y para la adecuación de la regulación y competencia de los Juzgados de Menores y de la composición de la Sala Segunda del Tribunal Supremo a lo establecido en la presente Ley.

2. El Gobierno, en el plazo de seis meses a partir de la publicación de la presente Ley en el "Boletín Oficial del Estado", elevará al Parlamento un proyecto de Ley de reforma de la Ley 50/1981, de 30 de diciembre, por la que se regula el Estatuto Orgánico del Ministerio Fiscal, a fin de adecuar la organización del Ministerio Fiscal a lo establecido en la presente Ley.

Disposición final tercera. *Reformas en materia de personal.*

1. El Gobierno, a través del Ministerio de Justicia, oído el Consejo General del Poder Judicial, la Fiscalía General del Estado y las Comunidades Autónomas afectadas, en el plazo de seis meses desde la publicación de la presente Ley en el "Boletín Oficial del Estado" adoptará las disposiciones oportunas para adecuar la planta de los Juzgados de Menores y las plantillas de las Carreras Judicial y Fiscal a las necesidades orgánicas que resulten de la aplicación de lo dispuesto en la presente Ley.

2. Las plazas de Jueces de Menores deberán ser servidas necesariamente por Magistrados pertenecientes a la Carrera Judicial. A la entrada en vigor de esta Ley los titulares de un Juzgado de Menores que ostenten la categoría de Juez deberán cesar en dicho cargo, quedando, en su caso, en la situación que prevé el artículo 118.2 y concordantes de la vigente Ley Orgánica del Poder Judicial, procediéndose a cubrir tales plazas por concurso ordinario entre Magistrados.

3. El Gobierno, a través del Ministerio de Justicia, y las Comunidades Autónomas con competencia en la materia, a través de las correspondientes Consejerías, adecuarán las plantillas de funcionarios de la Administración de Justicia a las necesidades que presenten los Juzgados y las Fiscalías de Menores para la aplicación de la presente Ley. Asimismo, determinarán el número y plantilla de los Equipos Técnicos compuestos por personal funcionario o laboral al servicio de las Administraciones Públicas, que actuarán bajo los principios de independencia, imparcialidad y profesionalidad.

4. Asimismo, el Gobierno, a través del Ministerio del Interior, y sin perjuicio de las competencias de las Comunidades Autónomas, adecuará las plantillas de los Grupos de Menores de las Brigadas de Policía Judicial, con objeto de establecer la adscripción a las Secciones de Menores de las Fiscalías de los funcionarios necesarios a los fines propuestos por esta Ley.

Disposición final cuarta. *Especialización de Jueces, Fiscales y abogados.*

1. El Consejo General del Poder Judicial y el Ministerio de Justicia, en el ámbito de sus competencias respectivas, procederán a la formación de miembros de la Carrera Judicial y Fiscal especialistas en materia de Menores con arreglo a lo que se establezca reglamentariamente. Dichos especialistas tendrán preferencia para desempeñar los correspondientes cargos en las Salas de Menores de los Tribunales Superiores de Justicia y en los Juzgados y Fiscalías de Menores, conforme a lo que establezcan las leyes y reglamentos.

2. En todas las Fiscalías existirá una Sección de Menores compuesta por miembros de la Carrera Fiscal, especialistas, con las dotaciones de funcionarios administrativos que sean necesarios, según se determine reglamentariamente.

3. El Consejo General de la Abogacía deberá adoptar las disposiciones oportunas para que en los Colegios en los que resulte necesario se impartan cursos homologados para la formación de aquellos letrados que deseen adquirir la especialización en materia de menores a fin de intervenir ante los órganos de esta Jurisdicción.

Disposición final quinta. *Cláusula derogatoria.*

1. Se derogan: la Ley Orgánica reguladora de la competencia y el procedimiento de los Juzgados de Menores, texto refundido aprobado por Decreto de 11 de junio de 1948, modificada por la Ley Orgánica 4/1992, de 5 de junio; los preceptos subsistentes del Reglamento para la ejecución de la Ley Orgánica reguladora de la competencia y el procedimiento de los Juzgados de Menores, aprobado por Decreto de 11 de junio de 1948; la disposición transitoria duodécima de la Ley Orgánica 10/1995, de 23 de noviembre, del Código Penal; y los artículos 8.2, 9.3, la regla 1.ª del artículo 20, en lo que se refiere al número 2.º del artículo 8, el segundo párrafo del artículo 22 y el artículo 65 del texto refundido del Código Penal, publicado por el Decreto 3096/1973, de 14 de septiembre, conforme a la Ley 44/1971, de 15 de noviembre.

2. Quedan asimismo derogadas cuantas otras normas, de igual o inferior rango, se opongan a lo establecido en la presente Ley.

Disposición final sexta. *Naturaleza de la presente Ley.*

Los artículos 16, 20, 21, 23 a 27, 30 a 35, 37 a 39, 41, 42 y 61 a 64, la disposición adicional tercera y la disposición final tercera de la presente Ley Orgánica tienen naturaleza de Ley ordinaria.

Disposición final séptima. *Entrada en vigor y desarrollo reglamentario.*

1. La presente Ley Orgánica entrará en vigor al año de su publicación en el "Boletín Oficial del Estado". En dicha fecha entrarán también en vigor los artículos 19 y 69 de la Ley Orgánica 10/1995, de 23 de noviembre, del Código Penal.

2. Durante el plazo mencionado en el apartado anterior, las Comunidades Autónomas con competencia respecto a la protección y reforma de menores adaptarán su normativa para la adecuada ejecución de las funciones que les otorga la presente Ley.

Por tanto,
Mando a todos los españoles, particulares y autoridades, que guarden y hagan guardar esta Ley Orgánica.
Madrid, 12 de enero de 2000.

JUAN CARLOS R.

El Presidente del Gobierno,
JOSÉ MARÍA AZNAR LÓPEZ

I.   Disposiciones generales

MINISTERIO DE JUSTICIA

15601   *REAL DECRETO 1774/2004, de 30 de julio, por el que se aprueba el Reglamento de la Ley Orgánica 5/2000, de 12 de enero, reguladora de la responsabilidad penal de los menores.*

La Ley Orgánica 5/2000, de 12 de enero, reguladora de la responsabilidad penal de los menores, en el apartado 24 de su exposición de motivos, prevé una regulación más extensa de algunos de sus aspectos en el reglamento que en su día se dicte en su desarrollo. Asimismo, en diferentes artículos de la ley orgánica hay llamamientos concretos al desarrollo reglamentario para establecer: la periodicidad con que se remitirá al juez de menores y al Ministerio Fiscal los informes sobre la ejecución de la medida y sus incidencias, y sobre la evolución personal de los menores sometidos a ellas; los permisos ordinarios y extraordinarios de los que podrá disfrutar el menor internado; los requisitos para trasladar al menor de centro fuera de la comunidad autónoma; el derecho del menor a comunicarse libremente con sus padres y familiares, y a disfrutar de salidas y permisos; el derecho de las menores internadas a tener en su compañía a sus hijos menores de tres años; la forma y la periodicidad de las actuaciones de vigilancia y seguridad en los centros; los medios de contención para evitar actos de violencia, impedir actos de fuga y daños en las instalaciones, o ante la resistencia a las instrucciones del personal del centro, y el régimen disciplinario de los centros para la ejecución de las medidas privativas de libertad.

A la vista de esta previsiones, se ha elaborado un reglamento que, conforme a su artículo 1, pretende abordar un desarrollo parcial de la Ley Orgánica 5/2000, de 12 de enero, reguladora de la responsabilidad penal de los menores, en lo relativo a tres materias concretas: la actuación de la Policía Judicial y del equipo técnico, la ejecución de las medidas cautelares y definitivas y el régimen disciplinario de los centros.

El capítulo II, rubricado «De la actuación de la Policía Judicial y del equipo técnico», regula en términos generales la intervención de ambos colectivos. Los artículos 2 y 3 se dedican a la actuación de la Policía Judicial, dependiente funcionalmente del Ministerio Fiscal y del juez de menores, prestando especial atención al modo de llevar a cabo la detención del menor. El artículo 4 se refiere a la actuación del equipo técnico, integrado por psicólogos, educadores y trabajadores sociales, y responsables de prestar asistencia al menor desde el momento de su detención, de asistir técnicamente a los jueces de menores y al Ministerio Fiscal y de intervenir activamente en la mediación entre el menor y la víctima o perjudicado, función ampliamente desarrollada por el artículo 5 del reglamento.

El capítulo III («De las reglas para la ejecución de las medidas») se divide en tres secciones. La primera destinada a regular las reglas comunes; la segunda, a algunas medidas no privativas de libertad, y la tercera, a las medidas privativas de libertad.

Las denominadas reglas comunes comprenden el establecimiento de los principios que deben inspirar la ejecución de las medidas y los derechos de los menores, con expresa mención en el último a los tratados internacionales ratificados por España (artículos 6 y 7) y la delimitación de la competencia de las Administraciones públicas para la ejecución de las medidas (artículos 8 a 11). Pero también regula el expediente personal del menor, único en la comunidad autónoma que ejecute la medida, de carácter reservado y sometido a la Ley Orgánica 15/1999, de 13 de diciembre, de Protección de Datos de Carácter Personal (artículo 12), así como los llamados «informes de seguimiento» que la entidad pública deberá remitir al juez de menores y al Ministerio Fiscal (artículo 13). Seguidamente, reglamenta la actuación de la entidad pública en los casos de incumplimiento de las medidas de internamiento y de permanencia de fin de semana en el centro o en el domicilio y otras medidas no privativas de libertad. La sección concluye con un precepto que regula los casos en que el menor desee conciliarse con la víctima o reparar el daño causado. En estos casos, se encomiendan a la entidad pública las funciones de mediación.

La sección 2.ª del capítulo III contempla reglas específicas para la ejecución de determinadas medidas no privativas de libertad, en desarrollo del artículo 7 de la Ley Orgánica 5/2000, de 12 de enero, comprendiendo la regulación de las medidas de tratamiento ambulatorio, asistencia a un centro de día, libertad vigilada, convivencia con otra persona, familia o grupo educativo, prestaciones en beneficio de la comunidad y realización de tareas socioeducativas. Es nota común a todas ellas la elaboración de un programa individualizado de ejecución.

La sección 3.ª es la más extensa y heterogénea del reglamento y bajo la rúbrica «Reglas específicas para la ejecución de las medidas privativas de libertad», regula tanto las medidas como los trámites para el ingreso, la asistencia del menor, su régimen de comunicación, etc. Atendiendo a su contenido, los 36 artículos que integran esta sección pueden estructurarse en los siguientes apartados: disposiciones relativas a los regímenes de internamiento (artículos 23 a 29, 34 y 53), disposiciones relativas al funcionamiento de los centros (artículos 30, 33, 35 y 53 a 58), disposiciones relativas al ingreso y a la libertad del menor (artículos 31, 32, 34 y 36), disposiciones relativas a la asistencia del menor (artículos 37, 38 y 39), disposiciones relativas a las comunicaciones (artículos 40 a 44) y disposiciones relativas a las salidas y permisos (artículos 45 a 52).

El capítulo IV («Del régimen disciplinario de los centros») da cumplimiento al tercer objetivo que apunta el artículo 1 del reglamento, inspirándose en el título X del Reglamento Penitenciario, aprobado por el Real Decreto 190/1996, de 9 de febrero. Aunque no se divide en secciones, su contenido permite apreciar un bloque de temática homogénea: los artículos 59 y 60 regulan, respectivamente, el fundamento y ámbito de aplicación y los principios de la potestad disciplinaria; los artículos 61 a 64 regulan las faltas disciplinarias clasificándolas en muy graves, graves y leves, «atendiendo a la violencia desarrollada por el sujeto, su intencionalidad, la importancia del resultado y el número de personas ofendidas»; los artículos 65 a 69 regulan las sanciones con carácter general y taxativo; los artículos 70 a 80 regulan los procedimientos para la imposición de sanciones; finalmente, los artículos 81 a 85 contienen reglas especiales sobre las sanciones (ejecución y cumplimiento, reducción, suspensión y anulación, extinción y prescripción) y sobre incentivos o recompensas de un modo similar al artículo 263 del Reglamento Penitenciario.

Este reglamento ha sido sometido al preceptivo informe de la Agencia Española de Protección de Datos, la Fiscalía General del Estado y el Consejo General del Poder Judicial.

En su virtud, a propuesta del Ministro de Justicia, con la aprobación previa del Ministro de Administraciones Públicas, de acuerdo con el Consejo de Estado y previa deliberación del Consejo de Ministros en su reunión del día 30 de julio de 2004,

DISPONGO:

Artículo único. *Aprobación del Reglamento de la Ley Orgánica 5/2000, de 12 de enero, reguladora de la responsabilidad penal de los menores.*

Se aprueba el Reglamento de la Ley Orgánica 5/2000, de 12 de enero, reguladora de la responsabilidad penal de los menores, cuyo texto se inserta a continuación.

Disposición adicional única. *Evaluación de resultados.*

Transcurrido un año desde la entrada en vigor del reglamento de la Ley Orgánica 5/2000, de 12 de enero, reguladora de la responsabilidad penal de los menores, el Gobierno procederá a evaluar los resultados de su aplicación, consultando para ello a las comunidades autónomas, al Consejo General del Poder Judicial y al Fiscal General del Estado.

Disposición final única. *Entrada en vigor.*

El presente real decreto entrará en vigor a los seis meses de su publicación en el «Boletín Oficial del Estado».

Dado en Palma de Mallorca, a 30 de julio de 2004.

JUAN CARLOS R.

El Ministro de Justicia,
JUAN FERNANDO LÓPEZ AGUILAR

REGLAMENTO DE LA LEY ORGÁNICA 5/2000, DE 12 DE ENERO, REGULADORA DE LA RESPONSABILIDAD PENAL DE LOS MENORES

CAPÍTULO I

Disposiciones generales

Artículo 1. *Objeto y ámbito de aplicación.*

1. Este reglamento tiene por objeto el desarrollo de la Ley Orgánica 5/2000, de 12 de enero, reguladora de la responsabilidad penal de los menores, en lo referente a la actuación del equipo técnico y de la Policía Judicial, a la ejecución de las medidas cautelares y definitivas adoptadas de conformidad con aquella y al régimen disciplinario de los centros para la ejecución de las medidas privativas de libertad, sin perjuicio de las normas que en aplicación de lo dispuesto en el artículo 45.1 y la disposición final séptima de la citada ley orgánica establezcan las comunidades autónomas y las Ciudades de Ceuta y Melilla, en el ámbito de sus competencias.

2. Al efecto de designar a las personas a quienes se aplica este reglamento, en su articulado se utiliza el término menores para referirse a las personas que no han cumplido 18 años, sin perjuicio de lo previsto en los artículos 4 y 15 de la Ley Orgánica 5/2000, de 12 de enero, cuando sea aplicable.

CAPÍTULO II

De la actuación de la Policía Judicial y del equipo técnico

Artículo 2. *Actuación de la Policía Judicial.*

1. La Policía Judicial actúa en la investigación de los hechos cometidos por menores que pudieran ser constitutivos de delitos o faltas, bajo la dirección del Ministerio Fiscal.

2. La actuación de la Policía Judicial se atendrá a las órdenes del Ministerio Fiscal y se sujetará a lo establecido en la Ley Orgánica 5/2000, de 12 de enero, reguladora de la responsabilidad penal de los menores, y en la Ley de Enjuiciamiento Criminal.

Salvo la detención, toda diligencia policial restrictiva de derechos fundamentales será interesada al Ministerio Fiscal para que, por su conducto, se realice la oportuna solicitud al juez de menores competente.

3. Los registros policiales donde consten la identidad y otros datos que afecten a la intimidad de los menores serán de carácter estrictamente confidencial y no podrán ser consultados por terceros. Solo tendrán acceso a dichos archivos las personas que participen directamente en la investigación de un caso en trámite o aquellas personas que, en el ejercicio de sus respectivas competencias, autoricen expresamente el juez de menores o el Ministerio Fiscal, todo ello sin perjuicio de las disposiciones que, en materia de regulación de ficheros y registros automatizados, dicten las comunidades autónomas de acuerdo con sus respectivas competencias.

4. A tal efecto, cuando, de conformidad con el artículo 17 de la Ley Orgánica 5/2000, de 12 de enero, reguladora de la responsabilidad penal de los menores, se proceda a la detención de un menor, se podrá proceder a tomar reseña de sus impresiones dactilares, así como fotografías de su rostro, que se remitirán, como parte del atestado policial, al Ministerio Fiscal para la instrucción del expediente, y constarán en la base de datos de identificación personal.

5. El cacheo y aseguramiento físico de los menores detenidos se llevará a cabo en los casos en que sea estrictamente necesario y como medida proporcional de seguridad para el propio menor detenido y los funcionarios actuantes, cuando no sea posible otro medio de contención física del menor.

6. Además de lo anterior, existirá un registro o archivo central donde, de modo específico para menores, se incorporará la información relativa a los datos de estos resultantes de la investigación. Tal registro o archivo solo podrá facilitar información a requerimiento del Ministerio Fiscal o del juez de menores.

Tanto los registros policiales como el registro central al que se refiere este apartado estarán sometidos a lo dispuesto en la Ley Orgánica 15/1999, de 13 de diciembre, de Protección de Datos de Carácter Personal.

7. Cuando el Ministerio Fiscal o el juez de menores, en el ejercicio de sus competencias atribuidas por la Ley Orgánica 5/2000, de 12 de enero, reguladora de la responsabilidad penal de los menores, deseen consultar datos relativos a la identidad o edad de un menor, requerirán del mencionado registro o archivo central que se comparen los datos que obran en su poder con los que existan en dicho registro, a fin de acreditar la identidad u otros datos del menor expedientado. A tal fin, dirigirán comunicación, directamente o a través del Grupo de Menores u otras unidades similares, al mencionado registro, que facilitará los datos y emitirá un informe sobre los extremos requeridos.

8. Los registros de menores a que se refiere este artículo no podrán ser utilizados en procesos de adultos relativos a casos subsiguientes en los que esté implicada la misma persona.

9. Cuando la policía judicial investigue a una persona como presunto autor de una infracción penal de cuya minoría de edad se dude y no consten datos que permitan su determinación, se pondrá a disposición de la autoridad judicial de la jurisdicción ordinaria para que proceda a determinar la identidad y edad del presunto delincuente por las reglas de la Ley de Enjuiciamiento Criminal. Una vez acreditada la edad, si esta fuese inferior a los 18 años, se procederá conforme a lo previsto en la Ley Orgánica 5/2000, de 12 de enero, reguladora de la responsabilidad penal de los menores.

10. Cuando para la identificación de un menor haya de acudirse a la diligencia de reconocimiento prevista en el artículo 369 de la Ley de Enjuiciamiento Criminal, dicha diligencia solo podrá llevarse a cabo con orden o autorización del Ministerio Fiscal o del juez de menores según sus propias competencias.

Para la práctica de la diligencia de reconocimiento, se utilizarán los medios que resulten menos dañinos a la integridad del menor, debiendo llevarse a cabo en las dependencias de los Grupos de Menores o en las sedes del Ministerio Fiscal o autoridad judicial competente. La rueda deberá estar compuesta por otras personas, menores o no, conforme a los requisitos de la Ley de Enjuiciamiento Criminal.

Cuando la rueda esté compuesta por otros menores de edad, se deberá contar con su autorización y con la de sus representantes legales o guardadores de hecho o de derecho, a salvo el supuesto de los mayores de 16 años no emancipados y de los menores emancipados en que sea de aplicación lo dispuesto para las limitaciones a la declaración de voluntad de los menores en el artículo 2 de la Ley Orgánica 1/1996, de protección jurídica del menor.

Artículo 3. *Modo de llevar a cabo la detención del menor.*

1. Las autoridades y funcionarios que intervengan en la detención de un menor deberán practicarla en la forma que menos le perjudique, y estarán obligados a informarle, en un lenguaje claro y comprensible y de forma inmediata, de los hechos que se le imputan, de las razones de su detención y de los derechos que le asisten, especialmente los reconocidos en el artículo 520 de la Ley de Enjuiciamiento Criminal, así como a garantizar el respeto de tales derechos. También deberán notificar inmediatamente el hecho de la detención y el lugar de la custodia a los representantes legales del menor y al Ministerio Fiscal. Si el menor detenido fuera extran-jero, el hecho de la detención se notificará a las correspondientes autoridades consulares cuando el menor tuviera su residencia habitual fuera de España o cuando así lo solicitaran el propio menor o sus representantes legales.

2. Toda declaración del detenido se llevará a cabo en presencia de su letrado y de aquellos que ejerzan la patria potestad, tutela o guarda del menor, de hecho o de derecho, salvo que, en este último caso, las circunstancias aconsejen lo contrario. En defecto de estos últimos, la declaración se llevará a cabo en presencia del Ministerio Fiscal, representado por un fiscal distinto del instructor del expediente.

3. Mientras dure la detención los menores deberán hallarse custodiados en dependencias adecuadas conforme establece la Ley Orgánica 5/2000, de 12 de enero, reguladora de la responsabilidad penal de los menores.

La custodia de los menores detenidos a que se refiere el párrafo anterior corresponderá a las Fuerzas y Cuerpos de Seguridad competentes hasta que el fiscal resuelva sobre la libertad del menor, el desistimiento o la incoación del expediente, con puesta a disposición del juez a que se refiere el artículo 17.5 de la Ley Orgánica 5/2000, de 12 de enero, reguladora de la responsabilidad penal de los menores. El fiscal resolverá en el menor espacio de tiempo posible y, en todo caso, dentro de las 48 horas siguientes a la detención.

4. Durante la detención debe garantizarse que todo menor disponga de alimentación, vestimenta y condiciones de intimidad, seguridad y sanidad adecuadas.

5. En los establecimientos de detención deberá llevarse un libro registro, de carácter confidencial, que al menos deberá contar con la siguiente información:

a) Datos relativos a la identidad del menor.

b) Circunstancias de la detención, motivos y en su caso autoridad que la ordenó.

c) Día y hora del ingreso, traslado o libertad.

d) Indicación de la persona o personas que custodian al menor.

e) Detalle de la notificación a los padres o representantes legales del menor y al Ministerio Fiscal de la detención del menor.

f) Expresión de las circunstancias psicofísicas del menor.

g) Constatación de que se le ha informado de las circunstancias de la detención y de sus derechos.

Los datos de dicho registro estarán exclusivamente a disposición del Ministerio Fiscal y de la autoridad judicial competente.

Este libro registro será único para todo lo concerniente a la detención del menor, y no se consignará ninguno de sus datos en ningún otro libro de la dependencia.

Artículo 4. *Actuación del equipo técnico.*

1. Los equipos técnicos estarán formados por psicólogos, educadores y trabajadores sociales cuya función es asistir técnicamente en las materias propias de sus disciplinas profesionales a los jueces de menores y al Ministerio Fiscal, elaborando los informes, efectuando las propuestas, siendo oídos en los supuestos y en la forma establecidos en la Ley Orgánica 5/2000, de 12 de enero, reguladora de la responsabilidad penal de los menores, y, en general, desempeñando las funciones que tengan legalmente atribuidas.

Del mismo modo, prestarán asistencia profesional al menor desde el momento de su detención y realizarán funciones de mediación entre el menor y la víctima o perjudicado.

Podrán también incorporarse de modo temporal o permanente a los equipos técnicos otros profesionales relacionados con las funciones que tienen atribuidas, cuando las necesidades planteadas lo requieran y así lo acuerde el órgano competente.

2. Los profesionales integrantes de los equipos técnicos dependerán orgánicamente del Ministerio de Justicia o de las comunidades autónomas con competencias asumidas y estarán adscritos a los juzgados de menores. Durante la instrucción del expediente, desempeñarán las funciones establecidas en la Ley Orgánica 5/2000, de 12 de enero, bajo la dependencia funcional del Ministerio Fiscal y del juez de menores cuando lo ordene.

No obstante lo anterior, en el ejercicio de su actividad técnica actuarán con independencia y con sujeción a criterios estrictamente profesionales.

3. En todo caso, la Administración competente garantizará que el equipo técnico realice sus funciones en los términos que exijan las necesidades del servicio, adoptando las medidas oportunas al efecto.

4. El Ministerio de Justicia y las comunidades autónomas con competencias asumidas en sus respectivos ámbitos determinarán el número de equipos técnicos necesarios, su composición y plantilla de conformidad con las necesidades que presenten los juzgados de menores y fiscalías garantizando que cada fiscal instructor cuente con los medios personales adecuados y suficientes para la emisión de los informes determinados por la ley y en los plazos establecidos.

5. Los informes serán firmados por los profesionales del equipo técnico que intervengan en cada caso. La representación del equipo la ostentará aquel que sea designado por el Ministerio Fiscal o el juez de menores en la actuación concreta de que se trate.

Artículo 5. *Modo de llevar a cabo las soluciones extrajudiciales.*

1. En el supuesto previsto en el artículo 19 de la Ley Orgánica 5/2000, de 12 de enero, reguladora de la responsabilidad penal de los menores, se procederá del siguiente modo:

a) Si el Ministerio Fiscal, a la vista de las circunstancias concurrentes o a instancia del letrado del menor, apreciara la posibilidad de desistir de la continuación del expediente, solicitará del equipo técnico informe sobre la conveniencia de adoptar la solución extrajudicial más adecuada al interés del menor y al de la víctima.

b) Recibida la solicitud por el equipo técnico, citará a su presencia al menor, a sus representantes legales y a su letrado defensor.

c) El equipo técnico expondrá al menor la posibilidad de solución extrajudicial prevista en el artículo 19 de la Ley Orgánica 5/2000, de 12 de enero, y oirá a sus representantes legales. Si, con audiencia de su letrado, el menor aceptara alguna de las soluciones que el equipo le propone, a ser posible en el mismo acto, se recabará la conformidad de sus representantes legales.

Si el menor o sus representantes legales manifestaran su negativa a aceptar una solución extrajudicial, el equipo técnico lo comunicará al Ministerio Fiscal e iniciará la elaboración del informe al que alude el artículo 27 de la Ley Orgánica 5/2000, de 12 de enero.

d) El equipo técnico se pondrá en contacto con la víctima para que manifieste su conformidad o disconformidad a participar en un procedimiento de mediación, ya sea a través de comparecencia personal ante el equipo técnico, ya sea por cualquier otro medio que permita dejar constancia.

Si la víctima fuese menor de edad o incapaz, este consentimiento deberá ser confirmado por sus representantes legales y ser puesto en conocimiento del juez de menores competente.

e) Si la víctima se mostrase conforme a participar en la mediación, el equipo técnico citará a ambos a un encuentro para concretar los acuerdos de conciliación o reparación. No obstante, la conciliación y la reparación también podrán llevarse a cabo sin encuentro, a petición de la víctima, por cualquier otro medio que permita dejar constancia de los acuerdos.

f) No siendo posible la conciliación o la reparación directa o social, o cuando el equipo técnico lo considere más adecuado al interés del menor, propondrá a este la realización de tareas socioeducativas o la prestación de servicios en beneficio de la comunidad.

g) El equipo técnico pondrá en conocimiento del Ministerio Fiscal el resultado del proceso de mediación, los acuerdos alcanzados por las partes y su grado de cumplimiento o, en su caso, los motivos por los que no han podido llevarse a efecto los compromisos alcanzados por las partes, a efectos de lo dispuesto en el artículo 19.4 y 5 de la Ley Orgánica 5/2000, de 12 de enero, reguladora de la responsabilidad penal de los menores.

2. Si, conforme a lo previsto en el artículo 27.3 de la Ley Orgánica 5/2000, de 12 de enero, reguladora de la responsabilidad penal de los menores, el equipo técnico considera conveniente que el menor efectúe una actividad reparadora o de conciliación con la víctima, informará de tal extremo al Ministerio Fiscal y al letrado del menor. Si este apreciara la posibilidad de desistir de la continuación del expediente, solicitará del equipo técnico informe sobre la solución extrajudicial más adecuada y se seguirán los trámites previstos en el apartado anterior.

3. Lo dispuesto en este artículo podrá ser aplicable al procedimiento de mediación previsto en el artículo 51.2 de la Ley Orgánica 5/2000, de 12 de enero, reguladora de la responsabilidad penal de los menores, sin perjuicio de la competencia de la entidad pública y de lo dispuesto en el artículo 15 de este reglamento. Las referencias al equipo técnico hechas en este artículo se entenderán efectuadas a la entidad pública cuando, de conformidad con lo establecido en el artículo 8.7 de este reglamento, dicha entidad realice las funciones de mediación.

CAPÍTULO III

De las reglas para la ejecución de las medidas

SECCIÓN 1.ª REGLAS COMUNES PARA LA EJECUCIÓN DE LAS MEDIDAS

Artículo 6. *Principios inspiradores de la ejecución de las medidas.*

Los profesionales, organismos e instituciones que intervengan en la ejecución de las medidas ajustarán su actuación con los menores a los principios siguientes:

a) El superior interés del menor de edad sobre cualquier otro interés concurrente.

b) El respeto al libre desarrollo de la personalidad del menor.

c) La información de los derechos que les corresponden en cada momento y la asistencia necesaria para poder ejercerlos.

d) La aplicación de programas fundamentalmente educativos que fomenten el sentido de la responsabilidad y el respeto por los derechos y libertades de los otros.

e)	La adecuación de las actuaciones a la edad, la personalidad y las circunstancias personales y sociales de los menores.

f)	La prioridad de las actuaciones en el propio entorno familiar y social, siempre que no sea perjudicial para el interés del menor. Asimismo en la ejecución de las medidas se utilizarán preferentemente los recursos normalizados del ámbito comunitario.

g)	El fomento de la colaboración de los padres, tutores o representantes legales durante la ejecución de las medidas.

h)	El carácter preferentemente interdisciplinario en la toma de decisiones que afecten o puedan afectar a la persona.

i)	La confidencialidad, la reserva oportuna y la ausencia de injerencias innecesarias en la vida privada de los menores o en la de sus familias, en las actuaciones que se realicen.

j)	La coordinación de actuaciones y la colaboración con los demás organismos de la propia o de diferente Administración, que intervengan con menores y jóvenes, especialmente con los que tengan competencias en materia de educación y sanidad.

Artículo 7.	*Derechos de los menores durante la ejecución de las medidas.*

Los menores y los jóvenes gozarán durante la ejecución de las medidas de los derechos y libertades que a todos reconocen la Constitución, los tratados internacionales ratificados por España y el resto del ordenamiento jurídico vigente, a excepción de los que se encuentren expresamente limitados por la ley, el contenido del fallo condenatorio o el sentido de la medida impuesta.

Artículo 8.	*Competencia funcional.*

1.	Corresponde a las comunidades autónomas y las Ciudades de Ceuta y Melilla, mediante las entidades públicas que estas designen con arreglo a la disposición final vigésima segunda de la Ley Orgánica 1/1996, de 15 de enero, de protección jurídica del menor:

a)	La ejecución de las medidas cautelares adoptadas de conformidad con el artículo 28 de la Ley Orgánica 5/2000, de 12 de enero, reguladora de la responsabilidad penal de los menores.

b)	La ejecución de las medidas adoptadas por los jueces de menores en sus sentencias firmes, previstas en los párrafos a) a k) del artículo 7.1 de la Ley Orgánica 5/2000, de 12 de enero.

c)	La ejecución del régimen de libertad vigilada y de la actividad socioeducativa a la que alude el artículo 40.2.c) de la Ley Orgánica 5/2000, de 12 de enero.

Dichas entidades públicas llevarán a cabo, de acuerdo con sus respectivas normas de organización, la creación, dirección, organización y gestión de los servicios, instituciones y programas adecuados para garantizar la correcta ejecución de las medidas, sin perjuicio de los convenios y acuerdos de colaboración que puedan establecer de conformidad con el artículo 45.3 de la Ley Orgánica 5/2000, de 12 de enero, reguladora de la responsabilidad penal de los menores.

2.	Corresponde al Estado, en los establecimientos y con el control del personal especializado que ponga a disposición de la Audiencia Nacional, la ejecución de la detención preventiva, de las medidas cautelares de internamiento y de las medidas adoptadas en sentencia firme que, de conformidad con la disposición adicional cuarta de la Ley Orgánica 5/2000, de 12 de enero, reguladora de la responsabilidad penal de los menores, acuerden

el Juzgado Central de Menores o la sala correspondiente de la Audiencia Nacional, sin perjuicio de los convenios que, en su caso, pueda establecer para dicha finalidad con las comunidades autónomas y las Ciudades de Ceuta y Melilla.

3.	Corresponde a las instituciones públicas que en el respectivo territorio tengan encomendada la ejecución de las medidas penales a las que alude el artículo 105.1 de la Ley Orgánica 10/1995, de 23 de noviembre, del Código Penal, la ejecución de la medida de libertad vigilada impuesta de conformidad con la regla 5.ª del artículo 9 y, en su caso, con el apartado 2.c) de la disposición adicional cuarta de la Ley Orgánica 5/2000, de 12 de enero, reguladora de la responsabilidad penal de los menores.

4.	Las medidas de privación del permiso de conducir ciclomotores o vehículos a motor, o del derecho a obtenerlo, o de las licencias administrativas para caza o para cualquier tipo de armas y la inhabilitación absoluta, previstas en los párrafos m) y n) del artículo 7.1 de la Ley Orgánica 5/2000, de 12 de enero, reguladora de la responsabilidad penal de los menores, si no fueran ejecutadas directamente por el juez de menores, se ejecutarán por los órganos administrativos competentes por razón de la materia.

5.	Si en virtud de lo dispuesto en el artículo 15 de la Ley Orgánica 5/2000, de 12 de enero, reguladora de la responsabilidad penal de los menores, se ordena el cumplimiento de la medida de internamiento del menor en un centro penitenciario, la competencia para la ejecución de esta será de la Administración penitenciaria, sin perjuicio de las facultades propias del juez de menores competente. Esta competencia será extensiva a la ejecución de las medidas pendientes de cumplimiento del artículo 7.1.e) a k) de la Ley Orgánica 5/2000, de 12 de enero, una vez finalizado el internamiento.

6.	Cuando de conformidad con la Ley Orgánica 5/2000, de 12 de enero, reguladora de la responsabilidad penal de los menores, el juez de menores o el Ministerio Fiscal remitan a la entidad pública de protección de menores testimonio de particulares sobre un menor de 14 años, será dicha entidad la competente para valorar la situación y decidir si se ha de adoptar alguna medida, conforme a las normas del Código Civil y la legislación de protección de menores.

7.	Sin perjuicio de las funciones de mediación atribuidas en el artículo 19.3 de la Ley Orgánica 5/2000, de 12 de enero, reguladora de la responsabilidad penal de los menores, a los equipos técnicos correspondientes, también las entidades públicas podrán poner a disposición del Ministerio Fiscal y de los juzgados de menores, en su caso, los programas necesarios para realizar las funciones de mediación a las que alude el citado artículo.

Artículo 9.	*Punto de conexión para determinar la Administración competente en la ejecución de las medidas.*

1.	Para la ejecución de las medidas previstas en el apartado 1 del artículo anterior, serán competentes las comunidades autónomas y las Ciudades de Ceuta y Melilla donde se ubique el juzgado de menores que las haya acordado.

En el caso de que la entidad pública haya designado un centro de internamiento para la ejecución situado fuera de su comunidad autónoma, de acuerdo con lo previsto en la Ley Orgánica 5/2000, de 12 de enero, y en este reglamento, será la comunidad autónoma a la que pertenezca dicho centro la competente para la ejecución de la medida, en los términos previstos en el artículo 46.3 de la Ley Orgánica 5/2000, de 12 de enero, reguladora de la responsabilidad penal de los menores.

2. Si la aprobación judicial prevista en el artículo 46.3 de la Ley Orgánica 5/2000, de 12 de enero, reguladora de la responsabilidad penal de los menores, se adopta una vez iniciada la ejecución de la medida, dejará de ser competente la comunidad autónoma respectiva desde el momento del traslado efectivo del menor al nuevo centro o desde la notificación judicial a la comunidad autónoma de residencia para que designe el profesional responsable de la ejecución de la medida no privativa de libertad impuesta.

3. En caso de traslado de centro por las circunstancias previstas en el artículo 35.1.b) y c) de este reglamento, continuará siendo competente de la ejecución de la medida la comunidad autónoma donde se ubique el juzgado de menores que la haya acordado, sin perjuicio de la colaboración prestada por la comunidad autónoma responsable del centro de destino.

Artículo 10. *Inicio de la ejecución.*

1. Para dar inicio a la ejecución de las medidas acordadas en sentencia firme, que sean competencia de las entidades públicas, se procederá conforme a las reglas siguientes:

1.ª Recibidos en la entidad pública la ejecutoria y el testimonio de particulares del juzgado de menores, así como los informes técnicos que obren en la causa y la identificación del letrado del menor, la entidad pública competente, cuando la medida impuesta sea alguna de las previstas en los párrafos a) a d) del artículo 7.1 de la Ley Orgánica 5/2000, de 12 de enero, reguladora de la responsabilidad penal de los menores, o la de permanencia de fin de semana en un centro, designará de forma inmediata el centro que considere más adecuado para su ejecución de entre los más cercanos al domicilio del menor en los que existan plazas disponibles correspondientes al régimen o al tipo de internamiento impuesto. La designación se comunicará al juzgado de menores competente para que ordene el ingreso del menor si no estuviera ingresado cautelarmente.

2.ª Se requerirá la previa aprobación judicial del centro propuesto por la entidad pública en los casos siguientes:

a) Cuando de conformidad con el artículo 46.3 de la Ley Orgánica 5/2000, de 12 de enero, se proponga, en interés del menor, el ingreso en un centro de la comunidad autónoma que se encuentre alejado de su domicilio y de su entorno social y familiar, aun existiendo plaza en un centro más cercano adecuada al régimen o al tipo de internamiento impuesto.

b) Cuando se proponga para la ejecución de la medida el ingreso del menor en un centro sociosanitario, de conformidad con lo dispuesto en el artículo 54.2 de la Ley Orgánica 5/2000, de 12 de enero.

c) Cuando se proponga el ingreso del menor en un centro de otra comunidad autónoma, por los motivos descritos en el artículo 35.1 de este reglamento.

3.ª La entidad pública designará de forma inmediata y, en todo caso, en el plazo máximo de cinco días un profesional que se responsabilizará de la ejecución de la medida impuesta, siempre que esta sea alguna de las previstas en los párrafos e), f), g), cuando en este caso la permanencia se ordene en el domicilio, h), i), j) y k) del artículo 7.1 de la Ley Orgánica 5/2000, de 12 de enero, reguladora de la responsabilidad penal de los menores. Dicha designación se comunicará al juzgado correspondiente.

4.ª En la medida de libertad vigilada y en las medidas de internamiento, el profesional o el centro designado elaborarán el programa individualizado de ejecu-

ción en el plazo de 20 días desde el inicio de aquellas, prorrogable previa autorización judicial.

En el resto de las medidas, el programa individualizado de ejecución se elaborará, previamente a su inicio, en el plazo de 20 días desde la fecha de la designación del profesional, prorrogable previa autorización judicial.

5.ª El programa individualizado de ejecución de la medida se comunicará al juez competente para su aprobación. Si el juez rechazase, en todo o en parte, el programa propuesto, se someterá a su consideración uno nuevo o la modificación correspondiente del anterior, conforme a lo previsto en el artículo 44 de la Ley Orgánica 5/2000, de 12 de enero, reguladora de la responsabilidad penal de los menores.

6.ª Una vez aprobado el programa individualizado de ejecución de la medida, la entidad pública la iniciará, salvo que ya estuviese iniciada por tratarse de una medida de internamiento o de libertad vigilada, y comunicará la fecha al juzgado de menores para que el secretario judicial practique la liquidación de la medida y la comunique al menor. A efectos de la liquidación, que practicará el secretario judicial, se considerarán como fechas de inicio las siguientes:

a) En las medidas de internamiento, la del día del ingreso o la de firmeza de la sentencia si estuviera internado cautelarmente.

b) En las medidas de libertad vigilada, el día de la primera entrevista del profesional aludido en la regla 3.ª con el menor, que deberá llevarse a cabo en la fecha señalada por el juez de menores de entre las propuestas por la entidad pública y comunicada al menor una vez firme la sentencia. Si la medida ya estuviera iniciada cautelarmente, la fecha de inicio será la de la firmeza de la sentencia.

Si el menor no compareciera, citado en debida forma, incurrirá en el quebrantamiento previsto en el artículo 50.2 de la Ley Orgánica 5/2000, de 12 de enero.

c) En las medidas de permanencia de fin de semana, el primer día de permanencia en el centro o en el domicilio.

d) En las medidas de tratamiento ambulatorio y de asistencia a un centro de día, la fecha en que el menor asiste por primera vez al centro ambulatorio o al centro de día asignado.

e) En las medidas de prestaciones en beneficio de la comunidad y de realización de tareas socioeducativas, la fecha en que comienzan de forma efectiva las prestaciones o las tareas asignadas.

f) En la medida de convivencia con otra persona, familia o grupo educativo, el primer día de convivencia. Si ya estuviera en medida de convivencia cautelar, el día de la firmeza de la sentencia, sin perjuicio del abono que corresponda.

g) En las medidas a las que alude el artículo 8.4 de este reglamento, el día en que el menor entregue en la secretaría del juzgado el permiso o licencia correspondiente, o en la fecha que el juez señale a la autoridad administrativa.

7.ª En la liquidación de la medida practicada por el secretario del juzgado, se abonará en su caso el tiempo cumplido de las medidas cautelares en los términos del artículo 28.5 de la Ley Orgánica 5/2000, de 12 de enero, reguladora de la responsabilidad penal de los menores. Una vez aprobada la liquidación por el juez, previo informe del Ministerio Fiscal y del letrado del menor, se comunicará a la entidad pública competente.

2. El inicio de la ejecución de las medidas acordadas en sentencia firme por el Juzgado Central de Menores se ajustara a las reglas anteriores, excepto en lo referente a la competencia administrativa, que siempre será del Gobierno, y a los centros o profesionales designados,

que serán los que el Gobierno ponga a disposición de la Audiencia Nacional, sin perjuicio de los convenios que, en su caso, pueda establecer con las comunidades autónomas.

3. Para dar inicio a la ejecución de las medidas cautelares que se acuerden de conformidad con el artículo 28 de la Ley Orgánica 5/2000, de 12 de enero, reguladora de la responsabilidad penal de los menores, una vez adoptado y comunicado a la entidad pública el auto correspondiente, se aplicarán en lo que proceda las reglas 1.ª, 2.ª y 3.ª del apartado 1 de este artículo.

Artículo 11. *Ejecución de varias medidas.*

1. La ejecución de varias medidas se llevará a cabo en todo caso teniendo en cuenta lo acordado por el juez, de acuerdo con lo previsto en los artículos 13 y 47.1 de la Ley Orgánica 5/2000, de 12 de enero, reguladora de la responsabilidad penal de los menores.

Cuando concurran varias medidas impuestas en el mismo o en diferentes procedimientos, se cumplirán simultáneamente las que se relacionan a continuación:

a) Las medidas no privativas de libertad cuando concurran con otras medidas no privativas de libertad diferentes.

b) La medida de permanencia de fin de semana cuando concurra con otra medida no privativa de libertad.

c) La amonestación, la privación del permiso de conducir ciclomotores o vehículos a motor, o del derecho a obtenerlo, o de las licencias administrativas para caza o para uso de cualquier tipo de armas y la inhabilitación absoluta, cuando concurran con otra medida diferente.

2. El segundo período de las medidas de internamiento descritas en los párrafos a) a d) del artículo 7.1 de la Ley Orgánica 5/2000, de 12 de enero, reguladora de la responsabilidad penal de los menores, acordado en la sentencia en régimen de libertad vigilada, se cumplirá inmediatamente después de finalizado el primer período de internamiento en centro. No obstante, cuando existan otras medidas o penas privativas de libertad, su cumplimiento se regirá por lo previsto en los apartados 2 y 3 del artículo 47 de la citada ley orgánica.

3. De igual forma, la medida de libertad vigilada prevista en la regla 5.ª del artículo 9 y en el apartado 2.c) de la disposición adicional cuarta de la Ley Orgánica 5/2000, de 12 de enero, reguladora de la responsabilidad penal de los menores, habrá de ejecutarse una vez finalizada la medida de internamiento en régimen cerrado, salvo que concurra con otras medidas o penas privativas de libertad; en tal caso, será de aplicación lo dispuesto en el inciso último del apartado anterior.

4. Cuando concurran varias medidas de internamiento, definitivas o cautelares, de diferente régimen, se cumplirá antes la de régimen más restringido y, en su caso, se interrumpirá la de régimen menos restringido que se estuviera ejecutando, salvo que el juez de menores haya dispuesto otro orden en aplicación del apartado 3 del artículo 47 de la Ley Orgánica 5/2000, de 12 de enero, reguladora de la responsabilidad penal de los menores.

5. En todo caso, la ejecución de las medidas impuestas por el Juez Central de Menores o por la sala correspondiente de la Audiencia Nacional será preferente sobre las impuestas por otros jueces o salas de menores.

6. La ejecución de varias medidas, en todos los casos previstos en los apartados anteriores, se llevará a cabo cumpliendo las resoluciones dictadas por el juez.

7. En los casos en que al menor se le hayan impuesto varias medidas de internamiento y se haya acordado por el juez de menores su acumulación en un único expediente de ejecución, el centro donde el menor sea

ingresado elaborará un programa individualizado de ejecución que comprenda la totalidad de las medidas, así como un único informe final, sin perjuicio de los correspondientes informes de seguimiento que establece el artículo 13 de este reglamento.

Artículo 12. *Expediente personal del menor en la ejecución de la medida.*

1. La entidad pública competente abrirá un expediente personal a cada menor del que tenga encomendada la ejecución de una medida. Dicho expediente será único en el ámbito territorial de la comunidad autónoma, aun cuando se ejecuten medidas sucesivas.

2. El expediente deberá contener una copia de todos los informes y documentos de cualquier tipo que haya remitido la entidad pública a los órganos judiciales competentes y al Ministerio Fiscal durante la ejecución; las resoluciones y documentos que los acompañen, comunicadas por los órganos judiciales o el Ministerio Fiscal a la entidad pública, y el resto de documentos administrativos que se generen a consecuencia del cumplimiento de la medida, y que, en uno u otro caso, afecten al menor. En dicho expediente deberán constar igualmente los datos del letrado del menor y la comunicación del secretario del juzgado de cualquier modificación en ellos.

3. El expediente personal tiene carácter reservado y a este solamente podrán acceder:

a) El Defensor del Pueblo o institución análoga de la correspondiente comunidad autónoma, los jueces de menores competentes y el Ministerio Fiscal cuando así lo requieran a la entidad pública.

b) Los profesionales que de manera directa tienen encomendada la responsabilidad de planificar y desarrollar los programas individualizados de ejecución de la medida, y solo sobre los datos personales de los menores que tengan a su cargo si están expresamente autorizados para ello por la entidad pública de acuerdo con sus normas de organización, debiendo observar en todo momento el deber de sigilo.

c) El menor, su letrado y, en su caso, el representante legal del menor, si lo solicitan de forma expresa a la entidad pública, conforme al procedimiento de acceso que esta establezca. Será de aplicación lo dispuesto en los artículos 35 y 37 de la Ley 30/1992, de 26 de noviembre, de Régimen Jurídico de las Administraciones Públicas y del Procedimiento Administrativo Común.

4. Los profesionales que intervengan en la ejecución de la medida, pertenecientes a otras entidades públicas o privadas con las que la entidad pública competente haya establecido convenios o acuerdos de colaboración, podrán acceder al fichero informático dependiente de dicha entidad, al que alude el artículo 48.3 de la Ley Orgánica 5/2000, de 12 de enero, reguladora de la responsabilidad penal de los menores, cuando así lo autorice dicha entidad, sin perjuicio de lo dispuesto en la Ley Orgánica 15/1999, de 13 de diciembre, de Protección de Datos de Carácter Personal, y sus normas de desarrollo.

5. Todos los que intervengan en la ejecución de la medida tienen el deber de mantener la reserva oportuna de la información que obtengan con relación a los menores y jóvenes en el ejercicio de sus funciones, y de no facilitarla a terceras personas ajenas a la ejecución, deber que persiste una vez finalizada esta.

6. Una vez finalizada la estancia en el centro, deberán remitirse a la entidad pública, por los medios que se establezcan, todos los documentos relativos al menor, con objeto de que se integren en su expediente personal, sin que pueda quedarse el centro con copia alguna.

Artículo 13. *Informes durante la ejecución.*

1. Durante la ejecución de la medida, la entidad publica remitirá al juez de menores y al Ministerio Fiscal los informes de seguimiento. Su contenido será suficiente, de acuerdo con la naturaleza y finalidad de cada medida, para conocer el grado de cumplimiento de esta, las incidencias que se produzcan y la evolución personal del menor.

2. La periodicidad mínima con la que se elaborarán y tramitarán los informes de seguimiento será la siguiente:

a) En la medida de permanencia de fin de semana, un informe cada cuatro fines de semana cumplidos.

b) En la medida de prestaciones en beneficio de la comunidad, un informe cada 25 horas cumplidas si la medida impuesta es igual o inferior a 50 horas, y uno cada 50 horas cumplidas si la duración es superior.

c) En el resto de las medidas, un informe trimestral.

3. No obstante lo dispuesto en el apartado anterior, la entidad pública remitirá informes de seguimiento al juez de menores y al Ministerio Fiscal, siempre que fuera requerida por estos o cuando la propia entidad lo considere necesario.

4. Cuando el informe de seguimiento contenga una propuesta de revisión de la medida en alguno de los sentidos previstos en los artículos 14.1 ó 51 de la Ley Orgánica 5/2000, de 12 de enero, reguladora de la responsabilidad penal de los menores, se hará constar expresamente.

5. Una vez cumplida la medida, la entidad pública elaborará un informe final dirigido al juez de menores y al Ministerio Fiscal, en el que además de indicar dicha circunstancia se hará una valoración de la situación en la que queda el menor.

6. Una copia de los informes de seguimiento y final al que aluden los apartados anteriores se remitirá también al letrado que acredite ser el defensor del menor y lo solicite de forma expresa a la entidad pública.

Artículo 14. *Incumplimientos.*

La entidad pública comunicará al juez de menores y al Ministerio Fiscal a los efectos, en su caso, de lo dispuesto en el artículo 50 de la Ley Orgánica 5/2000, de 12 de enero, reguladora de la responsabilidad penal de los menores, los incumplimientos siguientes de los que tenga constancia:

a) En las medidas de internamiento y de permanencia de fin de semana en un centro: la fuga del centro, el no retorno en la fecha o la hora indicadas después de una salida autorizada y la no presentación en el centro el día o la hora señalados para el cumplimiento de las permanencias establecidas.

b) En la medida de permanencia de fin de semana en el domicilio: la no presentación en su domicilio y la ausencia no autorizada del domicilio, durante los días y horas establecidos de permanencia, así como el no retorno a este para continuar el cumplimiento de la medida después de una salida autorizada.

c) En las medidas no privativas de libertad, la falta de presentación a las entrevistas a las que el menor haya sido citado para elaborar el programa de ejecución y el incumplimiento de cualquiera de las obligaciones que, según lo dispuesto en el artículo 7 de la Ley Orgánica 5/2000, de 12 de enero, conforman el contenido de cada medida.

Además, la entidad pública comunicará a las Fuerzas y Cuerpos de Seguridad el incumplimiento de las medidas de internamiento y de permanencia de fin de semana en un centro a que se refiere el párrafo a), así como

de las medidas de permanencia de fin de semana en el domicilio prevista en el párrafo b). Asimismo, se pondrá en conocimiento de las Fuerzas y Cuerpos de Seguridad el ingreso del menor en el centro en los términos previstos en el artículo 31.2 cuando se hubiese solicitado su búsqueda.

Artículo 15. *Revisión de la medida por conciliación.*

1. Si durante la ejecución de la medida el menor manifestara su voluntad de conciliarse con la víctima o perjudicado, o de repararles por el daño causado, la entidad pública informará al juzgado de menores y al Ministerio Fiscal de dicha circunstancia, realizará las funciones de mediación correspondientes entre el menor y la víctima e informará de los compromisos adquiridos y de su grado de cumplimiento al juez y al Ministerio Fiscal, a los efectos de lo dispuesto en el artículo 51.2 de la Ley Orgánica 5/2000, de 12 de enero, reguladora de la responsabilidad penal de los menores. Si la víctima fuera menor, deberá recabarse autorización del juez de menores en los términos del artículo 19.6 de la citada ley orgánica.

2. Las funciones de mediación llevadas a cabo con menores internados no podrán suponer una alteración del régimen de cumplimiento de la medida impuesta, sin perjuicio de las salidas que para dicha finalidad pueda autorizar el juzgado de menores competente.

SECCIÓN 2.ª REGLAS ESPECÍFICAS PARA LA EJECUCIÓN DE DETERMINADAS MEDIDAS NO PRIVATIVAS DE LIBERTAD

Artículo 16. *Tratamiento ambulatorio.*

1. Para elaborar el programa individualizado de ejecución de la medida, la entidad pública designará el centro, el servicio o la institución más adecuada a la problemática detectada, objeto del tratamiento, entre los más cercanos al domicilio del menor en los que exista plaza disponible.

2. Los especialistas o facultativos correspondientes elaborarán, tras examinar al menor, un programa de tratamiento que se adjuntará al programa individualizado de ejecución de la medida que elabore el profesional designado por la entidad pública.

3. En dicho programa de tratamiento se establecerán las pautas sociosanitarias recomendadas, los controles que ha de seguir el menor y la periodicidad con la que ha de asistir al centro, servicio o institución designada, para su tratamiento, seguimiento y control.

4. Cuando el tratamiento tenga por objeto la deshabituación del consumo de bebidas alcohólicas, drogas tóxicas, estupefacientes o sustancias psicotrópicas y el menor no preste su consentimiento para iniciarlo o, una vez iniciado, lo abandone o no se someta a las pautas sociosanitarias o a los controles establecidos en el programa de tratamiento aprobado, la entidad pública no iniciará el tratamiento o lo suspenderá y lo pondrá en conocimiento del juez de menores a los efectos oportunos.

Artículo 17. *Asistencia a un centro de día.*

1. Para elaborar el programa individualizado de ejecución de la medida, la entidad pública designará el centro de día más adecuado, entre los más cercanos al domicilio del menor en los que exista plaza disponible.

2. El profesional designado por la entidad pública, en coordinación con dicho centro, se entrevistará con el menor para evaluar sus necesidades y elaborar el programa de ejecución, en el que constarán las actividades de apoyo, educativas, formativas, laborales o de ocio

que el menor realizará, la periodicidad de la asistencia al centro de día y el horario de asistencia, que deberá ser compatible con su actividad escolar si está en el período de la enseñanza básica obligatoria y, en la medida de lo posible, con su actividad laboral.

3. A los efectos de lo establecido en este artículo, tendrán la condición de centro de día los recursos incluidos en la red de servicios sociales de cada comunidad autónoma, siempre que se encuentren plenamente integrados en la comunidad y sean adecuados a la finalidad de la medida.

Artículo 18. *Libertad vigilada.*

1. Una vez designado el profesional encargado de la ejecución de la medida y notificada la designación al juzgado de menores, se entrevistará con el menor al efecto de elaborar el programa individualizado de ejecución de la medida.

2. En el programa individualizado de ejecución de la medida, el profesional expondrá la situación general detectada, los aspectos concretos referentes a los ámbitos personal, familiar, social, educativo, formativo o laboral en los que se considera necesario incidir, así como las pautas socioeducativas que el menor deberá seguir para superar los factores que determinaron la infracción cometida. También propondrá la frecuencia mínima de las entrevistas con el menor, que posibiliten el seguimiento y el control de la medida, sin perjuicio de otras que puedan mantener el profesional y el menor en el curso de la ejecución, cuando el primero las considere necesarias.

3. Si con la medida se hubiera impuesto al menor alguna regla de conducta que requiera para su cumplimiento un programa o recurso específico, este se elaborará o designará por la entidad pública y se adjuntará al programa individualizado de ejecución de la medida.

4. Lo dispuesto en este artículo será también de aplicación para la ejecución del período de libertad vigilada previsto en los artículos 7.2, 9.5.ª, 40.2.c) y apartado 2.c) de la disposición adicional cuarta de la Ley Orgánica 5/2000, de 12 de enero, reguladora de la responsabilidad penal de los menores.

Artículo 19. *Convivencia con otra persona, familia o grupo educativo.*

1. Para la ejecución de la medida, la entidad pública seleccionará la persona, familia o grupo educativo que considere más idóneo, entre los que se hayan ofrecido y acepten voluntariamente la convivencia. En el proceso de selección se escuchará necesariamente al menor y, cuando sea el caso, a sus representantes legales.

2. La persona o personas que integren la familia o grupo educativo, que acepten convivir con el menor, deberán estar en pleno ejercicio de sus derechos civiles, no estar incursas en alguna de las causas de inhabilidad establecidas para los tutores en el Código Civil y tener unas condiciones personales, familiares y económicas adecuadas, a criterio de la entidad pública, para orientar al menor en su proceso de socialización.

3. Una vez hechas las entrevistas pertinentes el profesional designado elaborará el programa individualizado de ejecución de la medida en el que deberá constar la aceptación expresa de la convivencia por la persona, familia o grupo educativo seleccionado, la predisposición mostrada por el menor para la convivencia y, en su caso, la opinión de los representantes legales.

4. La inexistencia de persona, familia o grupo educativo idóneo que acepte la convivencia se pondrá en conocimiento inmediato del juez de menores. Igualmente, se comunicará el desistimiento de la persona, familia

o grupo educativo de la aceptación de la convivencia, una vez iniciada la ejecución de la medida.

5. La persona, familia o grupo educativo que asuma la convivencia adquirirá las obligaciones civiles propias de la guarda y deberá colaborar con el profesional designado en el seguimiento de la medida.

6. Durante la ejecución de la medida el menor conservará el derecho de relacionarse con su familia, salvo que haya una prohibición judicial expresa.

Artículo 20. *Prestaciones en beneficio de la comunidad.*

1. La entidad pública es la responsable de proporcionar las actividades de interés social o en beneficio de personas en situación de precariedad, para la ejecución de la medida, sin perjuicio de los convenios o acuerdos de colaboración que al efecto haya suscrito con otras entidades públicas, o privadas sin ánimo de lucro.

2. Las actividades a las que hace referencia el apartado anterior reunirán las condiciones siguientes:

a) Han de tener un interés social o realizarse en beneficio de personas en situación de precariedad.

b) Estarán relacionadas, preferentemente, con la naturaleza del bien jurídico lesionado por los hechos cometidos por el menor.

c) No podrán atentar a la dignidad del menor.

d) No estarán supeditadas a la consecución de intereses económicos.

3. Las prestaciones del menor no serán retribuidas, pero podrá ser indemnizado por la entidad a beneficio de la cual se haga la prestación por los gastos de transporte y, en su caso, de manutención, salvo que estos servicios los preste dicha entidad o sean asumidos por la entidad pública.

4. Durante la prestación de la actividad, el menor que tenga la edad legal requerida gozará de la misma protección prevista en materia de Seguridad Social para los sometidos a la pena de trabajo en beneficio de la comunidad por la legislación penitenciaria y estará protegido por la normativa laboral en materia de prevención de riesgos laborales. Al menor que no tenga dicha edad, la entidad pública le garantizará una cobertura suficiente por los accidentes que pudiera padecer durante el desempeño de la prestación y una protección que en ningún caso será inferior a la regulada por la normativa laboral en materia de prevención de riesgos laborales.

5. Cada jornada de prestaciones no podrá exceder de cuatro horas diarias si el menor no alcanza los 16 años, ni de ocho horas si es mayor de dicha edad.

6. La determinación de la duración de las jornadas, el plazo de tiempo en el que deberán cumplirse y la ejecución de esta medida estará regida por el principio de flexibilidad a fin de hacerla compatible, en la medida de lo posible, con las actividades diarias del menor. En ningún caso la realización de las prestaciones podrá suponer la imposibilidad de la asistencia al centro docente si el menor se encuentra en el período de la enseñanza básica obligatoria.

7. El profesional designado se entrevistará con el menor para conocer sus características personales, sus capacidades, sus obligaciones escolares o laborales y su entorno social, personal y familiar, con la finalidad de determinar la actividad más adecuada. En esta entrevista le ofertará las distintas plazas existentes con indicación expresa de su contenido y los horarios posibles de realización.

8. El programa individualizado de ejecución de la medida elaborado por el profesional deberá contener las actividades a realizar, su cometido, el beneficiario, el lugar de realización, la persona responsable de la acti-

vidad, el número de horas de cada jornada, el horario y el consentimiento expreso del menor a realizar dichas actividades en las condiciones establecidas.

9. Si el menor no aceptara las actividades propuestas o sus condiciones de realización y no hubiera otras actividades disponibles adecuadas a sus aptitudes personales o no se pudieran variar las condiciones, el profesional designado lo pondrá en conocimiento inmediato del juez de menores a los efectos oportunos.

Artículo 21. *Realización de tareas socioeducativas.*

1. El profesional designado, después de entrevistarse con el menor para conocer sus características personales, su situación y sus necesidades, elaborará el programa individualizado de ejecución de la medida en el que expondrá las tareas específicas de carácter formativo, cultural y educativo que debe realizar el menor, encaminadas a facilitarle el desarrollo de su competencia social, el lugar donde se realizarán y el horario de realización, que deberá ser compatible con el de la actividad escolar si el menor se encuentra en el período de la enseñanza básica obligatoria, y, en la medida de lo posible, con su actividad laboral.

2. Lo dispuesto en el apartado anterior será de aplicación para la ejecución de la actividad socioeducativa prevista en el artículo 40.2.c) de la Ley Orgánica 5/2000, de 12 de enero, reguladora de la responsabilidad penal de los menores.

Artículo 22. *Medidas cautelares.*

Cuando al menor se le impongan las medidas cautelares de libertad vigilada o convivencia con otra persona, familia o grupo educativo, previstas en el artículo 28 de la Ley Orgánica 5/2000, de 12 de enero, reguladora de la responsabilidad penal de los menores, serán de aplicación las reglas descritas en los artículos 18 y 19, respectivamente, de este reglamento, para su ejecución, respetando, no obstante, el principio de presunción de inocencia.

SECCIÓN 3.ª REGLAS ESPECÍFICAS PARA LA EJECUCIÓN DE LAS MEDIDAS PRIVATIVAS DE LIBERTAD

Artículo 23. *Regímenes de internamiento.*

Los menores cumplirán la medida de internamiento en el régimen acordado en resolución motivada por el juez de menores, de acuerdo con lo establecido en los párrafos a), b) y c) del artículo 7.1 de la Ley Orgánica 5/2000, de 12 de enero, reguladora de la responsabilidad penal de los menores.

Artículo 24. *Internamiento en régimen cerrado.*

Los menores sometidos a esta medida residirán en el centro y desarrollarán en este las actividades formativas, educativas, laborales y de ocio, planificadas en el programa individualizado de ejecución de la medida.

Artículo 25. *Internamiento en régimen semiabierto.*

1. Los menores en régimen semiabierto residirán en el centro, pero realizarán fuera de este alguna o algunas de las actividades formativas, educativas, laborales y de ocio, establecidas en el programa individualizado de ejecución de la medida. Este programa podrá establecer un régimen flexible que deje a la entidad pública un margen de decisión para su aplicación concreta.

2. La actividad o actividades que se realicen en el exterior se ajustarán a los horarios y condiciones establecidos en el programa individualizado de ejecución de la medida, sin perjuicio de que, en función de la evolución personal del menor, la entidad pública pueda aumentar o disminuir las actividades en el exterior o los horarios, siempre dentro del margen establecido en el propio programa.

Artículo 26. *Internamiento en régimen abierto.*

1. Los menores sujetos a esta medida llevarán a cabo en los servicios normalizados del entorno todas las actividades de carácter escolar, formativo y laboral establecidas en el programa individualizado de ejecución de la medida, residiendo en el centro como domicilio habitual.

2. Las actividades en el exterior se llevarán a cabo conforme a los horarios y condiciones de realización establecidas en el programa individualizado de ejecución de la medida.

3. En general, el tiempo mínimo de permanencia en el centro será de ocho horas, y el menor deberá pernoctar en este. No obstante, cuando el menor realice en el exterior una actividad formativa o laboral cuyas características lo requieran, la entidad pública podrá proponer al juzgado de menores la posibilidad de no pernoctar en el centro durante un período determinado de tiempo y acudir a este solamente con la periodicidad concreta establecida, para realizar actividades determinadas del programa individualizado de ejecución de la medida, entrevistas y controles presenciales.

4. Cuando la entidad pública entienda que las características personales del menor y la evolución de la medida de internamiento en régimen abierto lo aconsejan, podrá proponer al juzgado de menores que aquella continúe en viviendas o instituciones de carácter familiar ubicadas fuera del recinto del centro, bajo el control de dicha entidad.

Artículo 27. *Internamiento terapéutico.*

1. Los menores sometidos a esta medida residirán en el centro designado para recibir la atención educativa especializada o el tratamiento específico de la anomalía o alteración psíquica, dependencia de bebidas alcohólicas, drogas tóxicas, estupefacientes o sustancias psicotrópicas, o alteraciones en la percepción que determinen una alteración grave de la conciencia de la realidad, que padezcan, de acuerdo con el programa de ejecución de la medida elaborado por la entidad pública.

2. Los especialistas o facultativos correspondientes elaborarán un programa de tratamiento de la problemática objeto del internamiento, con las pautas sociosanitarias recomendadas y, en su caso, los controles para garantizar el seguimiento, que formará parte del programa individualizado de ejecución de la medida que elabore la entidad pública.

3. Cuando el tratamiento tenga por objeto la deshabituación del consumo de bebidas alcohólicas, drogas tóxicas o sustancia psicotrópicas y el menor no preste su consentimiento para iniciarlo o para someterse a los controles de seguimiento establecido o, una vez iniciado, lo abandone o rechace someterse a los controles, la entidad pública no iniciará el tratamiento o lo suspenderá y lo pondrá en conocimiento del juez de menores a los efectos oportunos.

4. Cuando la entidad pública, en atención al diagnóstico realizado por los facultativos correspondientes o a la evolución en la medida considere que lo más adecuado es el internamiento en un centro sociosanitario, lo solicitará al juez de menores.

Artículo 28. *Permanencia de fin de semana.*

1. Una vez recibido en la entidad pública el testimonio de la resolución firme con el número de fines de semana impuestos y las horas de permanencia de cada fin de semana, el profesional designado se entrevistará con el menor al efecto de elaborar el programa individualizado de ejecución de la medida, en el que deberán constar las fechas establecidas para el cumplimiento de las permanencias, los días concretos de cada fin de semana en los que se ejecutará la medida y la distribución de las horas entre los días de permanencia, así como el lugar donde se cumplirá la medida.

2. El profesional designado también propondrá las tareas socioeducativas que deberá realizar el menor, de carácter formativo, cultural o educativo, el lugar donde se realizarán y el horario de realización.

3. Una vez aprobado el programa individualizado de ejecución de la medida por el juez de menores, la entidad pública lo pondrá en conocimiento del menor con indicación de la fecha en la que se dará inicio al cumplimiento de la medida, en el domicilio o en el centro designado, el lugar donde deberá presentarse para realizar las tareas socioeducativas asignadas y el horario de estas.

Artículo 29. *Internamiento cautelar.*

1. Los menores a los que se aplique la medida de internamiento cautelar en aplicación de lo dispuesto en el artículo 28 de la Ley Orgánica 5/2000, de 12 de enero, reguladora de la responsabilidad penal de los menores, ingresarán en el centro designado por la entidad pública, en el régimen de internamiento que el juez haya establecido y les será de aplicación, en función de dicho régimen, lo dispuesto en los artículos anteriores de este capítulo.

2. No obstante, para salvaguardar y respetar el principio de presunción de inocencia, el programa individualizado de ejecución de la medida se sustituirá por un modelo individualizado de intervención que deberá contener una planificación de actividades adecuadas a sus características y circunstancias personales, compatible con el régimen de internamiento y su situación procesal. Dicho modelo individualizado de intervención deberá someterse a la aprobación del juez de menores, conforme a lo previsto en el artículo 44 de la Ley Orgánica 5/2000, de 12 de enero, reguladora de la responsabilidad penal de los menores.

Artículo 30. *Normativa de funcionamiento interno.*

1. Todos los centros se regirán por una normativa de funcionamiento interno, cuyo cumplimiento tendrá como finalidad la consecución de una convivencia ordenada, que permita la ejecución de los diferentes programas de intervención educativa y las funciones de custodia de los menores internados, y asegurar la igualdad de trato a todos los menores, prestando especial atención a aquellos que presenten alguna discapacidad.

2. Serán normas de convivencia comunes a todos los centros las siguientes:

a) El menor internado ocupará, como norma general, una habitación individual. No obstante, si no existen razones de tratamiento, médicas o de orden y seguridad que lo desaconsejen, se podrán compartir los dormitorios, siempre que estos reúnan las condiciones suficientes y adecuadas para preservar la intimidad. En todo caso, cada menor dispondrá de un lugar adecuado para guardar sus pertenencias.

b) El menor internado tiene derecho a vestir su propia ropa, siempre que sea adecuada a la disciplina y orden interno del centro, u optar por la que le facilite el centro que deberá ser correcta, adaptada a las condiciones climatológicas y desprovista de cualquier elemento que pueda afectar a su dignidad o que denote, en sus salidas al exterior, su condición de internado. Por razones médicas o higiénicas se podrá ordenar la inutilización de las ropas y efectos contaminantes propiedad de los menores internados.

c) El menor podrá conservar en su poder el dinero y los objetos de valor de su propiedad si la dirección del centro o el órgano que la entidad pública haya establecido en su normativa lo autoriza en cada caso de forma expresa. Los que no sean autorizados han de ser retirados y conservados en lugar seguro por el centro, con el resguardo previo correspondiente, y devueltos al menor en el momento de su salida del centro. También podrán ser entregados a los representantes legales del menor.

d) En cada centro ha de haber una lista de objetos y sustancias cuya tenencia en el centro se considera prohibida por razones de seguridad, orden o finalidad del centro. Si se encontraran a los menores internados drogas tóxicas, armas u otros objetos peligrosos, se pondrán a disposición de la fiscalía o del juzgado competente. En todo caso, se consideran objetos o sustancias prohibidos:

1.º Las bebidas alcohólicas.

2.º Las drogas tóxicas, estupefacientes o sustancias psicotrópicas.

3.º Cualquier otro producto o sustancia tóxica.

4.º Dinero de curso legal en cuantía que supere lo establecido en la norma de régimen interior del centro.

5.º Cualquier material o utensilio que pueda resultar peligroso para la vida o la integridad física o la seguridad del centro.

6.º Aquellos previstos por la normativa de funcionamiento interno de los centros.

e) En todos los centros habrá un horario por el que se regulen las diferentes actividades y el tiempo libre. Dicho horario ha de garantizar un mínimo de ocho horas diarias de descanso nocturno y, siempre que sea posible, dos horas al aire libre.

f) Todos los menores observarán las normas higiénicas, sanitarias y sobre vestuario y aseo personal que se establezcan en la normativa de funcionamiento interno del centro. También estarán obligados a realizar las prestaciones no retribuidas que se establezcan en dicha normativa para mantener el buen orden y la limpieza del centro, que en ningún caso tendrán la condición de actividad laboral.

g) Los incumplimientos de deberes podrán ser objeto de corrección educativa siempre que no tengan como fundamento la seguridad y el buen orden del centro. En este caso, si la conducta también fuese constitutiva de una infracción disciplinaria por atentar a la seguridad y al buen orden del centro, podrá ser objeto de la correspondiente sanción, que en ningún caso podrá extenderse al fundamento o motivo de la corrección educativa.

Artículo 31. *Ingreso en el centro.*

1. El ingreso de un menor en un centro sólo se podrá realizar en cumplimiento de un mandamiento de internamiento cautelar o de una sentencia firme adoptada por la autoridad judicial competente.

2. También podrá ingresar por presentación voluntaria el menor sobre el que se haya dictado un mandamiento de internamiento cautelar o una sentencia firme de internamiento pendiente de ejecutar, el menor evadido de un centro y el no retornado a este después de una salida autorizada.

En estos casos, el director del centro recabará del juez de menores, dentro de las 24 horas siguientes al ingreso, el correspondiente mandamiento, así como, en su caso, el testimonio de sentencia y liquidación de condena. Cuando se trate de internos evadidos que decidiesen voluntariamente reingresar en un centro distinto del originario, se solicitará del centro que se hubiesen evadido los datos necesarios de su expediente personal, sin perjuicio de lo que se determine en relación con su traslado.

Artículo 32. *Trámites después del ingreso.*

1. Una vez ingresado el menor en el centro, se procurará que el procedimiento de ingreso se lleve a cabo con la máxima intimidad posible y que durante el período de adaptación cuente con el apoyo técnico necesario para reducir los efectos negativos que la situación de internamiento pueda representar para él.

2. En todos los centros se llevará un registro autorizado por la entidad pública en el que han de constar los datos de identidad de los menores internados, la fecha y hora de los ingresos, traslados y puestas en libertad, sus motivos, las autoridades judiciales que los acuerden y los datos del letrado del menor.

3. El ingreso del menor será comunicado al juzgado de menores que lo haya ordenado, al Ministerio Fiscal y a los representantes legales del menor o, en su defecto, a la persona que el menor designe. Tratándose de menor de edad extranjero, el ingreso se pondrá en conocimiento de las autoridades consulares de su país cuando el menor tuviera su residencia habitual fuera de España o cuando así lo solicitaran el propio menor o sus representantes legales.

4. En el momento del ingreso, el menor, sus ropas y enseres personales podrán ser objeto de registro, de conformidad con lo establecido en el artículo 54.5, retirándose los enseres y objetos no autorizados y los prohibidos. También se adoptarán las medidas de higiene personal necesarias y se entregarán al menor las prendas de vestir que precise.

5. Todos los menores internados serán examinados por un médico en el plazo más breve posible y siempre antes de 24 horas. Del resultado se dejará constancia en la historia clínica individual que deberá serle abierta en ese momento. A estos datos solamente tendrá acceso el personal que autorice expresamente la entidad pública, el Ministerio Fiscal o el juez de menores.

6. Los menores recibirán, en el momento de su ingreso en el centro, información escrita sobre sus derechos y obligaciones, el régimen de internamiento en que se encuentran, las cuestiones de organización general, las normas de funcionamiento del centro, las normas disciplinarias y los medios para formular peticiones, quejas o recursos. La información se les facilitará en un idioma que entiendan. A los que tengan cualquier género de dificultad para comprender el contenido de esta información, se les explicará por otro medio adecuado.

Artículo 33. *Grupos de separación interior.*

1. Los centros estarán divididos en módulos adecuados a la edad, madurez, necesidades y habilidades sociales de los menores internados y se regirán por una normativa de funcionamiento interno cuyo cumplimiento tendrá como finalidad la consecución de una convivencia ordenada, que permita la ejecución de los diferentes programas de intervención educativa y las funciones de custodia de los menores internados.

2. Los menores que por cualquier circunstancia personal requieran de una protección especial estarán separados de aquellos que les puedan poner en situación de riesgo o de peligro mediante su traslado bien a otro módulo del mismo centro, bien a otro centro, previa autorización del juez de menores en este último caso.

Artículo 34. *Internamiento de madres con hijos menores.*

1. Las menores internadas podrán tener en su compañía, dentro del centro, a sus hijos menores de tres años, siempre y cuando:

a) En el momento del ingreso o una vez ingresada, la madre lo solicite expresamente a la entidad pública o a la dirección del centro.
b) Se acredite fehacientemente la filiación.
c) A criterio de la entidad pública, dicha situación no entrañe riesgo para los hijos.
d) Lo autorice el juez de menores.

2. Los posibles conflictos que surjan entre los derechos del hijo y los de la madre originados por el internamiento en el centro se resolverán por el juez de menores, con independencia de lo que acuerde respecto al hijo la autoridad competente.

3. Admitido el niño en el centro de internamiento, deberá ser reconocido por el médico del centro y, salvo que este dispusiera otra cosa, pasará a ocupar con su madre la habitación que se le asigne, que será en todo caso individual y acondicionada a las necesidades del niño.

Artículo 35. *Traslados.*

1. El menor internado podrá ser trasladado a un centro de una comunidad autónoma diferente a la del juzgado de menores que haya dictado la resolución de internamiento, previa autorización de este, en los casos siguientes:

a) Cuando quede acreditado que el domicilio del menor o el de sus representantes legales se encuentra en dicha comunidad autónoma.
b) Cuando la entidad pública competente proponga el internamiento en un centro de otra comunidad autónoma distinta, con la que haya establecido el correspondiente acuerdo de colaboración, fundamentado en el interés del menor de alejarlo de su entorno familiar y social, durante el tiempo que subsista dicho interés.
c) Cuando la entidad pública competente, por razones temporales de plena ocupación de sus centros o por otras causas, carezca de plaza disponible adecuada al régimen o al tipo de internamiento impuesto y disponga de plaza en otra comunidad autónoma con la que haya establecido el correspondiente acuerdo de colaboración, mientras se mantenga dicha situación.

2. No se podrá trasladar al menor fuera del centro si no se recibiera orden o autorización del juez de menores a cuya disposición se encuentre, conforme a lo previsto en el artículo 46.3 de la Ley Orgánica 5/2000, de 12 de enero, reguladora de la responsabilidad penal de los menores.

3. El traslado del menor a una institución o centro hospitalario por razones de urgencia no requerirá la previa autorización del juzgado de menores competente, sin perjuicio de su comunicación inmediata al juez.

4. Las salidas de los menores internados para la práctica de diligencias procesales se harán previa orden del órgano judicial correspondiente. Dichas salidas se comunicarán por la entidad pública al juzgado de menores competente, si no fuera este quien las hubiera ordenado.

5. De conformidad con lo previsto en la disposición adicional única, el director del centro podrá solicitar a la autoridad competente que las Fuerzas y Cuerpos de Seguridad lleven a cabo los desplazamientos, conducciones y traslados del menor cuando exista un riesgo

fundado para la vida o la integridad física de las personas o para los bienes.

En todo caso, los desplazamientos, conducciones y traslados se realizarán respetando la dignidad, la seguridad y la intimidad de los menores.

Artículo 36. *Adopción y cumplimiento de la decisión sobre la libertad del menor.*

1.   La libertad de los menores internados solamente podrá ser acordada por resolución de la autoridad judicial competente remitida a la entidad pública o por cumplimiento de la fecha aprobada por el juez en la liquidación de la medida.

2.   La entidad pública ejecutará inmediatamente el mandamiento de libertad, excepto cuando hechas las comprobaciones pertinentes el menor haya de permanecer internado por estar sujeto a otras responsabilidades.

3.   La ejecución del mandamiento de libertad se pondrá en conocimiento del juez de menores competente. Cuando el mandamiento de libertad se refiera a un menor de edad, el centro lo comunicará inmediatamente a sus representantes legales para que se hagan cargo de él, y de no ser localizados, se pondrá a disposición de la entidad pública de protección de menores a los efectos oportunos.

Artículo 37. *Asistencia escolar y formativa.*

1.   La entidad pública y el organismo que en el respectivo territorio tenga atribuida la competencia en la materia adoptarán las medidas oportunas para garantizar el derecho de los menores internados a recibir la enseñanza básica obligatoria que legalmente le corresponda, cualquiera que sea su situación en el centro. También facilitarán a los menores el acceso a los otros estudios que componen los diferentes niveles del sistema educativo y otras enseñanzas no regladas que contribuyan a su desarrollo personal y sean adecuadas a sus circunstancias.

2.   Al efecto de lo dispuesto en el apartado anterior, cuando el menor no pueda asistir a los centros docentes de la zona a causa del régimen o tipo de internamiento impuesto, la entidad pública y el organismo competente en la materia arbitrarán los medios necesarios para que pueda recibir la enseñanza correspondiente en el centro de internamiento.

3.   El organismo que en el territorio de residencia del menor tenga atribuidas las competencias en materia de educación garantizará la incorporación inmediata del menor que haya sido puesto en libertad y que se encuentre en el período de la enseñanza básica obligatoria al centro docente que le corresponda. Con esta finalidad, la entidad pública comunicará esta circunstancia y la documentación escolar correspondiente al citado organismo.

4.   Los certificados y diplomas de estudio, expediente académico y libros de escolaridad no han de indicar, en ningún caso, que se han tramitado o conseguido en un centro para menores infractores.

Artículo 38. *Asistencia sanitaria.*

1.   La entidad pública y el organismo que en el respectivo territorio tengan atribuida la competencia en la materia adoptarán las medidas oportunas para garantizar el derecho de los menores internados a la asistencia sanitaria gratuita reconocida por la ley.

2.   La entidad pública adoptará las medidas oportunas para que se dispense a los menores internados la asistencia sanitaria en los términos y con las garantías previstos en la legislación aplicable, incluida la realización de pruebas analíticas para la detección de enfermedades infecto-contagiosas que pudieran suponer un peligro para la salud o la vida del propio menor o de terceras personas.

3.   Se dará conocimiento al juez de menores competente y, en su caso, al representante legal del menor de las intervenciones médicas que se le efectúen.

4.   Cuando a criterio facultativo se precise el ingreso del menor en un centro hospitalario y no se cuente con la autorización del menor, o de su representante legal, la entidad pública solicitará al juez de menores competente la autorización del ingreso, salvo en caso de urgencia en que la comunicación al juez se hará posteriormente de forma inmediata.

5.   La entidad pública permitirá que se facilite al menor información sobre su estado de salud de forma adecuada a su grado de comprensión. Dicha información también será puesta en conocimiento de su representante legal.

6.   De conformidad con lo previsto en la disposición adicional única, el director del centro en el que se encuentre internado el menor podrá solicitar a la autoridad competente que la vigilancia y custodia del menor, durante su permanencia en el centro sanitario, se lleve a cabo por las Fuerzas y Cuerpos de Seguridad cuando exista riesgo fundado para la vida o la integridad física de las personas o para las instalaciones sanitarias.

Artículo 39. *Asistencia religiosa.*

1.   Todos los menores internados tendrán derecho a dirigirse a una confesión religiosa registrada, de conformidad con lo previsto por la legislación vigente.

2.   Ningún menor internado podrá ser obligado a asistir o participar en los actos de una confesión religiosa.

3.   La entidad pública facilitará que los menores puedan respetar la alimentación, los ritos y las fiestas de su propia confesión, siempre que sea compatible con los derechos fundamentales de los otros internos y no afecte a la seguridad del centro y al desarrollo de la vida en el centro.

Artículo 40. *Comunicaciones y visitas de familiares y de otras personas.*

1.   Los menores internados tienen derecho a comunicarse libremente de forma oral y escrita, en su propia lengua, con sus padres, representantes legales, familiares u otras personas, y a recibir sus visitas, dentro del horario establecido por el centro. Como mínimo, se autorizarán dos visitas por semana, que podrán ser acumuladas en una sola.

2.   Además de las comunicaciones y visitas ordinarias establecidas en el apartado anterior, el director del centro o el órgano que la entidad pública haya establecido en su normativa podrá conceder otras de carácter extraordinario o fuera del horario establecido, por motivos justificados o como incentivo a la conducta y buena evolución del menor.

3.   Los familiares deberán acreditar el parentesco con los menores internados en el momento de la visita, y los visitantes que no sean familiares habrán de obtener la autorización previa del director del centro para poder comunicarse con el menor o visitarle. Cuando el comunicante o visitante sea menor de edad no emancipado, deberá contar con la autorización de su representante legal.

4.   El horario de visitas será suficiente para permitir una comunicación de 40 minutos de duración como mínimo. No podrán visitar al menor más de cuatro personas simultáneamente, salvo que las normas de funcionamien-

to interno del centro o el director del mismo, por motivos justificados, autoricen la presencia de más personas.

Al menos una vez al mes, podrá tener lugar una visita de convivencia familiar por un tiempo no inferior a tres horas.

5. Los visitantes y comunicantes no podrán ser portadores, durante la visita o la comunicación, de bolsos o paquetes ni de objetos o sustancias prohibidas por las normas del centro. Los visitantes deberán pasar los controles de identidad y seguridad establecidos por el centro, incluido el registro superficial de su persona, que se llevará a cabo según lo establecido en el artículo 54.5.c). En caso de negativa del visitante a someterse a dichos controles, el director del centro podrá denegar la comunicación o la visita, poniéndolo en conocimiento del juez de menores competente.

6. El director del centro ordenará la suspensión temporal o terminación de cualquier visita cuando en su desarrollo se produzcan amenazas, coacciones, agresiones verbales o físicas, se advierta un comportamiento incorrecto, existan razones fundadas para creer que el interno o los visitantes puedan estar preparando alguna actuación delictiva o que atente contra la convivencia o la seguridad del centro, o entienda que los visitantes pueden perjudicar al menor porque afecten negativamente al desarrollo integral de su personalidad.

7. Cuando se considere que las comunicaciones previstas en este artículo perjudican o pueden perjudicar al menor porque afecten negativamente a su derecho fundamental a la educación y al desarrollo integral de su personalidad, el director del centro lo pondrá en conocimiento del juez de menores competente, sin perjuicio de suspender cautelarmente este derecho a la comunicación hasta tanto esto se resuelva, oídos el Ministerio Fiscal y el equipo técnico. También podrá el director suspender cautelarmente el derecho de comunicación cuando, en atención a la seguridad y buena convivencia en el centro, se aprecie razonadamente la concurrencia de peligro grave y cierto para estas.

En ambos casos, la suspensión cautelar acordada por el director debe ser comunicada de manera inmediata al juez de menores.

8. Los menores que durante un plazo superior a un mes no disfruten de ninguna salida de fin de semana o de permisos ordinarios de salida tendrán derecho, previa solicitud al centro, a comunicaciones íntimas con su cónyuge o con persona ligada por análoga relación de afectividad, siempre que dicha relación quede acreditada. Como mínimo se autorizará una comunicación al mes, de una duración mínima de una hora. Estas comunicaciones se llevarán a cabo en dependencias adecuadas del centro y respetando al máximo la intimidad de los comunicantes.

9. En todos los centros se llevará un libro de visitas en el que queden registrados la fecha de la visita, el nombre del interno, el nombre del visitante, su dirección y documento nacional de identidad, así como el parentesco o relación que tiene con el interno.

Artículo 41. *Comunicaciones con el juez, el Ministerio Fiscal, el abogado y con otros profesionales y autoridades.*

1. Los menores internados tienen derecho a comunicarse reservadamente, en local apropiado, con sus abogados y procuradores, con el juez de menores competente, con el Ministerio Fiscal y con los servicios de inspección de centros de internamiento.

2. Tendrán derecho, igualmente, a comunicarse reservadamente con otros profesionales acreditados y ministros de su religión para la realización de las funciones propias de su profesión o ministerio.

El menor solicitará la presencia de tales profesionales o ministros al director del centro o al órgano que la entidad pública haya establecido en su normativa, dentro de los horarios que establezca la entidad pública o acuerde el director en cada caso, previa acreditación de su identidad y condición profesional y autorización del director del centro.

3. Los menores extranjeros se podrán comunicar, en locales apropiados y dentro de los horarios establecidos, con los representantes diplomáticos o consulares de su país o con las personas que las respectivas embajadas o consulados indiquen, previa acreditación y autorización del director del centro o del órgano que la entidad pública haya establecido en su normativa.

4. El menor podrá realizar la solicitud de comunicación con las personas relacionadas en los apartados anteriores directamente por escrito. También podrá manifestar al director del centro, verbalmente o por escrito, la solicitud de comunicación, el cual dará traslado de esta de forma inmediata a su destinatario y, en todo caso, dentro de las 24 horas siguientes.

5. El lugar, el día y la hora para la comunicación telefónica o personal del menor con el juez de menores o con el Ministerio Fiscal serán los que estos determinen. La comunicación telefónica o personal con el abogado o con las personas responsables de la inspección de centros se llevará a cabo en el centro en la fecha que estos requieran.

6. En el momento de la visita, el abogado o el procurador presentarán al director del centro o al órgano que la entidad pública haya establecido en su normativa el carné profesional que los acredite como tales, además de la designación o documento en el que consten como defensor o representante del menor en las causas que se sigan contra él o por las cuales estuviera internado. Las comunicaciones del menor con su abogado o procurador no podrán ser suspendidas, en ningún caso, por decisión administrativa. Solamente podrán ser suspendidas previa orden expresa de la autoridad judicial.

7. Las comunicaciones de los menores con el Defensor del Pueblo, sus Adjuntos y delegados, o con instituciones análogas de las comunidades autónomas, autoridades judiciales y miembros del Ministerio Fiscal, se llevarán a cabo en locales adecuados y en el horario que estos estimen oportuno.

8. Las comunicaciones previstas en este artículo no podrán ser suspendidas ni ser objeto de intervención, restricción o limitación administrativa de ningún tipo.

9. Todas las autoridades y funcionarios a que hace mención este artículo deberán acreditarse convenientemente al personal de seguridad del centro.

Artículo 42. *Comunicaciones telefónicas.*

1. Los menores podrán efectuar y recibir comunicaciones telefónicas de sus padres, representantes legales y familiares, dentro del horario establecido en el centro. Para recibir y efectuar comunicaciones con otras personas o fuera del horario establecido, se requerirá la previa autorización del director.

2. El número mínimo de llamadas que podrán efectuar los menores será el de dos por semana con derecho a una duración mínima de 10 minutos. El abono de las llamadas correrá a cargo del menor internado, de acuerdo con las tarifas vigentes, salvo que la entidad pública establezca lo contrario en atención a las circunstancias del menor o al objeto de la llamada.

Artículo 43. *Comunicaciones escritas.*

1. Los menores podrán enviar y recibir correspondencia libremente, sin ningún tipo de censura, salvo pro-

hibición expresa del juez, acordada en el correspondiente expediente conforme a los preceptos de la Ley Orgánica 5/2000, de 12 de enero, reguladora de la responsabilidad penal de los menores.

2. Toda la correspondencia que expidan y reciban los internos será registrada con indicación del nombre del interno remitente o destinatario y la fecha correspondiente en el libro que para tal fin se llevará en el centro.

3. La recepción de correspondencia dirigida a los menores internados se llevará a cabo previa comprobación de la identidad de quien la deposita. La correspondencia de entrada será entregada a su destinatario, quien la abrirá en presencia del personal del centro, con el único fin de controlar que su interior no contiene objetos o sustancias prohibidos.

4. Los menores deberán cerrar la correspondencia que envíen en presencia del personal designado por la dirección del centro, con la única finalidad de comprobar que no contiene objetos y sustancias prohibidos o que no les pertenecen legítimamente.

Artículo 44. *Paquetes y encargos.*

Los menores podrán enviar y recibir paquetes sin ningún tipo de limitación, salvo prohibición expresa del juez. El contenido de los que se pretendan enviar o el de los recibidos será revisado en su presencia para comprobar que lo enviado pertenece legítimamente al menor y para evitar, en los recibidos, la entrada de objetos o sustancias prohibidos o en deficientes condiciones higiénicas.

La recepción de paquetes dirigidos a los menores internados se llevará a cabo previa comprobación de la identidad de quien lo deposita.

Artículo 45. *Permisos de salida ordinarios.*

1. Los menores internados por sentencia en régimen abierto o semiabierto podrán disfrutar de permisos de salida ordinarios, siempre que concurran los requisitos que se establecen en este artículo.

2. Los permisos ordinarios serán de un máximo de 60 días por año para los internados en régimen abierto y de un máximo de 40 días por año para los internados en régimen semiabierto, distribuidos proporcionalmente en los dos semestres del año, no computándose dentro de estos topes los permisos extraordinarios, ni las salidas de fin de semana ni las salidas programadas. La duración máxima de cada permiso no excederá nunca de 15 días.

3. No obstante, cuando se trate de menores que se encuentren en el período de la enseñanza básica obligatoria, no se podrán conceder permisos ordinarios de salida en días que sean lectivos según el calendario escolar oficial. La distribución a la que hace referencia el apartado anterior se hará en los días en que se interrumpa la actividad escolar.

4. Serán requisitos imprescindibles para la concesión de permisos ordinarios de salida los siguientes:

a) La petición previa del menor.

b) Que no se encuentre cumpliendo o pendiente de cumplir sanciones disciplinarias por faltas muy graves o graves impuestas de conformidad con este reglamento.

c) Que participe en las actividades previstas en su programa individualizado de ejecución de la medida.

d) Que se hayan previsto los permisos en el programa individualizado de ejecución de la medida o en sus modificaciones posteriores, aprobados por el juez de menores competente.

e) Que en el momento de decidir la concesión no se den las circunstancias previstas en el artículo 52.2.

f) Que no exista respecto del menor internado un pronóstico desfavorable del centro por la existencia de variables cualitativas que indiquen el probable quebrantamiento de la medida, la comisión de nuevos hechos delictivos o una repercusión negativa de la salida sobre el menor desde la perspectiva de su preparación para la vida en libertad o de su programa individualizado de ejecución de la medida.

La dirección del centro o el órgano que la entidad pública haya establecido en su normativa podrá suspender el derecho a la concesión de los permisos ordinarios de salida a un menor internado, dando cuenta de ello al juez de menores cuando concurran las circunstancias previstas en el apartado anterior.

5. La concesión del permiso compete al director del centro o al órgano que la entidad pública haya establecido en su normativa, y se disfrutará en las fechas, con la duración y en las condiciones establecidas.

6. De la concesión, o denegación en su caso, del permiso, de las condiciones, duración y fechas de disfrute se dará cuenta al juez de menores competente. Cuando se acuerde denegar o suspender el permiso se notificará al menor, quien podrá recurrir la decisión conforme a lo dispuesto en el artículo 52 de la Ley Orgánica 5/2000, de 12 de enero, reguladora de la responsabilidad penal de los menores.

7. Los menores internados por sentencia firme en régimen cerrado, una vez cumplido el primer tercio del período de internamiento, cuando la buena evolución personal durante la ejecución de la medida lo justifique y ello favorezca el proceso de reinserción social, y cumplan los requisitos establecidos en el apartado 4, podrán disfrutar de hasta 12 días de permiso al año, con una duración máxima de hasta cuatro días, cuando el juez de menores competente lo autorice.

Artículo 46. *Salidas de fin de semana.*

1. Podrán disfrutar de salidas de fin de semana los menores internados por sentencia firme en régimen abierto y semiabierto, siempre que concurran los requisitos establecidos en este artículo y en el apartado 4 del artículo anterior.

2. Como norma general, las salidas de fin de semana se disfrutarán desde las 16.00 horas del viernes hasta las 20.00 horas del domingo. Si el viernes o el lunes es festivo, la duración de la salida de fin de semana podrá incrementarse 24 horas más.

3. Los menores internados en régimen abierto podrán disfrutar de salidas todos los fines de semana, salvo que la evolución en el tratamiento aconseje otra frecuencia de salidas y ello se haya comunicado motivadamente al fiscal y al juez de menores competente. Como regla general, los internados en régimen semiabierto podrán disfrutar de una salida al mes hasta cumplir el primer tercio del período de internamiento y de dos salidas al mes durante el resto, salvo que la evolución del menor aconseje otra cosa.

4. La autorización para la salida compete al director del centro o al órgano que la entidad pública haya establecido en su normativa.

5. En estas salidas se podrá establecer que personal del centro u otras personas autorizadas por la entidad pública acompañen al menor, cuando las circunstancias así lo aconsejen.

6. De la autorización de las salidas de fin de semana y de su periodicidad se dará cuenta al juez de menores competente. Asimismo, se les dará cuenta del acuerdo de denegar o suspender el permiso o el derecho a su concesión.

7. Los menores internados por sentencia firme en régimen cerrado, una vez cumplido el primer tercio del

periodo de internamiento, cuando la buena evolución personal durante la ejecución de la medida lo justifique y ello favorezca el proceso de reinserción social, podrán disfrutar de una salida de fin de semana al mes, siempre que cumplan los requisitos de este artículo y el juez de menores competente lo autorice.

Artículo 47. *Permisos extraordinarios.*

1. En caso de fallecimiento o enfermedad grave de los padres, cónyuge, hijos, hermanos u otras personas íntimamente vinculadas con los menores o de nacimiento de un hijo, así como por importantes y comprobados motivos de análoga naturaleza, se concederán, con las medidas de seguridad adecuadas en su caso, permisos de salida extraordinarios, salvo que concurran circunstancias excepcionales que lo impidan.

2. La duración de cada permiso extraordinario vendrá determinada por su finalidad y no podrá exceder de cuatro días.

3. La concesión del permiso compete al director del centro o al órgano que la entidad pública haya establecido en su normativa.

4. De la concesión de permisos extraordinarios se dará cuenta al juez de menores competente. Cuando se trate de menores internados en régimen cerrado, será necesaria su autorización expresa.

Artículo 48. *Salidas programadas.*

1. Son salidas programadas aquellas que, sin ser propias del régimen de internamiento abierto o semiabierto, ni constituir permisos ni salidas de fin de semana, organiza el centro para el desarrollo del programa individualizado de ejecución de la medida.

2. Podrán disfrutar de salidas programadas los menores internados en régimen abierto y semiabierto cuando formen parte del programa individualizado de ejecución de la medida.

3. Las salidas programadas se llevarán a cabo preferentemente durante los fines de semana y festivos. También podrán programarse en días laborales siempre que sean compatibles con los horarios de actividades del menor.

4. Como regla general, su duración será inferior a 48 horas, sin perjuicio de que se pueda autorizar otra cosa con carácter excepcional.

5. Los requisitos de concesión y el órgano competente para autorizar la salida serán los establecidos en el artículo 45.

6. Los menores internados por sentencia firme en régimen cerrado, una vez cumplido el primer tercio del periodo de internamiento, cuando la buena evolución personal durante la ejecución de la medida lo justifique y ello favorezca el proceso de integración social, podrán disfrutar de salidas programadas de acuerdo con lo establecido en este artículo, cuando el juez de menores competente lo autorice.

Artículo 49. *Salidas y permisos de menores sometidos a medida cautelar de internamiento.*

La autorización de cualquier permiso o salida a los menores sometidos a medida cautelar de internamiento se someterá al mismo régimen que el previsto cuando se imponga por sentencia.

Artículo 50. *Salidas y permisos de menores en internamiento terapéutico.*

1. Las salidas, permisos y comunicaciones con el exterior de los menores sometidos a internamiento tera-

péutico se autorizarán, en el marco del programa individual de tratamiento, por el juez de menores en los términos previstos en el artículo 44 de la Ley Orgánica 5/2000, de 12 de enero, reguladora de la responsabilidad penal de los menores.

2. Las salidas, permisos y comunicaciones con el exterior podrán ser dejadas sin efecto por el juez de menores, conforme prevé el artículo 44 de la Ley Orgánica 5/2000, de 12 de enero, reguladora de la responsabilidad penal de los menores, en cualquier momento, si el menor incumple las condiciones.

Artículo 51. *Domicilio durante las salidas y permisos.*

1. Los menores de edad deberán estar bajo la responsabilidad de sus padres o representantes legales o de las personas que estos autoricen durante las salidas y permisos que se hagan en su compañía, designando un domicilio a efectos de comunicaciones.

2. Cuando el menor esté bajo la tutela de la entidad pública de protección de menores, será competencia de dicha entidad determinar las personas o instituciones con las que estará el menor durante los permisos y salidas autorizadas, designándose igualmente un domicilio.

3. Si los padres o representantes legales del menor no estuviesen localizables, se negasen a acogerlos durante las salidas y permisos, o si el menor se negase a estar en su compañía o en la de las personas que aquellos determinen, el juez de menores competente podrá autorizar el permiso o la salida con otras personas o instituciones conforme prevé el artículo 44 de la Ley Orgánica 5/2000, de 12 de enero, reguladora de la responsabilidad penal de los menores.

4. Los menores que disfruten de salidas o permisos indicarán un domicilio a efectos de poder ser localizados en caso necesario.

Artículo 52. *Suspensión y revocación de permisos y salidas.*

1. Cuando antes de iniciarse el disfrute de un permiso ordinario, de un permiso extraordinario o de las salidas a los que hacen referencia los artículos 45, 46, 47 y 48 se produzcan hechos que modifiquen las circunstancias que propiciaron su concesión, la entidad pública podrá suspenderlos motivadamente. Si el permiso o la salida se hubiese autorizado por el juez de menores, la suspensión tendrá carácter provisional y se pondrá inmediatamente en conocimiento del juez para que resuelva lo que proceda.

2. El permiso o la salida quedará sin efecto desde el momento en que el menor se vea imputado en un nuevo hecho constitutivo de infracción penal.

Artículo 53. *Trabajo.*

1. Los menores internos que tengan la edad laboral legalmente establecida tienen derecho a un trabajo remunerado, dentro de las disponibilidades de la entidad pública, y a las prestaciones sociales que legalmente les correspondan.

2. A estos efectos, la entidad pública llevará a cabo las actuaciones necesarias para facilitar que dichos menores desarrollen actividades laborales remuneradas de carácter productivo, dentro o fuera de los centros, en función del régimen o tipo de internamiento.

3. La relación laboral de los internos que se desarrolle fuera de los centros y esté sometida a un sistema de contratación ordinaria con empresarios se regulará por la legislación laboral común, sin perjuicio de la supervisión que en el desarrollo de estos contratos se pueda

realizar por la entidad pública competente sobre su adecuación con el programa de ejecución de la medida.

4. El trabajo productivo que se desarrolle en los centros específicos para menores infractores será dirigido por la entidad pública correspondiente, directamente o a través de personas físicas o jurídicas con las que se establezcan conciertos, y les será de aplicación la normativa reguladora de la relación laboral especial penitenciaria y de la protección de Seguridad Social establecida en la legislación vigente para este colectivo, con las siguientes especialidades:

a) Tendrá la consideración de empleador la entidad pública correspondiente o la persona física o jurídica con la que tenga establecido el oportuno concierto, sin perjuicio de la responsabilidad solidaria de la entidad pública, respecto de los incumplimientos en materia salarial y de Seguridad Social.

b) A los trabajadores menores de 18 años se les aplicarán las normas siguientes:

1.ª No podrán realizar trabajos nocturnos, ni aquellas actividades o puestos de trabajo prohibidos a los menores.

2.ª No podrán realizar horas extraordinarias.

3.ª No podrán realizar más de ocho horas diarias de trabajo efectivo, incluyendo, en su caso, el tiempo dedicado a la formación y, si trabajasen para varios empleadores, las horas realizadas para cada uno de ellos.

4.ª Siempre que la duración de la jornada diaria continuada exceda de cuatro horas y media, deberá establecerse un período de descanso durante dicha jornada no inferior a 30 minutos.

5.ª La duración del descanso semanal será como mínimo de dos días ininterrumpidos.

6.ª En su caso, se podrán establecer reglamentariamente otras especialidades que se consideren necesarias en relación con la normativa existente para los penados.

5. En todo caso, el trabajo que realicen los internos tendrá como finalidad esencial su inserción laboral, así como su incorporación al mercado de trabajo. A estos efectos, la práctica laboral se complementará con cursos de formación profesional ocupacional u otros programas que mejoren su competencia y capacidad laboral y favorezcan su futura inserción laboral.

Artículo 54.   *Vigilancia y seguridad.*

1. Las funciones de vigilancia y seguridad interior de los centros corresponde a sus trabajadores, con arreglo a los cometidos propios de cada uno y a la distribución de servicios que el director del centro o la entidad pública haya acordado en su interior.

2. Las actuaciones encaminadas a garantizar la seguridad interior de los centros consistirán en la observación de los menores internados. También podrán suponer, en la forma y con la periodicidad establecida, en este artículo, inspecciones de locales y dependencias, así como registros de personas, ropas y enseres de los menores internados.

3. En aquellas dependencias que a criterio del centro lo requieran, podrán utilizarse medios electrónicos para la detección de presencia de metales o para el examen del contenido de paquetes u objetos.

4. Las inspecciones de las dependencias y locales del centro se harán con la periodicidad que la entidad pública o el director del centro establezca.

5. El registro de la persona, ropa y enseres del menor se ajustará a las siguientes normas:

a) Su utilización se regirá por los principios de necesidad y proporcionalidad y se llevarán siempre a cabo con el respeto debido a la dignidad y a los derechos fundamentales de la persona. Ante la opción de utilizar medios de igual eficacia, se dará preferencia a los de carácter electrónico.

b) Los registros de las ropas y enseres personales del menor se practicarán, normalmente, en su presencia.

c) El registro de la persona del menor se llevará a cabo por personal del mismo sexo, en lugar cerrado sin la presencia de otros menores y preservando, en todo lo posible, la intimidad.

d) Solamente por motivos de seguridad concretos y específicos, cuando existan razones individuales y contrastadas que hagan pensar que el menor oculta en su cuerpo algún objeto peligroso o sustancia susceptible de causar daño a la salud o integridad física de las personas o de alterar la seguridad o convivencia ordenada del centro, y cuando no sea posible la utilización de medios electrónicos, se podrá realizar el registro con desnudo integral, con autorización del director del centro, previa notificación urgente al juez de menores de guardia y al fiscal de guardia, con explicación de las razones que aconsejan dicho cacheo. En todo caso, será de aplicación lo dispuesto en los párrafos a) y c) anteriores.

Una vez efectuado en su caso el cacheo, se dará cuenta al juez de menores y al Ministerio Fiscal de su realización y del resultado obtenido.

e) Si el resultado del registro con desnudo integral fuese infructuoso y persistiese la sospecha, se podrá solicitar por el director del centro a la autoridad judicial competente la autorización para la aplicación de otros medios de control adecuados.

6. De los registros establecidos en el apartado anterior se formulará informe escrito, que deberá especificar los registros con desnudo integral efectuados y los demás extremos previstos en el párrafo d). El informe deberá estar firmado por los profesionales del centro que hayan practicado los registros y dirigirlo al director del centro y al juez de menores.

7. Se intervendrán el dinero u objetos de valor no autorizados, así como los objetos no permitidos y los que se entiendan peligrosos para la seguridad o convivencia ordenada o de ilícita procedencia. Cuando se trate de dinero u objetos de valor se aplicará lo dispuesto en el artículo 30.2.d).

8. La entidad pública podrá autorizar, en aquellos centros donde la necesidad de seguridad así lo requiera, el servicio de personal especializado, en funciones de vigilancia y de apoyo a las actuaciones de los trabajadores del centro previstas en los apartados anteriores de este artículo. Este personal dependerá funcionalmente del director del centro y no podrá portar ni utilizar dentro del centro otros medios que los contemplados en el artículo 55.2.

9. Cuando exista riesgo inminente de graves alteraciones del orden con peligro para la vida o la integridad física de las personas o para las instalaciones, la entidad pública o el director del centro podrá solicitar la intervención de las Fuerzas y Cuerpos de Seguridad competentes en cada territorio.

Artículo 55.   *Medios de contención.*

1. Solamente podrán utilizarse los medios de contención descritos en el apartado 2 de este artículo por los motivos siguientes:

a) Para evitar actos de violencia o lesiones de los menores a sí mismos o a otras personas.

b) Para impedir actos de fuga.

c) Para impedir daños en las instalaciones del centro.

d) Ante la resistencia activa o pasiva a las instrucciones del personal del centro en el ejercicio legítimo de su cargo.

2. Los medios de contención que se podrán emplear serán:

a) La contención física personal.
b) Las defensas de goma.
c) La sujeción mecánica.
d) Aislamiento provisional.

3. El uso de los medios de contención será proporcional al fin pretendido, nunca supondrá una sanción encubierta y solo se aplicarán cuando no exista otra manera menos gravosa para conseguir la finalidad perseguida y por el tiempo estrictamente necesario.

4. Los medios de contención no podrán aplicarse a las menores gestantes, a las menores hasta seis meses después de la terminación del embarazo, a las madres lactantes, a las que tengan hijos consigo ni a los menores enfermos convalecientes de enfermedad grave, salvo que de la actuación de aquellos pudiera derivarse un inminente peligro para su integridad o para la de otras personas.

5. Cuando se aplique la medida de aislamiento provisional se deberá cumplir en una habitación que reúna medidas que procuren evitar que el menor atente contra su integridad física o la de los demás. El menor será visitado durante el periodo de aislamiento provisional por el médico o el personal especializado que precise.

6. La utilización de los medios de contención será previamente autorizada por el director del centro o por quien la entidad pública haya establecido en su normativa, salvo que razones de urgencia no lo permitan; en tal caso, se pondrá en su conocimiento inmediatamente. Asimismo, comunicará inmediatamente al juez de menores la adopción y cese de tales medios de contención, con expresión detallada de los hechos que hubieren dado lugar a su utilización y de las circunstancias que pudiesen aconsejar su mantenimiento.

7. Los medios materiales de contención serán depositados en el lugar o lugares que el director o quien la entidad pública haya establecido en su normativa considere idóneos.

8. En los casos de graves alteraciones del orden con peligro inminente para la vida, la integridad física de las personas o para las instalaciones, la entidad pública o el director del centro podrán solicitar el auxilio de las Fuerzas y Cuerpos de Seguridad que en cada territorio tenga atribuida la competencia, dando cuenta inmediata al juzgado de menores y al Ministerio Fiscal.

Artículo 56. *Informaciones.*

1. Todos los menores internados tienen derecho a recibir de la entidad pública, con la periodicidad adecuada y, en todo caso, siempre que lo requieran, información personal y actualizada de sus derechos y deberes, previstos en los artículos 56 y 57 de la Ley Orgánica 5/2000, de 12 de enero, reguladora de la responsabilidad penal de los menores. Dicha información será explicada de forma que se garantice su comprensión, en atención a la edad y a las circunstancias del menor.

2. Los representantes legales del menor internado serán informados por la dirección del centro o por el órgano que la entidad pública haya designado sobre la situación y la evolución del menor, y sobre los derechos que como representantes legales les corresponden durante la situación de internamiento.

Salvo prohibición judicial expresa, esta información será facilitada cuando la soliciten los representantes legales del menor o lo considere necesario la dirección del centro o el órgano que la entidad pública haya establecido en su normativa.

3. En caso de enfermedad, accidente o cualquier otra circunstancia grave que afecte al menor, la entidad pública ha de informar inmediatamente a sus representantes legales. Dichas personas también serán informadas de los ingresos en el centro, de los traslados entre centros y de los ingresos en instituciones hospitalarias, salvo que exista una prohibición expresa del juez de menores competente.

4. El menor ha de ser informado sin dilación de la defunción, accidente o enfermedad grave de un pariente cercano o de otra persona íntimamente vinculada con él, y de cualquier otra noticia importante comunicada por la familia.

Artículo 57. *Peticiones, quejas y tramitación de recursos.*

1. Todos los menores internados y, en su caso, sus representantes legales podrán formular, verbalmente o por escrito, en sobre abierto o cerrado, peticiones y quejas a la entidad pública o al director del centro, sobre cuestiones referentes a su situación de internamiento, que serán atendidas cuando correspondan al ámbito propio de sus competencias. En caso contrario, el director del centro o la entidad pública harán llegar las presentadas, en el plazo más breve posible, a la autoridad u organismo competente.

2. El menor podrá dirigir la petición o queja por escrito, en sobre abierto o cerrado, a las autoridades judiciales, al Ministerio Fiscal y al Defensor del Pueblo o institución análoga de su comunidad autónoma. Los que se entreguen directamente al director del centro o a la entidad pública se harán llegar a sus destinatarios en el plazo más breve posible.

3. Las peticiones y quejas que presenten los menores a través del centro o la entidad pública serán registradas. La tramitación que se le haya dado y, en su caso, la resolución adoptada se comunicará al menor, con indicación de los recursos que procedan.

4. Los recursos que de conformidad con lo dispuesto en el artículo 52.1 de la Ley Orgánica 5/2000, de 12 de enero, reguladora de la responsabilidad penal de los menores, interponga el menor contra cualquier resolución dictada para la ejecución de las medidas, que fueran presentados por el menor o por su letrado de forma escrita al director del centro, se pondrán en conocimiento del juez de menores competente dentro del siguiente día hábil. Si el menor manifestara al director del centro, de forma verbal, su intención de recurrir la resolución dictada, el director dará traslado de esta manifestación al juez de menores, dentro del plazo indicado anteriormente, y, en su caso, dará cumplimiento a las medidas que adopte el juez para oír la alegación del menor.

Artículo 58. *Inspección de centros.*

1. Sin perjuicio de las funciones de inspección que correspondan a los jueces de menores, al Ministerio Fiscal y al Defensor del Pueblo o institución análoga de la comunidad autónoma, la entidad pública, con los medios personales y materiales y los procedimientos que articule para esta finalidad, ejercerá las funciones de inspección para garantizar que la actuación de los centros propios y colaboradores y la de sus profesionales se lleva a cabo con respeto a los derechos y garantías de los menores internados.

2. Los menores podrán solicitar la comunicación con el órgano de inspección correspondiente, de conformidad con lo establecido en el artículo 41, sin perjuicio de las comunicaciones que dicho órgano realice con el menor en el ejercicio de sus funciones.

3. Los hechos descubiertos en el ejercicio de sus funciones por el órgano de inspección, que supongan una vulneración de los derechos de los menores, se pondrán en conocimiento de la entidad pública, del juez de menores competente y del Ministerio Fiscal.

CAPÍTULO IV

Del régimen disciplinario de los centros

Artículo 59. *Fundamento y ámbito de aplicación.*

1. El régimen disciplinario de los centros tendrá como finalidad contribuir a la seguridad y convivencia ordenada en estos y estimular el sentido de la responsabilidad y la capacidad de autocontrol de los menores internados.

2. El régimen disciplinario se aplicará a todos los menores que cumplan medidas de internamiento en régimen cerrado, abierto o semiabierto, y terapéuticos, sin perjuicio de lo dispuesto en el apartado siguiente, bien en centros propios o colaboradores, tanto dentro del centro como durante los traslados, conducciones o salidas autorizadas que aquellos realicen.

3. El régimen disciplinario previsto en este capítulo no será aplicable a aquellos menores a los que se haya impuesto una medida de internamiento terapéutico como consecuencia de una anomalía o alteración psíquica o de una alteración en la percepción que les impida comprender la ilicitud de los hechos o actuar conforme a aquella comprensión, mientras se mantengan en tal estado.

Artículo 60. *Principios de la potestad disciplinaria.*

1. El ejercicio de la potestad disciplinaria en los centros propios y colaboradores, regulada en este reglamento, corresponderá a quien la tenga expresamente atribuida por la entidad pública. En defecto de esta atribución, el ejercicio de la potestad disciplinaria corresponderá al director del centro.

2. No podrán atribuirse al mismo órgano las fases de instrucción y resolución del procedimiento.

3. La potestad disciplinaria habrá de ejercerse siempre respetando la dignidad del menor. Ninguna sanción podrá implicar, de manera directa o indirecta, castigos corporales, ni privación de los derechos de alimentación, enseñanza obligatoria y comunicaciones y visitas previstos en la Ley Orgánica 5/2000, de 12 de enero, reguladora de la responsabilidad penal de los menores, y en este reglamento.

4. Las sanciones impuestas podrán ser reducidas, dejadas sin efecto en su totalidad, suspendidas o aplazadas en su ejecución, en los términos establecidos en este reglamento.

5. La conciliación con la persona ofendida, la restitución de los bienes, la reparación de los daños y la realización de actividades en beneficio de la colectividad del centro, voluntariamente asumidos por el menor, podrán ser valoradas por el órgano competente para el sobreseimiento del procedimiento disciplinario o para dejar sin efecto las sanciones disciplinarias impuestas.

6. Aquellos hechos que pudiesen ser constitutivos de infracción penal podrán ser también sancionados disciplinariamente cuando el fundamento de esta sanción, que ha de ser distinto del de la penal, sea la seguridad y el buen orden del centro. En estos casos, los hechos serán puestos en conocimiento del Ministerio Fiscal y de la autoridad judicial competente, sin perjuicio de que continúe la tramitación del expediente disciplinario hasta su resolución e imposición de la sanción si procediera.

Artículo 61. *Clasificación de las faltas disciplinarias.*

Las faltas disciplinarias se clasifican en muy graves, graves y leves, atendiendo a la violencia desarrollada por el sujeto, su intencionalidad, la importancia del resultado y el número de personas ofendidas.

Artículo 62. *Faltas muy graves.*

Son faltas muy graves:

a) Agredir, amenazar o coaccionar de forma grave a cualquier persona dentro del centro.

b) Agredir, amenazar o coaccionar de forma grave, fuera del centro, a otro menor internado o a personal del centro o autoridad o agente de la autoridad, cuando el menor hubiera salido durante el internamiento.

c) Instigar o participar en motines, plantes o desórdenes colectivos.

e) Intentar o consumar la evasión del interior del centro o cooperar con otros internos en su producción.

f) Resistirse activa y gravemente al cumplimiento de órdenes recibidas del personal del centro en el ejercicio legítimo de sus atribuciones.

g) Introducir, poseer o consumir en el centro drogas tóxicas, sustancias psicotrópicas o estupefacientes o bebidas alcohólicas.

h) Introducir o poseer en el centro armas u objetos prohibidos por su peligro para las personas.

i) Inutilizar deliberadamente las dependencias, materiales o efectos del centro o las pertenencias de otras personas, causando daños y perjuicios superiores a 300 euros.

j) Sustraer materiales o efectos del centro o pertenencias de otras personas.

Artículo 63. *Faltas graves.*

Son faltas graves:

a) Agredir, amenazar o coaccionar de manera leve a cualquier persona dentro del centro.

b) Agredir, amenazar o coaccionar de manera leve, fuera del centro, a otro menor internado, o a personal del centro o autoridad o agente de la autoridad, cuando el menor hubiese salido durante el internamiento.

c) Insultar o faltar gravemente al respeto a cualquier persona dentro del centro.

d) Insultar o faltar gravemente al respeto, fuera del centro, a otro menor internado, o a personal del centro o autoridad o agente de la autoridad, cuando el menor hubiera salido durante el internamiento.

e) No retornar al centro, sin causa justificada, el día y hora establecidos, después de una salida temporal autorizada.

f) Desobedecer las órdenes e instrucciones recibidas del personal del centro en el ejercicio legítimo de sus funciones, o resistirse pasivamente a cumplirlas.

g) Inutilizar deliberadamente las dependencias, materiales o efectos del centro, o las pertenencias de otras personas, causando daños y perjuicios inferiores a 300 euros.

h) Causar daños de cuantía elevada por negligencia grave en la utilización de las dependencias, materiales o efectos del centro, o las pertenencias de otras personas.

i) Introducir o poseer en el centro objetos o sustancias que estén prohibidas por la normativa de funcionamiento interno distintas de las contempladas en los párrafos g) y h) del artículo anterior.

j) Hacer salir del centro objetos cuya salida no esté autorizada.

k) Consumir en el centro sustancias que estén prohibidas por las normas de funcionamiento interno, distintas de las previstas en el párrafo g) del artículo anterior.

l) Autolesionarse como medida reivindicativa o simular lesiones o enfermedades para evitar la realización de actividades obligatorias.

m) Incumplir las condiciones y medidas de control establecidas en las salidas autorizadas.

Artículo 64. *Faltas leves.*

Son faltas leves:

a) Faltar levemente al respeto a cualquier persona dentro del centro.

b) Faltar levemente al respeto, fuera del centro, a otro menor internado, o a personal del centro o autoridad o agente de la autoridad, cuando el menor hubiera salido durante el internamiento.

c) Hacer un uso abusivo y perjudicial en el centro de objetos y sustancias no prohibidas por las normas de funcionamiento interno.

d) Causar daños y perjuicios de cuantía elevada a las dependencias materiales o efectos del centro o en las pertenencias de otras personas, por falta de cuidado o de diligencia en su utilización.

e) Alterar el orden promoviendo altercados o riñas con compañeros de internamiento.

f) Cualquier otra acción u omisión que implique incumplimiento de las normas de funcionamiento del centro y no tenga consideración de falta grave o muy grave.

Artículo 65. *Sanciones disciplinarias.*

1. Las únicas sanciones disciplinarias que se pueden imponer a los menores serán alguna de las especificadas en los apartados siguientes de este artículo.

2. Por la comisión de faltas muy graves:

a) La separación del grupo por tiempo de tres a siete días en casos de evidente agresividad, violencia y alteración grave de la convivencia.

b) La separación del grupo por tiempo de tres a cinco fines de semana.

c) La privación de salidas de fin de semana de 15 días a un mes.

d) La privación de salidas de carácter recreativo por un tiempo de uno a dos meses.

3. Por la comisión de faltas graves:

a) La separación del grupo hasta dos días como máximo.

b) La separación del grupo por un tiempo de uno a dos fines de semana.

c) La privación de salidas de fin de semana de uno a 15 días.

d) La privación de salidas de carácter recreativo por un tiempo máximo de un mes.

e) La privación de participar en las actividades recreativas del centro por un tiempo de siete a 15 días.

4. Por la comisión de faltas leves:

a) La privación de participar en todas o en algunas de las actividades recreativas del centro por un tiempo de uno a seis días.

b) La amonestación.

5. A los menores que cumplan en el centro medidas de permanencia de fin de semana se les impondrán las sanciones correspondientes a la naturaleza de la infracción cometida adaptando su duración a la naturaleza y duración de la medida indicada.

Artículo 66. *Sanción de separación.*

1. La sanción de separación por la comisión de faltas muy graves o faltas graves solamente se podrá imponer en los casos en los que se manifieste una evidente agresividad o violencia por parte del menor, o cuando este, reiterada y gravemente, altere la normal convivencia en el centro.

2. La sanción de separación se cumplirá en la propia habitación del menor o en otra de análogas características durante el horario de actividades del centro.

3. Durante el cumplimiento de la sanción de separación, el menor dispondrá de dos horas al aire libre y deberá asistir, en su caso, a la enseñanza obligatoria y podrá recibir las visitas previstas en los artículos 40 y 41. Durante el horario general de actividades se programarán actividades individuales alternativas que podrán realizarse dentro de la habitación.

4. Diariamente visitará al menor el médico o el psicólogo que informará al director del centro sobre el estado de salud física y mental del menor, así como sobre la conveniencia de suspender, modificar o dejar sin efecto la sanción impuesta.

5. No obstante lo anterior, la sanción de separación de grupo no se aplicará a las menores embarazadas, a las menores hasta que hayan transcurrido seis meses desde la finalización del embarazo, a las madres lactantes y a las que tengan hijos en su compañía. Tampoco se aplicará a los menores enfermos y se dejará sin efecto en el momento en que se aprecie que esta sanción afecta a su salud física o mental.

Artículo 67. *Graduación de las sanciones*

1. La determinación de las sanciones y su duración se llevará a efecto de acuerdo al principio de la proporcionalidad, atendiendo a las circunstancias del menor, la naturaleza de los hechos, la violencia o agresividad mostrada en la comisión de los hechos, la intencionalidad, la perturbación producida en la convivencia del centro, la gravedad de los daños y perjuicios ocasionados, el grado de ejecución y de participación y la reincidencia en otras faltas disciplinarias.

2. Atendiendo a la escasa relevancia de la falta disciplinaria, a la evolución del interno en el cumplimiento de la medida, al reconocimiento por el menor de la comisión de la infracción y a la incidencia de la intervención educativa realizada para expresarle el reproche merecido por su conducta infractora, podrá imponerse al autor de una falta disciplinaria muy grave una sanción establecida para faltas disciplinarias graves y al autor de una falta disciplinaria grave una sanción prevista para las faltas disciplinarias leves.

Artículo 68. *Concurso de infracciones y normas para el cumplimiento de las sanciones.*

1. Al responsable de dos o más faltas enjuiciadas en el mismo expediente se le impondrán las sanciones correspondientes a cada una de las faltas. También se le podrá imponer una única sanción por todas las faltas cometidas, tomando como referencia la más grave de las enjuiciadas. En el caso de que se impongan varias sanciones, se cumplirán simultáneamente, si fuera posible. Si no lo fuera, se cumplirán sucesivamente por orden de gravedad y duración, sin que puedan exceder en duración del doble de tiempo por el que se imponga la más grave.

2. No obstante lo dispuesto en el apartado anterior, en ningún caso el cumplimiento sucesivo de diversas sanciones impuestas en el mismo o en diferentes pro-

cedimientos disciplinarios supondrá para el menor estar consecutivamente:

a) Más de siete días o más de cinco fines de semanas en situación de separación de grupo.

b) Más de un mes privado de salidas de fin de semana.

c) Más de dos meses privado de salidas programadas de carácter recreativo.

d) Más de 15 días privado de todas las actividades recreativas del centro.

Artículo 69. *Pluralidad de faltas e infracción continuada.*

1. Cuando un mismo hecho sea constitutivo de dos o más faltas o cuando una de estas sea medio necesario para la comisión de otra, se impondrá al menor una sola sanción teniendo en cuenta la más grave de las faltas cometidas.

2. Cuando se trate de una infracción continuada, se impondrá al menor una sola sanción teniendo en cuenta la más grave de las faltas cometidas.

Artículo 70. *Necesidad de procedimientos sancionadores.*

Para la imposición de sanciones por faltas graves y muy graves será preceptiva la observancia del procedimiento regulado en los artículos 71 a 78, y para las sanciones impuestas por faltas leves podrá seguirse el procedimiento abreviado previsto en el artículo 79.

Artículo 71. *Procedimiento ordinario: inicio.*

1. Cuando el órgano competente para la iniciación del procedimiento disciplinario aprecie en los menores internados indicios de conductas que pueden dar lugar a responsabilidad disciplinaria, acordará la iniciación del procedimiento de alguna de las siguientes formas:

a) Por propia iniciativa.

b) Como consecuencia de orden emitida por un órgano administrativo superior jerárquico.

c) Por petición razonada de otro órgano administrativo que no sea superior jerárquico.

d) Por denuncia de persona identificada.

2. El órgano competente para la iniciación designará el instructor que considere conveniente, excluyendo a las personas que pudieran estar relacionadas con los hechos.

3. Para el debido esclarecimiento de los hechos que pudieran ser determinantes de responsabilidad disciplinaria, el órgano competente podrá acordar la apertura de una información previa, que se practicará por el órgano administrativo o la persona que aquel determine.

Artículo 72. *Instrucción y pliego de cargos.*

1. El instructor, a la vista de los indicios de responsabilidad que existan, formulará pliego de cargos dirigido al menor, en un lenguaje claro, y en el plazo máximo de 48 horas desde su designación, el cual se incorporará, en su caso, al expediente, con el contenido siguiente:

a) La identificación de la persona responsable.

b) La relación detallada de los hechos imputados.

c) La calificación de la falta o faltas en las que ha podido incurrir.

d) Las posibles sanciones aplicables.

e) El órgano competente para la resolución del expediente de acuerdo con lo previsto en la norma autonómica correspondiente o, en su caso, en la Ley Orgánica 5/2000, de 12 de enero, o en este reglamento.

f) La identificación del instructor.

g) Las medidas cautelares que se hayan acordado.

h) Los posibles daños y perjuicios ocasionados.

2. El pliego de cargos se notificará al menor infractor el mismo día de su redacción, mediante su lectura íntegra y con entrega de la correspondiente copia con indicación de:

a) El derecho del menor a formular alegaciones y proponer las pruebas que considere oportunas en defensa de sus intereses, verbalmente ante el instructor en el mismo acto de notificación, o por escrito en el plazo máximo de 24 horas. Si formula alegaciones verbalmente, se levantará acta de estas, que deberá firmar el menor.

b) La posibilidad de que un letrado le asesore en la redacción del pliego de descargos y ser asistido por personal del centro o por cualquier otra persona del propio centro.

c) Al menor extranjero que desconozca el castellano o la lengua cooficial de la comunidad autónoma, la posibilidad de asistirse de una persona que hable su idioma.

3. Por el instructor se admitirán verbalmente las pruebas propuestas por el menor o se rechazarán motivadamente por escrito las que fueran improcedentes, por no poder alterar la resolución final del procedimiento o por ser de imposible realización.

Artículo 73. *Tramitación.*

1. Notificado el pliego de cargos, el instructor realizará cuantas actuaciones resulten necesarias para el examen de los hechos y recabará los datos e informes que considere necesarios.

2. Dentro de las 24 horas siguientes a la presentación del pliego de descargos o a la formulación verbal de alegaciones, o transcurrido este plazo si el menor no hubiera ejercitado su derecho, el menor será oído y se practicarán las pruebas propuestas y las que el instructor considere convenientes.

3. Si el menor reconoce voluntariamente su responsabilidad, el instructor elevará el expediente al órgano competente, para que emita resolución, sin perjuicio de continuar el procedimiento si hay indicios racionales de engaño o encubrimiento de otras personas.

4. Una vez finalizado el trámite de alegaciones y de la práctica de la prueba, el instructor, inmediatamente y en todo caso en el plazo de 24 horas, formulará la propuesta de resolución, que notificará al interno con indicación de los hechos imputados, la falta cometida y la sanción que deba imponerse, para que en el término de 24 horas pueda formular las alegaciones que considere procedentes. Una vez completado este trámite, el instructor elevará el expediente al órgano competente para que dicte la resolución correspondiente.

Artículo 74. *Resolución.*

El órgano competente, en el mismo día o como máximo en el plazo de 24 horas, habrá de resolver motivadamente sobre el sobreseimiento del expediente, la imposición de la sanción disciplinaria correspondiente o la práctica de nuevas actuaciones por parte del instructor. En este último caso, se estará a lo dispuesto en los artículos anteriores.

Artículo 75. *Acuerdo sancionador.*

1. El acuerdo sancionador se formulará por escrito y deberá contener las siguientes menciones:

a) El lugar y la fecha del acuerdo.

b) El órgano que lo adopta

c) El número del expediente disciplinario y un breve resumen de los actos procedimentales básicos que lo hayan precedido. En el supuesto de haberse desestimado la práctica de alguna prueba, deberá expresarse la motivación formulada por el instructor en su momento.

d) Relación circunstanciada de los hechos imputados al menor, que no podrán ser distintos de los consignados en el pliego de cargos formulado por el instructor, con independencia de que pueda variar su calificación jurídica.

e) Artículo y apartado de este reglamento en el que se estima comprendida la falta cometida.

f) Sanción impuesta y artículo y apartado de este reglamento que la contempla.

g) Indicación del recurso que puede interponer.

h) La firma del titular del órgano competente.

2. La resolución será ejecutiva cuando ponga fin a la vía administrativa.

En la resolución se adoptarán, en su caso, las disposiciones cautelares precisas para garantizar su eficacia en tanto no sea ejecutiva.

3. La iniciación del procedimiento y las sanciones impuestas se anotarán en el expediente personal del menor sancionado. También se anotará la reducción o revocación de la sanción, así como la suspensión de su efectividad.

Artículo 76. *Notificación de la resolución*

1. La notificación al menor del acuerdo sancionador deberá hacerse el mismo día o en el plazo máximo de 24 horas de ser adoptado, dando lectura íntegra de aquel y entregándole una copia.

2. Asimismo, se notificará en igual plazo al Ministerio Fiscal y, en su caso, al letrado del menor.

Artículo 77. *Caducidad.*

Transcurrido el plazo máximo de un mes desde la iniciación del procedimiento disciplinario sin que la resolución se hubiera notificado al menor expedientado, se entenderá caducado el procedimiento disciplinario y se procederá al archivo de las actuaciones, siempre que la demora no fuera imputable al interesado.

Artículo 78. *Recursos.*

Las resoluciones sancionadoras podrán ser recurridas, antes del inicio del cumplimiento, ante el juez de menores, verbalmente en el mismo acto de la notificación o por escrito dentro del plazo de 24 horas, por el propio interesado o por su letrado, actuándose de conformidad con el artículo 60.7 de la Ley Orgánica 5/2000, de 12 de enero, reguladora de la responsabilidad penal de los menores.

Artículo 79. *Procedimiento abreviado.*

Cuando el órgano competente para iniciar el procedimiento considere que existen elementos de juicio suficientes para calificar la infracción del menor como falta leve, se tramitará el procedimiento abreviado, con arreglo a las siguientes normas:

a) El informe del personal del centro operará como pliego de cargos que se notificará, verbalmente, al presunto infractor, con indicación de la sanción que le puede corresponder.

b) El menor podrá hacer las alegaciones que estime pertinentes y proponer las pruebas de que intente valerse, en el mismo acto de la notificación o por escrito 24 horas después.

c) Transcurrido el plazo anterior, el órgano competente resolverá lo que proceda. Si acuerda imponer una sanción, se le notificará al menor y a su letrado por escrito.

d) En todo caso, este procedimiento se documentará debidamente.

Artículo 80. *Medidas cautelares durante el procedimiento.*

1. El órgano competente para iniciar el procedimiento, por sí o a propuesta del instructor del expediente disciplinario, podrá acordar en cualquier momento del procedimiento, mediante acuerdo motivado, las medidas cautelares que resulten necesarias para asegurar la eficacia de la resolución que pudiera recaer y el buen fin del procedimiento, así como para evitar la persistencia de los efectos de la infracción y asegurar la integridad del expedientado y de otros posibles afectados. Las únicas medidas cautelares que se podrán adoptar serán las previstas como sanción en el artículo 65 para la presunta falta cometida.

2. Estas medidas quedarán reflejadas en el expediente del menor y deberán ajustarse a la intensidad, proporcionalidad y necesidades de los objetivos que se pretendan garantizar en cada supuesto concreto, y su adopción será notificada al menor y puesta inmediatamente en conocimiento del juez de menores y del Ministerio Fiscal. Si durante la tramitación del procedimiento hubiera alteración de las causas que motivaron la aplicación de estas medidas cautelares, podrán modificarse las medidas adoptadas. En el supuesto de que desaparezcan las causas que motivaron la aplicación de las medidas, se procederá a alzar la medida.

3. Cuando la sanción que recayera, en su caso, coincida en naturaleza con la medida cautelar impuesta, esta se abonará para el cumplimiento de aquella. Si no coincidiese, se deberá compensar en la parte que se estime razonable, siempre que sea posible.

4. Las medidas cautelares no podrán exceder del tiempo máximo que corresponda a la sanción prevista, en función de la gravedad de la falta, en el artículo 65.

Artículo 81. *Ejecución y cumplimiento de las sanciones.*

Los acuerdos sancionadores no se harán efectivos en tanto no haya sido resuelto el recurso interpuesto, o en caso de que no se haya interpuesto, hasta que haya transcurrido el plazo para su impugnación, sin perjuicio de las medidas cautelares previstas en el artículo anterior.

Durante la sustanciación del recurso, en el plazo de dos días, la entidad pública ejecutora de la medida podrá adoptar las decisiones precisas para restablecer el orden alterado de acuerdo con lo previsto en el artículo 60.7 de la Ley Orgánica 5/2000, de 12 de enero, reguladora de la responsabilidad penal de los menores.

Artículo 82. *Reducción, suspensión y anulación de sanciones.*

1. El órgano competente podrá dejar sin efecto, reducir o suspender la ejecución de las sanciones disciplinarias en cualquier momento de su ejecución si el cumplimiento de la sanción se revela perjudicial en la evolución educativa del menor.

2. Las medidas anteriores no podrán adoptarse sin autorización del juez de menores cuando este haya intervenido en su imposición por vía de recurso.

Artículo 83. *Extinción automática de sanciones.*

1. Cuando un menor ingrese nuevamente en un centro para la ejecución de otra medida, se extinguirán auto-

máticamente la sanción o sanciones que hubiesen sido impuestas en un ingreso anterior y que hubiesen quedado incumplidas total o parcialmente.

2. En caso de traslado de centro, el menor continuará el cumplimiento de las sanciones impuestas en el centro anterior, sin perjuicio de lo dispuesto en el anterior artículo.

Artículo 84. *Prescripción de faltas y sanciones.*

1. Las faltas disciplinarias muy graves prescriben al año; las graves, a los seis meses, y las leves, a los dos meses, a contar desde la fecha de la comisión de la infracción.

2. La prescripción de las faltas se interrumpe a partir del momento en que, con conocimiento del menor, se inicia el procedimiento disciplinario, volviendo a iniciarse el cómputo de la prescripción desde que se paralice el procedimiento durante un mes por causa no imputable al presunto infractor.

3. Las sanciones impuestas por faltas muy graves, graves y leves prescriben, respectivamente, en los mismos plazos señalados en el apartado 1. El plazo de prescripción empieza a contar desde el día siguiente a aquel en que adquiera firmeza el acuerdo sancionador o desde que se levante el aplazamiento de la ejecución o la suspensión de la efectividad, o desde que se interrumpa el cumplimiento de la sanción si este hubiese ya comenzado.

Artículo 85. *Incentivos.*

Los actos del menor que pongan de manifiesto buena conducta, espíritu de trabajo y sentido de la responsabilidad en el comportamiento personal y colectivo, así como la participación positiva en las actividades derivadas del proyecto educativo, podrán ser incentivados por la entidad pública con cualquier recompensa que no resulte incompatible con la ley y los preceptos de este reglamento.

Disposición adicional única. *Actuaciones policiales de vigilancia, custodia y traslado.*

1. Las actuaciones policiales de vigilancia, custodia y traslado de menores previstas en este reglamento serán realizadas por los cuerpos de policía autonómica o, en su caso, por las unidades adscritas del Cuerpo Nacional de Policía, en sus ámbitos territoriales de actuación, de conformidad con lo dispuesto en el artículo 45 de la Ley Orgánica 5/2000, de 12 de enero.

En caso de ausencia o insuficiencia de las anteriores, o cuando sean varias las comunidades autónomas afectadas, se realizarán por las Fuerzas y Cuerpos de Seguridad del Estado.

2. A los efectos de lo dispuesto en el apartado anterior, el director del centro solicitará la intervención al órgano competente de la comunidad autónoma o, en su caso, al Delegado o al Subdelegado del Gobierno, con suficiente antelación para permitir su planificación.

En situaciones de urgencia, cuando no sea posible actuar conforme a lo previsto en el párrafo anterior, el director del centro podrá solicitar directamente la intervención de las Fuerzas y Cuerpos de Seguridad competentes, dando cuenta de ello inmediatamente a las autoridades antes mencionadas, con expresión de las causas de la urgencia.

RESPONSABILIDAD PENAL DE LOS MENORES[1]

Carmen Arias Giner (Magistrada-Juez de Menores)
Carlos Eloy Ferreirós Marcos (Fiscal de Menores)

1. Introducción: justificación de la legislación especial. 2. Los modelos de tratamiento del menor infractor. 2.1. El modelo de protección, el modelo educativo y el modelo de responsabilidad. 2.2. Nuevas tendencias de la justicia juvenil. **3. El sistema de la LO 5/2000, de 12 de enero. Principios que la inspiran. 4. La reforma efectuada por LO 8/2006, de 4 de diciembre. 5. Los principales actores en el proceso seguido contra los menores infractores.** 5.1. Intervención policial. 5.2. El menor y su asistencia letrada. 5.3. El Fiscal de menores. 5.4. El Juez de Menores. 5.5. El Equipo Técnico. 5.6. La Entidad Pública. 5.7. La participación del perjudicado en el procedimiento. **6. Fases del proceso.** 6.1. Inicio de procedimientos. Diligencias preliminares. 6.2. Expedientes. *6.2.1. Fase de Instrucción. Medidas de aseguramiento del proceso. 6.2.2. Fase intermedia. 6.2.3. Audiencia. 6.2.4. Sentencia.* **7. La ejecución.** 7.1. Introducción. 7.2. La suspensión de la ejecución del fallo. 7.3. Control judicial de la ejecución. 7.4. Expediente de ejecución. 7.5. Sustitución de las medidas.

1. Introducción: justificación e importancia de esta jurisdicción especial

Antes de abordar el sistema de nuestra vigente Ley de Responsabilidad Penal del Menor, y pensando en los que se aproximan por primera vez al derecho de menores, es obligado hacer una referencia a la justificación de esta jurisdicción especial, justificación sin duda evidente para aquellos que día a día intervienen y trabajan, desde distintos ámbitos de la reforma, con los menores. Se trata de dar respuesta a la pregunta: ¿por qué existe esta parte del ordenamiento jurídico diferenciada de la de adultos en materia penal? ¿Es verdaderamente necesario tener un derecho específico para los menores? Sin duda la respuesta ha de ser afirmativa. La razón de la existencia de esta normativa específicamente aplicable a los mayores de 14 años y menores de 18 que cometen hechos delictivos es doble: una, la menor culpabilidad del sujeto, al tener su imputabilidad disminuida por la edad, que exige una respuesta más atenuada a las infracciones penales, y otra, las mayores posibilidades de corrección, al tratarse de seres en evolución o en desarrollo, y en los que por tanto una intervención individualizada y basada en principios educativos puede tener un pronóstico mucho más favorable que si se tratara de un adulto.

Se trata, pues, de aprovechar esta circunstancia de falta de consolidación de la estructura de la personalidad para inculcar valores prosociales al joven que inicia la andadura delictiva, al tiempo que se le enfrenta a las consecuencias de sus actos, todo ello en beneficio del propio menor y de la sociedad en su conjunto. Como se puede imaginar la importancia de esta jurisdicción para el conjunto de la sociedad es grande, ya que no es muy frecuente el caso del delincuente adulto que no haya tenido algún expediente antes de cumplir los 18 años, por lo que del éxito o fracaso de nuestra intervención dependerá, en gran medida, la trayectoria que estos jóvenes sigan en el futuro. La función preventiva es, pues, fundamental. Ello ha de llevar a arbitrar derecho *diferenciado* del de los mayores, *basado* en principios educativos, *dirigido* fundamentalmente a la corrección, incluyendo *medidas* acordes a la personalidad y circunstancias del sujeto en concreto, *valoradas* por expertos en ciencias de la conducta como son los psicólogos, educadores y trabajadores sociales adscritos a los juzgados.

[1] En: Bueno, A. (coord.) (2010). Infancia y juventud en riesgo social. Programa de intervención, fundamentos y experiencias, pp. 379-411. Alicante: Servicio de publicaciones de la Universidad de Alicante.

Desde un punto de vista práctico, basta con hojear las estadísticas policiales para darse cuenta del número de delitos que se cometen cada año por jóvenes de entre 14 y 18 años, y, por tanto, también para entender la necesidad de esta jurisdicción especial. En el origen de estas actuaciones transgresoras influyen multitud de factores, no siempre relacionados con situaciones de marginalidad, como pueden ser la confusión y rebeldía propia de la adolescencia, la deseabilidad social, la necesidad de experimentar, la ausencia de autoridad paterna o la total desestructuración del tiempo, entre otros, factores que en la mayoría de los casos se pueden trabajar y superar con intervenciones adecuadas. Sobre este particular, el Dictamen del Comité Económico y Social Europeo sobre "La prevención de la delincuencia juvenil, los modelos de tratamiento de la delincuencia juvenil y el papel de la justicia del menor en la Unión Europea" (2006/c 110/13), señala, entre otras, las siguientes causas de la delincuencia juvenil:

1. La pertenencia del menor a familias desestructuradas (*broken homes*) e incluso las propias dificultades que en ocasiones se producen para conciliar la vida familiar y laboral, situaciones todas ellas en las que de manera creciente se dan casos de desatención y falta de límites y de control respecto de los hijos. Esto conduce a veces a que algunos jóvenes traten de compensar esas carencias mediante el ingreso en bandas o pandillas juveniles entre cuyos componentes se dan circunstancias de afinidad de muy distinto signo (ideológico, musical, étnico, deportivo, etc.) pero caracterizadas habitualmente por sus actitudes transgresoras. En el seno de este tipo de grupos tiene lugar un alto porcentaje de conductas antisociales (vandalismo, *graffitis*) o directamente violentas y delictivas.

2. La marginación socioeconómica o pobreza, que igualmente dificulta el adecuado proceso de socialización del menor. Esta marginación se produce en mayor proporción entre los jóvenes pertenecientes a familias inmigrantes (siendo especialmente vulnerables los menores inmigrantes no acompañados) y en ciertos guetos de las grandes urbes, lugares donde se dan con frecuencia diseños urbanos deshumanizados que favorecen la aparición en sus habitantes de sentimientos de angustia y agresividad.

3. El absentismo y el fracaso escolar, produciéndose ya en la escuela un etiquetamiento o «estigmatización» social que en muchos casos facilitará el camino hacia comportamientos anticívicos o hacia la delincuencia.

4. El desempleo, al darse las mayores tasas de paro entre los jóvenes, originándose en muchos casos situaciones de frustración y desesperanza que igualmente serán caldo de cultivo para conductas desviadas.

5. La transmisión de imágenes y actitudes violentas por parte de ciertos programas en algunos medios de comunicación social o en videojuegos destinados a los menores, lo que contribuye a inculcar en los menores un sistema de valores en el que la violencia es un recurso aceptable.

6. El consumo de drogas y sustancias tóxicas, que, en muchos casos, da lugar a que el adicto se vea impelido a delinquir para proporcionarse los medios económicos que le permitan sufragar su adicción. Además, bajo los efectos de su consumo o de un estado carencial se reducen o eliminan los frenos inhibitorios

habituales. También debe citarse aquí el consumo inmoderado de alcohol (aunque tenga lugar de modo esporádico), de especial incidencia en la comisión de actos vandálicos y de infracciones contra la seguridad vial.

7. De modo asociado o independiente del factor señalado en el apartado anterior, se sitúan los trastornos de la personalidad y del comportamiento, normalmente unidos a otros factores sociales o ambientales, que hacen que el joven actúe de modo impulsivo o irreflexivo sin dejarse motivar por las normas de conducta socialmente aceptadas.

8. La insuficiencia en la enseñanza y en la transmisión de valores prosociales o cívicos como el respeto a las normas, la solidaridad, la generosidad, la tolerancia, el respeto a los otros, el sentido de la autocrítica, la empatía, el trabajo bien hecho, etc., que se ven sustituidos en nuestras sociedades «globalizadas» por valores más utilitaristas como el individualismo, la competitividad, el consumo desmedido de bienes, y que provocan en determinadas circunstancias el surgimiento de una cierta anomia social.

Este conjunto de factores se da en mayor o menor medida en todos los países de la Unión Europea, en sociedades con altos niveles de bienestar pero en las que se generan elementos de desestructuración y falta de cohesión social que explican este tipo de conductas antisociales o desviadas.

Para prevenir el comportamiento violento y hacer frente a la delincuencia juvenil, sigue apuntando el Dictamen citado, las sociedades tienen que adoptar estrategias que combinen medidas de prevención, de intervención y de represión. Las estrategias preventivas y de intervención deben estar encaminadas a socializar e integrar a todos los menores y jóvenes, principalmente a través de la familia, la comunidad, el grupo de iguales, la escuela, la formación profesional y el mercado de trabajo. Las medidas o respuestas judiciales y de represión deberán, en todo caso, basarse en los principios de legalidad, presunción de inocencia, derecho de defensa, juicio con todas las garantías, respeto a su vida privada, proporcionalidad y flexibilidad. Tanto el desarrollo del proceso como la elección de la medida y su posterior ejecución habrán de estar inspirados en el principio del interés superior del menor

Pues bien, el fruto del trabajo que se realiza mediante la aplicación de este derecho de menores se refleja en los datos judiciales que manejamos: éstos nos hablan de un índice de éxito o no reincidencia de entre un 70% y un 80% en menores y jóvenes con medidas de medio abierto con los que se hace una intervención efectiva (normalmente delincuentes primarios). En los sometidos a medida de internamiento (normalmente delincuentes reincidentes), el índice de reinserción es bastante inferior. La realidad de estos menores de mal pronóstico sí que está en la mayoría de los casos relacionada con situaciones de marginalidad social y precariedad económica, desestructuración familiar, antecedentes de institucionalización de los miembros de la familia y patrones de conducta desviados aprendidos desde la infancia fuertemente arraigados, que dificultan la interiorización de los valores inculcados durante el periodo de privación de libertad. En cualquier caso, como fácilmente puede deducirse, cuanto más temprana sea la intervención por vía de protección, tanto mejor será el resultado conseguido. Por otra parte, cuanta mayor inmediatez haya en la respuesta, mayor índice de éxito tendremos. La prevención en protección y la agilidad de la administración de justicia son pues dos factores claves para el éxito de la reforma. A nadie se le ocurriría empezar a educar a su hijo a los 14 años, o castigarle dentro de un año por haber desobedecido hoy. Al margen de ello es muy importante para conseguir la reinserción social que el menor salga del centro con expectativas reales de cambio, siendo esencial que desde el Centro se trabaje en el sentido de facilitar la inserción laboral del menor. También es importante que cuando se trate de extranjeros, desde el Centro se les ayude en la regularización de su situación en España, si se dan las condiciones.

2. Los modelos de tratamiento del menor infractor

2.1. El modelo de protección, el modelo educativo y el modelo de responsabilidad.

Las diferentes filosofías desde las que puede enfocar el tratamiento del menor infractor han dado lugar a tres grandes modelos que, si bien han convivido temporalmente en distintos países, puede decirse que marcan la evolución de la forma en que, en general, los distintos sistemas jurídicos han reaccionado frente al comportamiento del joven delincuente: el *modelo de protección,* el *educativo* y el de *responsabilidad.*

El *modelo de protección,* es el primer modelo, cronológicamente hablando, en el tratamiento de la delincuencia juvenil y tiene su origen en los llamados Tribunales de Menores aparecidos en EEUU a finales del siglo XIX. El menor se contempla desde una óptica paternalista y, con la finalidad de su reeducación, es despojado por completo de cualquier límite garantista. El menor se presenta así como un enfermo que necesita ser tratado, lo que amplía en exceso no sólo los presupuestos de la intervención -que en este modelo se extiende también a hechos no delictivos-, sino también la entidad de las consecuencias aplicables. El internamiento en un reformatorio, como forma de alejarle del entorno que lo enferma, adquiere un gran protagonismo frente al resto de medidas aplicables. La consecuencia es que, con el fin del ideal reformador, la medida de internamiento permite mantener la privación de libertad durante un período de tiempo muy superior que el que le hubiera correspondido de calificarse la misma consecuencia jurídica como una pena. Era el modelo al que obedecía la vieja Ley de Tribunales Tutelares de Menores de 1948, en vigor, con distintas reformas, hasta la actual.

El *modelo educativo* pone el acento en la necesidad de llevar a cabo una labor educativa sobre el menor. Frente al sistema anterior, en el que el Estado pretende asumir la patria potestad del joven delincuente, en este modelo se trata de no desarraigarlo de su entorno y desde él potenciar su educación evitando en lo posible que entre en contacto con la maquinaria penal. En sus manifestaciones más radicales, el control social informal puede ser más intrusivo, y con menos garantías.

El *modelo de responsabilidad,* también denominado educativo-responsabilizador es el modelo dominante, tanto entre la doctrina como en el ámbito normativo, nacional e internacional (de modo especial se ha de destacar en dicho proceso la Convención sobre los Derechos del Niño, aprobada por la Asamblea General de las Naciones Unidas el 20 de noviembre de 1989, que ha sido ratificada por todos los Estados miembros de la UE –convirtiéndose, pues, en una norma de obligado cumplimiento para dichos Estados– y que dedica a la materia que nos ocupa sus artículos 37 y 40) Puede caracterizarse por la búsqueda de un equilibrio entre lo judicial y lo educativo. Si bien reconoce la necesidad de dar al menor un trato diferenciado respecto al régimen propio de los adultos, no ignora el riesgo de que bajo este argumento se le pueda despojar de las garantías de la imposición de lo que es una auténtica pena. Para evitarlo reconoce el carácter eminentemente restrictivo de derechos de cualquier intervención sobre el menor a la vez que se esfuerza en dotarle de todas sus garantías, tanto desde en lo sustantivo como en lo procesal.

Con el modelo de responsabilidad se produce el reforzamiento de la posición legal del menor, y la justicia juvenil se acerca a la justicia penal de los adultos, al reconocer a aquél los mismos derechos y garantías que a éstos en la imposición de unas medidas de contenido eminentemente educativo. La pretensión es, en suma, la de «educar en la responsabilidad».

El referido modelo, derivado de las normas internacionales ya citadas, se ha ido recogiendo progresivamente en las legislaciones de los países que integran la UE. El dictamen del Comité Económico y Social Europeo referido señala que el *modelo de responsabilidad* se fundamenta en los siguientes principios:

- *La prevención antes que la represión*: la mejor manera de luchar contra la delincuencia juvenil es impedir que surjan delincuentes juveniles, para lo cual se necesitan adecuados programas de asistencia social, laboral, económica y educacional
- Se debe *limitar al mínimo indispensable el uso del sistema de justicia tradicional,* dejando para otros ámbitos (asistenciales y sociales) el tratamiento de otras situaciones que se puedan dar en los menores (menores abandonados, maltratados, inadaptados, etc.).
- *Reducir al máximo las medidas o sanciones de privación de libertad,* limitándolas a supuestos excepcionales.
- *Flexibilizar y diversificar la reacción penal* con medidas flexibles que se puedan ajustar y adaptar a las circunstancias del menor, según las condiciones, el avance y el progreso en el tratamiento o en la ejecución de la medida, como alternativas a la privación de libertad.
- *Aplicar a los menores infractores todos los derechos y garantías* reconocidos a los adultos en el proceso penal (juicio justo, imparcial y equitativo).
- *Profesionalizar y especializar a los órganos de control social formal* que intervienen en el sistema de justicia juvenil. En este sentido, es de todo punto necesario proporcionar una formación especializada a todos los agentes que intervengan en la administración de la justicia de menores (policía, jueces, fiscales, abogados y profesionales que ejecutan las sanciones).

La LO 5/2000 obedece al modelo de "responsabilidad". Así lo pregona su propia Exposición de Motivos. De esta forma pretende conjugar el conjunto de garantías propio de la intervención penal, con la necesaria flexibilidad del sistema, de forma que sea posible eludir la rigidez propia del Derecho penal diseñado para los adultos. El resultado es un sistema que, manteniendo todas las exigencias garantistas conseguidas por la configuración del Estado de Derecho, permite sortear la estricta correspondencia de la respuesta sancionadora con la gravedad del hecho.

2.2. Las nuevas tendencias de la justicia juvenil

Respecto a la evolución de los sistemas de justicia juvenil, conviene señalar, en primer lugar, que frente al concepto de justicia retributiva (pagar por el daño causado) ha emergido una concepción restaurativa o reparadora de la justicia (*restorative justice*) nacida con el movimiento político-criminal a favor de la víctima –victimología– y la recuperación del papel de ésta en el proceso penal. La justicia restaurativa es el paradigma de una justicia que comprende a la víctima, al imputado y a la comunidad en la búsqueda de soluciones a las consecuencias del conflicto generado por el hecho delictivo, con el fin de promover la reparación del daño, la reconciliación entre las partes y el fortalecimiento del sentido de seguridad colectiva.

La justicia restaurativa intenta proteger tanto el interés de la *víctima* (el ofensor debe reconocer el daño ocasionado a ésta y debe intentar repararlo) cuanto el de la *comunidad* (dirigido a lograr la rehabilitación del ofensor, a prevenir la reincidencia y a reducir los costos de la justicia penal) y el del *imputado* (no entrará en el circuito penal, pero le serán respetadas las garantías constitucionales). Además, respecto a este último, la reparación ejerce una específica acción educativa por cuanto estimula la reflexión del menor sobre su culpabilidad, al enfrentarle directamente con la víctima, pudiendo disuadirlo de exhibir comportamientos similares en el futuro. Resulta por ello un modelo idóneo para el sistema de justicia del menor por su escaso valor estigmatizante, su alto valor pedagógico y su carácter de menor represión.

Como veremos, una de las principales características del procedimiento regulado en la Ley Orgánica de Responsabilidad Penal del Menor es la flexibilidad y la existencia de fórmulas que patrocinan la desjudicialización, bien evitando el inicio del procedimiento, bien poniendo fin anticipadamente al ya iniciado, incluso en ejecución, todo en aras al superior interés del menor y a fin de evitar su estigmatización. Son supuestos como la conciliación entre el menor y la víctima, la reparación, la suspensión de la ejecución de la medida impuesta o la modificación de medidas, reduciendo su duración, imponiendo un régimen menos restrictivo o incluso dejándolas sin efecto en atención a la buena evolución del menor.

Entre los supuestos enunciados especialmente interesante es el de la conciliación (el menor reconoce el daño, pide disculpas y la victima las acepta) y la reparación (el menor se compromete a realizar un trabajo en beneficio de la víctima o de la colectividad, la víctima lo acepta y aquel lo realiza). Considerando el delito como relación de conflicto entre víctima y ofensor, se trata de recuperar la dimensión interpersonal del problema. En el proceso penal, ordinariamente, el problema originado por el delito se sustrae a las partes interesadas y queda bajo el control del Estado como titular del "ius puniendi". Los mecanismos de conciliación y reparación no implican un retroceso hacia la justicia privada o la venganza, sino un medio de compensación entre la víctima y el delincuente como alternativa realista y constructiva frente al puro castigo, lógicamente de carácter limitado a supuestos menos graves sin violencia, y cuando concurran unos requisitos de capacidad para consentir.

Poseen estos mecanismos un gran componente didáctico, pues enfrentan al infractor directamente con los efectos negativos de sus actos y con las personas que los padecen, lo que sin duda favorece su resocialización Piénsese que en muchas ocasiones los menores que cometen un delito no son plenamente conscientes de sus actos (puede ocurrir que lo hagan por necesidad de ponerse a prueba y experimentar u obtener el reconocimiento social de su grupo), y poniendo en relación estos con el que ha sufrido el daño se puede asumir mejor el resultado de sus acciones. Por otra parte, para la víctima, puede suponer una mayor satisfacción moral o compensación del mal producido. El mecanismo para llevar a cabo la conciliación y la reparación es el de la mediación.

En sentido contrario, la relevancia pública de los nuevos fenómenos que han ido apareciendo especialmente en las grandes urbes europeas (delincuencia organizada, pandillas juveniles, vandalismo callejero, violencia en el deporte, matonismo en las escuelas, violencia ejercida sobre los padres, conductas xenófobas y de grupos extremistas, asociación entre nuevas formas de delincuencia e inmigración, drogadicción, etc.) ha dado lugar a que en los últimos años se pueda apreciar en algunos países europeos una tendencia al *endurecimiento* del derecho penal de menores, con la elevación de las sanciones máximas aplicables, la introducción de diversas formas de internamiento en centros de régimen cerrado e incluso la exigencia de ciertas responsabilidades a los padres del menor infractor.

3. El sistema de la lo 5/2000, de 12 de enero. Principios que la inspiran.

La detallada Exposición de Motivos de la LORPM afirma que la redacción de la misma «ha sido conscientemente guiada por los siguientes principios generales:

> 1. Naturaleza formalmente penal pero materialmente sancionadora-educativa del procedimiento y de las medidas aplicables a los infractores menores de edad.
> 2. Reconocimiento expreso de todas las garantías que se derivan del respeto de los derechos constitucionales y de las especiales exigencias del interés del menor.
> 3. Diferenciación de diversos tramos de edad a efectos procesales y sancionadores en la categoría de infractores menores de edad.
> 4. Flexibilidad en la adopción y ejecución de las medidas aconsejadas por las circunstancias del caso concreto.
> 5. Competencia de las entidades autonómicas relacionadas con la reforma y protección de menores para la ejecución de las medidas impuestas en la sentencia y control judicial de esta ejecución.

La regulación originaria respondía fundamentalmente a una orientación de prevención especial educativa que se fundamentaba, sobre todo y en sintonía con las normas de carácter internacional, en el "superior interés del menor", *interés que, según su Exposición de Motivos, ha de ser valorado con criterios técnicos y no formalistas por equipos de profesionales especializados en el ámbito de las ciencias no jurídicas*.

El interés del menor es el criterio informador que expresamente se exige, entre otros muchos casos, para los siguientes: intervención y actuación instructora del Ministerio Fiscal (arts. 6 y 23), elección de la medida o medidas adecuadas (art. 7.3), modificación y sustitución de medidas (arts. 13 y 51.1) propuestas incluidas en el informe realizado por el equipo técnico durante la instrucción del expediente sobre la conveniencia de que la tramitación de éste no continúe o la posibilidad de que el menor efectúe actividades reparadoras o de conciliación (art. 27.3), adopción de medidas cautelares (art. 28.1), acuerdo del juez de que el menor abandone la sala durante la celebración de la audiencia (art. 27.4), traslado de centro para ejecución de medida (art. 46.3), alteración del orden de cumplimiento de las distintas medidas impuestas (art. 47.5), etc.

Enunciados los anteriores principios generales en la exposición de motivos, no parece sin embargo ajustarse realmente a la verdad el legislador cuando afirma que se rechazan expresamente otras finalidades esenciales del Derecho penal de adultos, como la "proporcionalidad" entre el hecho y la sanción, y ello al ser evidente que el criterio de proporcionalidad informa en más de una ocasión la solución legal adoptada. Tal es el caso, por ejemplo, de que se reserve la posibilidad de imponer una medida de internamiento en régimen cerrado a delitos graves o a aquellos en cuya comisión se haya empleado «violencia o intimidación en las personas o actuado con grave riesgo para la vida o integridad física de las mismas»; resultando obvio que lo determinante en estos supuestos no son las eventuales necesidades educativas del menor, sino la gravedad objetiva de los hechos. En igual sentido no podrá negarse, por ejemplo, que supone un claro desentendimiento de la posible evolución favorable del menor el que se vede la posibilidad de que el juez modifique, suspenda o sustituya la medida impuesta hasta que no haya transcurrido la mitad de su duración, en determinados supuestos de delitos graves cometidos por mayores de 16 años.

En consecuencia, con los cambios introducidos en la Ley queda desvirtuada en gran parte esa declarada orientación preventiva especial educativa, ya que algunos de sus preceptos no responden precisamente a dicha orientación.

En mayor medida se desvirtúa la orientación preventiva especial educativa con la última reforma operada por LO 8/2006, de 4 de diciembre que más adelante se analiza.

Se dice, asimismo, que se hace un uso flexible del "principio de intervención mínima", en el sentido de dotar de relevancia a las posibilidades de no apertura del procedimiento o renuncia al mismo, al resarcimiento anticipado o conciliación entre el infractor y la víctima, y a los supuestos de suspensión condicional de la medida impuesta o de sustitución de la misma durante su ejecución. La ley adopta, pues, de conformidad con lo establecido en los tratados internacionales, un modelo de procedimiento flexible y garantizador presidido por el "principio de oportunidad", que se hace especialmente patente en los arts. 18 y 19 reguladores, respectivamente, del desistimiento de la incoación del expediente por corrección en el ámbito educativo y familiar y del sobreseimiento del expediente por conciliación o reparación entre el menor y la víctima.

La nueva ley intenta pues inscribirse, no sin acusar ciertas tensiones, en la moderna convicción político-criminal de que la responsabilidad juvenil no se puede regular en los mismos términos que la de los adultos; a partir de esta premisa, profundiza en la necesidad de ofrecer a los menores una respuesta penal diferente, con un marcado carácter educativo, capaz de orientarles hacia el desarrollo integral de su personalidad, evitarles el contacto con instituciones represivas propias de adultos y no regatearles posibilidades para lograr su recuperación social; lo anterior se pretende conseguir sin privarles de todas las garantías propias del concepto de responsabilidad penal, una vez superada la idea de que un Derecho del menor basado en la educación es irreconciliable con principios garantistas. Queda claro pues que se trata de un Derecho penal especial por razón de los sujetos a quienes se aplica.

El superior interés del menor y la mayor flexibilidad de las normas para conseguir la meta de la resocialización, como se dijo, no debe hacer de peor condición al menor respecto del mayor de edad, motivo por el que se establecen por el legislador las garantías necesarias que exige el "principio de legalidad", que se manifiesta:

1. En lo criminal, conforme al art. 1 LORPM, no se impondrá medida sino por hecho constitutivo de delito o falta, se remite al CP.

2. En las consecuencias jurídicas, aunque con mayor imprecisión pues no existe, como en mayores, una sanción para cada tipo delictivo, sino un catálogo de medidas (art. 7) y algunos límites a su imposición.

3. En la ejecución, consagrado en el art. 43 LORPM (no se pueden ejecutar medidas sino en virtud de sentencia firme ni en forma distinta a la prevista en la Ley).

4. La reforma de la LO 5/2000, operada por LO 8/2006 del 4 de diciembre

Amparándose en el mandato legal (DA 6ª de la LO 5/2000) que impone al Gobierno el deber de impulsar las medidas orientadas a sancionar con más firmeza y eficacia los hechos cometidos por menores que revistan especial gravedad, y transcurridos más de cinco años desde la vigencia de la Ley, el Gobierno ha realizado una evaluación de los resultados de su aplicación, revelando este estudio, según la memoria justificativa del Anteproyecto de LO por el que se modifica la LO 5/2000, un aumento considerable de delitos cometidos por menores, que ha causado gran preocupación social, que reflejan una mayor peligrosidad del menor y demandan un tratamiento más extenso en el tiempo para lograr la adecuada reinserción y resocialización del mismo. Sobre estas premisas se elabora la Ley Orgánica 8/2006, de 4 de diciembre, con entrada en vigor el 5 de febrero de 2007, por la que se modifica la Ley Orgánica 5/2000, de 12 de enero, Reguladora de la Responsabilidad Penal de los Menores.

No obstante, la LORPM había sido objeto de diferentes reformas desde su publicación, incluso antes de su entrada en vigor, y aun cuando el legislador afirma que estas las reformas no suponen excepciones al principio básico de la regulación, ni se apartan del inicial espíritu de prevención especial educativa, lo cierto es que han ido encaminadas fundamentalmente a agravar las respuestas sancionadoras, al entender que las propuestas inicialmente no eran suficientes para determinados supuestos de delitos graves caracterizados por su extrema violencia o para dar respuesta adecuada a la reiteración delictiva de los menores. Con tales reformas, al margen de correcciones técnicas, se han ido incrementando los plazos de internamiento cerrado, se han ampliado los presupuestos para su imposición, se ha establecido un periodo de seguridad durante el cual no se puede hacer uso de las facultades de revisión de la medida (con independencia de la evolución del menor) y se ha regulado el cumplimiento del internamiento en centro penitenciario de los mayores de 18 años con evolución desfavorable.

Si bien, tras las reformas citadas, el principio fundamental que rige en esta jurisdicción especial sigue siendo el del superior interés del menor, ello no obstante, se puede fácilmente apreciar como se va produciendo un giro progresivo por el legislador en materia de política criminal que se traduce en innovaciones de marcado carácter represor, introduciendo una "mayor proporcionalidad entre la respuesta sancionadora y la gravedad del hecho cometido". Se justifica tal endurecimiento de la reacción punitiva en el hecho de que, según reza la exposición de motivos de la última reforma, "las estadísticas revelan un aumento considerable de delitos cometidos por menores, lo que ha causado gran preocupación social y ha contribuido a desgastar la credibilidad de la Ley por la sensación de impunidad de las infracciones más cotidianas y frecuentemente cometidas por estos menores" (normalmente delitos contra la propiedad). La solución por la que se opta ante las demandas sociales de mayor seguridad frente a la delincuencia, vuelve a ser exclusivamente de tipo penal.

No obstante, como la experiencia nos demuestra, el incremento de la represión no siempre es una medida eficaz contra el delito, pudiendo apreciarse carencias de base, como son soluciones educativas e integradoras a edades tempranas e insuficiencia de recursos para llevar a cabo correctamente y con eficacia la labor resocializadora, que debidamente corregidas harían posiblemente innecesaria la sistemática reforma de la Ley. Carece de sentido criticar la Ley entendiendo que no está sirviendo para el fin que pretende, cuando no se está aplicando en toda su plenitud por insuficiencia de medios. Se aprecia, en definitiva, una huida hacia el derecho penal para solucionar problemas sociales, siempre criticable.

El contenido de la reforma, resumidamente, es el siguiente:

- Se aumentan los plazos de internamiento para determinados supuestos de delitos graves (pueden alcanzar los 6 y los 10 años si son varios hechos y en función del tramo de edad, mayor o menor de 16 años).
- Se amplia el ámbito del internamiento cerrado en lo que se refiere a sus presupuestos de imposición, pues hasta ahora estaba limitado a los supuestos en los que concurriera en la comisión del hecho violencia, intimidación en las personas o grave riesgo para la vida o integridad física, y ahora se incluyen también todos los delitos graves y los que, sin ser graves, se cometan en grupo o al servicio de una banda u organización dedicada a la realización de actividades delictivas.
- Se aumentan los plazos de internamiento cautelar, hasta ahora tres meses prorrogables por otros tres y a partir de la reforma seis meses prorrogables por otros tres.
- Se introduce una nueva causa para adoptar medida cautelar, que es la del riesgo de atentar contra los bienes jurídicos de la víctima. También el riesgo de fuga del menor se incluye expresamente como fundamento del internamiento cautelar, y el que el menor hubiera cometido anteriormente hechos graves de la misma naturaleza. Desaparece la mención a la alarma social producida.
- Se regulan nuevas medidas como la prohibición de acercamiento a la víctima (cautelar y firme). Se regula expresamente la remisión a protección cuando el alejamiento sea de los padres.
- Se incluyen nuevas medidas imponibles a las faltas, hasta ahora solo amonestación, PBC, permanencia de fin de semana y privación de licencias y tras la reforma también podrá imponerse libertad vigilada hasta 6 meses, tarea socio-educativa hasta 6 meses, prohibición de acercamiento hasta 6 meses , y se limita la privación de licencias a un máximo de 1 año.
- Se establecen distintos regímenes de ejecución para el internamiento terapéutico, distinguiéndose cerrado, abierto y semiabierto.
- Se deroga definitivamente la posibilidad de aplicar la Ley a mayores de 18 y menores de 21 años,
- Se prevé la posibilidad de que los mayores de 18 años cumplan la medida de internamiento cerrado en centro penitenciario, con determinados requisitos
- Se rebaja de 23 a 21 la edad en que los menores internados en régimen cerrado han de pasar a cumplir a centro penitenciario. Al propio tiempo a partir de ahora

no habrá límite máximo de edad para que los menores con internamiento que no sea cerrado puedan cumplir en centro de reforma.

- Se prevé que queden sin efecto todas las medidas de medio abierto pendientes de ejecución cuando el menor entre a cumplir pena en centro penitenciario; así como que los internamientos (cerrados) pendientes se cumplan en prisión tras la ejecución de la pena de prisión.
- Se refuerza el papel de la víctima, regulándose el deber de notificación del secretario de todas las resoluciones que le afecten.
- Se regula el régimen de refundición y ejecución de medidas, distinguiendo entre los supuestos de delitos conexos (o infracción continuada o concurso ideal, con independencia de que hayan sido enjuiciadas las conductas en el mismo o en distintos procedimientos) y el de no conexidad. En el primer caso se pondrá una única medida, teniendo en cuenta la más grave de las infracciones, y en el segundo se sumarán de forma aritmética las medidas impuestas hasta el máximo del doble de la más grave, de modo que no pueda quedar más que una medida por cada grupo de distinta naturaleza, asumiendo la ejecutoria total de cada menor el primer juez sentenciador (fecha de firmeza).
- Se prevé la posibilidad de revocar la modificación de medida si la evolución del menor es desfavorable, y la posibilidad de agravar el régimen del internamiento en ejecución siempre que la naturaleza del delito lo permita.
- Se regula el ejercicio acumulado de la acción civil y la penal.
- Se remite a la jurisdicción ordinaria el ejercicio de acciones civiles en los casos de desistimiento del art. 18 y 19, suprimiéndose el actual procedimiento autónomo de responsabilidad civil.

5. Los principales actores en el proceso seguido contra menores infractores

Antes de examinar las fases del proceso y la ejecución, conviene hacer una referencia a los intervinientes en el procedimiento: la intervención policial, el menor y su abogado, el Juez de Menores, el Ministerio Fiscal, el Equipo Técnico, la Entidad Pública y la víctima o perjudicado.

5.1. Intervención policial.

La exigencia de específica capacitación profesional en derecho de menores, a la que aluden las recomendaciones de la doctrina internacional, ya referida, debe extenderse a los agentes de policía que traten con menores o que se dediquen a la prevención de la delincuencia juvenil. El grupo de policía de menores en España se denomina GRUME.

Las autoridades y funcionarios que intervengan en la detención de un menor deben practicarla en la forma que menos perjudique a éste y están obligados a informarle, en un lenguaje claro y comprensible y de forma inmediata, de los hechos que se le imputan, de las razones de su detención y de los derechos que le asisten, así como a garantizar el respeto de los mismos. En cualquier caso tiene derecho el menor a guardar silencio, a no declarar contra si mismo, a la asistencia letrada, a ser asistido por un intérprete cuando se trate de un extranjero que no comprenda el idioma español, y a ser reconocido por el médico forense. Asimismo, para evitar la dimensión traumática de la detención de los menores, debe evitarse por la policía toda espectacularidad, el empleo de lenguaje duro, la violencia física y la exhibición de armas, siendo incluso aconsejable que los agentes de la autoridad que practiquen la detención no vistan el uniforme oficial y que el vehículo donde se proceda al traslado tenga el carácter de camuflado, para evitar la estigmatización social del menor. Igualmente ha de notificarse inmediatamente el hecho de la detención y el lugar de custodia a los representantes legales del menor y al Ministerio Fiscal, y a las autoridades consulares en caso de que sea extranjero y tenga su lugar de residencia habitual fuera de España. La declaración del detenido ha de realizarse en presencia de letrado y de los representantes legales, y en su defecto, del Ministerio Fiscal, representado por persona distinta del instructor del expediente.

La detención policial no puede durar más que el tiempo estrictamente necesario para la realización de las averiguaciones tendentes al esclarecimiento de los hechos y, en todo caso, dentro del plazo máximo de 24 horas, el menor detenido ha de ser puesto en libertad o a disposición del Ministerio Fiscal.

5.2. El menor y su asistencia letrada

Toda declaración del menor imputado en la causa, esté o no detenido, se llevará a cabo en presencia de su letrado (si el menor no lo designa, se le designará de oficio). Además, el letrado del menor tendrá conocimiento de la totalidad de las actuaciones del expediente y podrá solicitar del Ministerio Fiscal la práctica de cuantas diligencias considere necesarias. El Ministerio Fiscal decidirá sobre su admisión mediante resolución motivada que le notificará, pudiendo el letrado, en caso de denegación, reproducir su pretensión en cualquier momento ante el Juzgado de menores.

El letrado del menor deberá formular su escrito de defensa comprensivo de los mismos extremos que el escrito de alegaciones del Ministerio Fiscal, con traslado de dicho escrito y testimonio del expediente. Asimismo intervendrá en la fase de audiencia y en todas las actuaciones posteriores, incluida la fase de ejecución, en que podrá interponer los recursos que la Ley establece frente a aquellas resoluciones que afecten al menor.

5.3. El Fiscal de menores

Como se dijo, el instructor del procedimiento es el Fiscal, quien deberá practicar aquellas diligencias que estime imprescindibles para la formulación bien fundada del escrito de alegaciones o para la razonable terminación anticipada del proceso y derivación del asunto hacia soluciones extrajudiciales. Llegada al Fiscal la noticia de algún hecho de los referidos en el art. 1 de la Ley, éste admitirá o no a trámite la denuncia, según indiciariamente los hechos sean o no delictivos, custodiará las piezas, documentos y efectos remitidos y practicará las diligencias que estime pertinentes para la comprobación del hecho y la responsabilidad del menor en él, pudiendo resolver el archivo de las actuaciones cuando los hechos no constituyan delito o no tengan autor conocido, debiendo notificar ésta resolución a los que hubieran formulado la denuncia. El Ministerio Fiscal dará cuenta de la incoación del expediente al Juez de menores, que iniciará las diligencias de trámite correspondientes.

En caso de detención, puesto el detenido a disposición del Fiscal, este debe resolver dentro del plazo de 48 horas a partir de la detención, sobre la puesta en libertad del menor o la solicitud de medida cautelar.

Acabada la instrucción, el Ministerio Fiscal resolverá la conclusión del expediente, notificándosela al letrado del menor, y remitirá al juzgado de menores el expediente, junto con las piezas de convicción y demás efectos que pudieran existir, con un escrito de alegaciones en el que, de forma provisional, se concreta la imputación, con descripción de los hechos cometidos, el delito que constituyen, la participación del menor, sus circunstancias personales y sociales, la propuesta de medida y, en su caso, la exigencia de responsabilidad civil.

5.4. El Juez de menores

En principio la competencia para la instrucción de las causas corresponde al Ministerio Fiscal, la de la sentencia al Juez y la de la ejecución a la Administración, a través de las Comunidades Autónomas. Sin embargo la figura del Juez no está limitada al ámbito puramente sentenciador, pudiendo afirmarse que el Juez de Menores es un Juez de Instrucción en cuanto Juez de garantías (art. 23.3), un Juez de lo penal o sentenciador, en cuanto que le corresponde la fase intermedia, la celebración de audiencia, la sentencia hasta firmeza (arts 31 y ss), y un Juez de vigilancia en lo que a la supervisión, control y resolución de cuestiones que se planteen en ejecución se refiere (arts. 49 y ss).

Como Juez de garantías, durante la instrucción del Fiscal puede dirigirse al Juez de Menores interesando la autorización de actuaciones restrictivas del derechos (entradas y registro, intervención de correspondencia, registros corporales, exposición RX para determinación de la edad, secreto del expediente, recogida de muestras para determinación del ADN, etc.), pudiendo asimismo interesar la acusación personada o la defensa tales diligencias al Fiscal quien, tras valorar la procedencia, las solicitará al Juez. Hay que entender que la acusación particular, o la defensa, no las puede pedir directamente al Juez, al ser el Fiscal quien dirige la instrucción. Las solicitudes de Habeas Corpus las resuelve el Juez de Instrucción del lugar de la detención, no el de Menores; parece que la proximidad espacial sería el criterio seguido, dado el ámbito provincial de la jurisdicción. Asimismo durante la instrucción puede el Ministerio Fiscal y la acusación personada dirigirse al Juez para interesar la adopción de una medida cautelar.

Además, durante toda la instrucción de la causa los letrados, acusador y defensor, pueden interesar el MF la práctica de diligencias de investigación, y caso de denegación, reproducirlas ante el Juez, quien las practicará por sí, siempre que considere que son relevantes a los efectos del proceso .

Como juez sentenciador, concluida la instrucción de la causa y presentados escritos de alegaciones de acusación y defensa, previos los traslados oportunos, se celebrará la audiencia (lo que en el procedimiento de mayores se denomina juicio), practicándose en la misma las pruebas pertinentes y oyéndose a todos los implicados. El Juez puede acordar motivadamente que la audiencia se celebre a puerta cerrada o adoptar las medidas de protección de testigos y peritos en causas penales. Hay que tener en cuenta que la Ley obliga a evitar la confrontación visual de la víctima o testigo menor de edad y el acusado. También puede acordar, en interés del menor, que éste abandone la sala.

La sentencia que se dicte deberá contener los requisitos previstos en la vigente LOPJ, debiendo redactarse en términos comprensibles para la edad de un menor, motivando las pruebas y las medidas propuestas. Contra la sentencia cabe recurso de apelación, a interponer en cinco días ante el Juez que la dictó, sustanciándose ante la AP con celebración de vista.

Como Juez de ejecución, recibirá los informes remitidos por la Entidad Pública, acordará la modificación o sustitución de medidas, resolverá los recursos interpuestos por el menor contra cualquier resolución adoptada durante la ejecución de la medida que le haya sido impuesta, y resolverá los recursos contra resoluciones disciplinarias, entre otras actuaciones.

5.5. El Equipo Técnico

La LO 5/00 ha otorgado a los ET un papel fundamental respecto de esta institución. La instrucción tiene por objeto, además del esclarecimiento de los hechos, el estudio de la personalidad del menor para alcanzar una comprensión suficiente de sus características personales, carencias educativas y necesidades de integración social. Con este fin se constituye el Equipo Técnico integrado por especialistas en las diversas ciencias del comportamiento (psicólogos, educadores, trabajadores sociales) que, bajo dependencia funcional del Ministerio Fiscal, elaboran un informe expresivo de las circunstancias psicológicas, familiares y educativas del menor, entorno social en el que vive y sobre cualquier otra circunstancia relevante a los efectos de la adopción de alguna de las medidas previstas en la Ley.

El informe del Equipo Técnico constituye para el Fiscal una fuente de información de uso imprescindible -aunque no vinculante- para adoptar las oportunas decisiones sobre prosecución del proceso y selección de medidas. Dicho informe participa de la naturaleza del dictamen de peritos, en cuanto emanado de un órgano imparcial al servicio de la Administración de Justicia y presenta una eficacia legal reforzada por su carácter preceptivo. Tan pronto lo reciba el Fiscal, lo debe remitir al Juez de Menores y mediante copia al Letrado del menor.

Todos los procedimientos han de contar con el preceptivo informe psico-social, incluidos los incoados por faltas.

5.6. La Entidad Pública

Además de su competencia en la ejecución de la medidas impuestas a los menores y consecuente creación, dirección, organización y gestión de los servicios, instituciones y programas adecuados para garantizar la correcta ejecución de las mismas, la entidad pública de protección o reforma de menores de la comunidad autónoma puede impulsar iniciativas para la modificación o revisión de tales medidas, además de tener que ser oída en diversos supuestos durante el procedimiento, como en el caso de la adopción de medidas cautelares, o en el acto de la audiencia cuando el juez así lo acuerde.

5.7. La participación del perjudicado en el procedimiento

La LO 5/2000 establecía la prohibición de ejercicio de acciones penales por particulares, dejando abierta la posibilidad tan solo en el caso de ofendidos o perjudicados por el delito cuando éste fuera atribuido a persona mayor de 16 años y se tratara de hechos cometidos con violencia o intimidación, o con grave riesgo para la vida o integridad física para las personas, estableciendo en éste caso unas facultades limitadas de intervención, sin poder hacer manifestación alguna sobre las medidas propuestas por el Fiscal. El motivo de tal limitación no era otro que entender que, al no tener el procedimiento una finalidad retributiva, si se diera plena entrada al perjudicado podría empañar el sentido educativo, en interés del menor, de la actuación judicial, al intentar hacer valer sus intereses personales de ver al menor castigado.

Sin embargo, tal regulación fue criticada por un amplio sector doctrinal al considerar que el derecho a la tutela judicial efectiva consagrado en el art. 24 de la CE se traduce en el derecho al proceso y a acudir a los jueces y tribunales en ejercicio de los propios derechos e intereses legítimos. Ello llevó a que, por Ley 15/2003, de 25 de noviembre, se modificara el régimen señalado, permitiendo la personación de los particulares directamente ofendidos por el delito (padres, herederos o representantes legales en caso de minoría de edad o incapacidad), sin ningún tipo de restricción respecto al régimen del procedimiento de mayores. Así, el art. 25, en su actual redacción establece esta posibilidad, señalando las concretas facultades de la acusación particular en los siguientes términos:

- Ejercitar la acusación particular durante el procedimiento
- Instar la imposición de medidas a las que se refiere esta ley
- Tener vista de lo actuado, siendo notificado de las diligencias que se soliciten y acuerden
- Proponer pruebas que versen sobre el hecho delictivo y las circunstancias de su comisión, salvo en lo referente a la situación psicológica, educativa, familiar y social del menor
- Participar en la práctica de las pruebas, ya sea en fase de instrucción, ya sea en fase de audiencia; a estos efectos, el órgano actuante podrá denegar la práctica de la prueba de careo, si esta fuera solicitada, cuando no resulte fundamental para la averiguación de los hechos o la participación del menor en los mismos
- Ser oído en todos los incidentes que se tramiten durante el procedimiento
- Ser oído en caso de modificación o de sustitución de medidas impuestas
- Participar en las vistas o audiencias que se celebren
- Formular los recursos procedentes de acuerdo con la ley

Se ha considerado, ante lo escueto de la regulación y el carácter subsidiario de la LECrim, que la personación podrá realizarse hasta el momento de las alegaciones.

En la reforma operada por LO 8/2006 se regula expresamente los derechos de las víctimas y de los perjudicados, incluyendo el deber del secretario judicial de notificar a éstos la sentencia que se dicte aunque no se hayan mostrado parte en el expediente

6. Fases del proceso

6.1. Inicio de procedimientos. Diligencias preliminares.

En principio, cuando el Fiscal tiene conocimiento de la existencia de una infracción penal debe proceder a su investigación y a la incoación del correspondiente expediente de reforma, dando cuenta de ello al Juzgado.

La noticia de la comisión de un delito o falta puede darse mediante simple "denuncia", que supone la puesta en conocimiento del Fiscal de los hechos y puede proceder de distintas fuentes (por ejemplo, particulares, policía, testimonios de los juzgados...) o "querella", que tiene lugar cuando las personas directamente ofendidas por el delito, sus padres, herederos o representantes legales (caso de ser menores de edad o incapaces) además de instar la iniciación del procedimiento dando cuenta de tales hechos, se constituyen en parte acusadora.

No en todos los casos, sin embargo, se incoa expediente de reforma existiendo una fase previa que tiene por objeto la valoración de la verosimilitud de la denuncia y la realización de las comprobaciones mínimas necesarias para decidir la apertura. Esta fase se conoce como "diligencias preliminares", denominación que no viene recogida en la LO 5/00 pero que ha sido acogida por la Fiscalía General del Estado. Las diligencias preliminares constituyen el momento inicial del proceso y no deben dilatarse más allá de lo necesario puesto que la investigación propiamente dicha debe realizarse en el expediente de reforma. Existen una serie de casos en los que tales diligencias concluyen sin la apertura de expediente, tales son:

- Cuando carece manifiestamente de objeto. Son los casos en que el hecho no es constitutivo de infracción penal, cuando los hechos denunciados son manifiestamente falsos, cuando la responsabilidad penal se ha extinguido (por muerte del menor, prescripción de la infracción o perdón del ofendido en los casos en los que la ley así lo prevé) o por concurrir una causa de exención de la responsabilidad criminal (así, por ejemplo, en los casos de delitos patrimoniales sin violencia ni intimidación, los parientes a los que se refiere el artículo 268 del Código Penal).

- Cuando el partícipe no sea mayor de 14 o menor de 18 años en el momento de la comisión de los hechos. Si es menor de esa edad, sólo cabe la aplicación de las normas generales de protección de menores. Si es mayor, deben remitirse las actuaciones al Juzgado de Instrucción correspondiente.

- Cuando la ley exige requisitos de procedibilidad para su persecución y estos no concurren (por ejemplo, el requisito de denuncia del ofendido en determinados delitos, como las agresiones sexuales, o en faltas como las de amenazas o injurias leves).

- Cuando claramente se aprecie que no puede determinarse la participación del/la menor en los hechos o la realidad de los mismos y no puedan practicarse otras diligencias de investigación (que exigirían la incoación de expediente) para su comprobación, dando lugar al sobreseimiento provisional.

- Por último, la ley permite al Fiscal no incoar el expediente por razones de oportunidad reguladas en su artículo 18. Las condiciones son que se trate de delitos menos graves sin violencia o intimidación en las personas o faltas y que, además, el menor no haya cometido con anterioridad otros hechos de la misma naturaleza.

6.2. Expedientes

6.2.1. Fase de Instrucción. Medidas de aseguramiento del proceso.

La instrucción tiene por objeto determinar las circunstancias del hecho y la participación del menor en los mismos mediante las correspondientes diligencias de investigación y, asimismo, obtener un conocimiento de la situación psicológica, educativa, del entorno social y familiar y de cualquier otra circunstancia relevante del menor que permitan concretar cuáles son las medidas adecuadas.

Las diligencias las practicará el Fiscal aunque los letrados de la defensa y las partes acusadoras también pueden solicitarlas, decidiendo el Fiscal sobre su admisión. La ley exige que se dé vista del expediente a las partes pero, de forma excepcional, permite al Fiscal solicitar al Juez que declare el secreto del expediente para éstas cuando existan importantes razones para temer que el menor o personas allegadas puedan ocultar elementos de prueba. Tal medida tiene un máximo temporal, debe finalizar cuando las razones para su interposición hayan cesado y, en todo caso, con anterioridad al trámite de escrito de alegaciones de las partes.

La norma establece una serie de garantías procesales para el/la menor entre las que se encuentran el derecho a ser informado de sus derechos, la asistencia de abogado (bien particular o bien de oficio), la intervención en las diligencias que se practiquen y, como ya señalamos con anterioridad, su proposición, la audiencia del Juez de Menores previa a la adopción de cualquier resolución que pueda afectarle personalmente, la asistencia afectiva y psicológica con la presencia de los padres o de otra persona que indique el menor y la asistencia del Equipo Técnico.

El Fiscal no puede practicar diligencias de prueba restrictivas de derechos fundamentales (por ejemplo, la entrada y registro en el domicilio, intervención de comunicaciones o actuaciones que supongan injerencias en el derecho a la integridad o intimidad de las personas como lo son determinadas exploraciones corporales). En estos casos debe dirigirse al Juez solicitando su práctica. El Juez las acordará o denegará mediante resolución razonada.

Las diligencias concretas dependen de cada caso (testigos, documentos, dictamen de peritos sobre aspectos como identidad de huellas, falsedad de documentos....). Preceptivamente el Fiscal tiene que requerir al Equipo Técnico la emisión de informe sobre la situación psicosocial del menor o la actualización de los existentes por imperativo del artículo 27. Como regla general, debe realizarse la exploración del menor asistido de su representante legal y de su letrado/a bien en sede policial o bien por el propio Fiscal, aunque, de forma excepcional, puede prescindirse de ello en los casos de infracciones menores con el objeto de no dilatar innecesariamente la investigación y evitar la detención del menor en los casos de incomparecencia, como señala la Fiscalía General del Estado.

Al igual que en el proceso de adultos, los menores pueden ser detenidos si concurren las causas legales para ello, conforme a los artículos 489 y siguientes de la Ley de Enjuiciamiento Criminal. No obstante, la LO 5/00 establece una serie de garantías adicionales como son la notificación inmediata de la misma a los representantes legales y al Ministerio Fiscal, la custodia en dependencias adecuadas y separadas de las de adultos y la existencia de un plazo más corto para la puesta a disposición judicial (48 horas en vez de las 72 que se establecen para los adultos).

El Fiscal puede acordar la libertad dentro de este plazo o, si estima que existe riesgo de fuga, o de que el menor puede ocultar pruebas u obstruir de otra forma el curso del proceso o de que pueda reiterar su conducta delictiva, solicitar del Juez la adopción de medidas cautelares. Para su adopción, el Juez deberá razonar la existencia de indicios de la participación del/la menor en el hecho y concretar la existencia de los riesgos precitados de no concretarse la medida. Su adopción exige la celebración de una comparecencia en la que deben ser oídos el Ministerio Fiscal, la acusación particular (si la hay), el/la letrado/a del menor, las demás partes personadas, el/la representante del Equipo Técnico y el/la de la entidad pública. El catálogo de medidas cautelares es más reducido que el catálogo general de medidas y se concreta en la posibilidad de internamiento por un máximo de 6 meses, excepcionalmente prorrogables por otros tres, o en la adopción de un régimen de libertad vigilada o en la prohibición de aproximación o comunicación con la víctima o con sus familiares o la convivencia con otra persona, familia o grupo educativo. La ley establece una previsión específica en los casos de exención de la responsabilidad criminal por anomalía o alteración psíquica, dependencia de sustancias o por alteraciones de la percepción al objeto de coordinar las actuaciones con los dispositivos civiles de protección y las normas sobre incapacidad y organización general de la tutela.

Señalar, por último, que junto a la acción penal, puede existir una acción civil destinada a obtener la restitución de los bienes, la reparación del daño o la indemnización de perjuicios materiales o morales, debiendo realizarse las diligencias necesarias para su concreción, siendo posible la adopción de las medidas cautelares.

6.2.2. Fase intermedia

Aunque esta distinción no se recoge en los textos legales, la doctrina procesal identifica esta fase como el momento que abarca desde la conclusión de la instrucción hasta la apertura de la fase de juicio oral que en el ámbito de los menores se denomina audiencia. Su sentido radica en determinar si concurren o no los requisitos para la mencionada apertura.

Una vez el Fiscal ha finalizado la instrucción, debe dictar una resolución (*Decreto*) que así lo acuerde, remitiendo el expediente junto con las piezas de convicción y restantes efectos al Juzgado de menores y remitiendo, en principio, un escrito (*escrito de alegaciones*) en el que figurará una descripción sucinta de los hechos, su calificación a efectos penales, el grado de participación del menor, una breve reseña de las circunstancias psicosociales de éste, la proposición de medidas que estime adecuadas y, en su caso, la petición de responsabilidad civil. En el mismo escrito propondrá las pruebas de que intente valerse.

El Fiscal puede también solicitar el sobreseimiento provisional (por no resultar debidamente justificada la perpetración del delito o no haber motivos suficientes para entender que el/la menor ha participado en su comisión) o definitivo (cuando no existan indicios racionales de haberse perpetrado el hecho o éste no sea constitutivo de infracción penal o aparezcan causas de exención en los partícipes).

Además de este tipo de sobreseimientos, la LO 5/00 regula, para el ámbito de los menores, varias posibilidades de desistimiento en los artículos 19 y 27 de la misma. Se trata de los casos de conciliación (cuando el menor reconoce el daño causado, se disculpa ante la víctima y se acepta) y reparación (compromiso –y realización posterior– asumido por el menor con la víctima o perjudicado de realizar determinadas acciones en su beneficio o en el de la comunidad). Además de estos, el Equipo Técnico puede proponer el desistimiento en los casos en que no resulte conveniente al interés del menor la continuación por haber sido expresado suficientemente el reproche social que merece su conducta o porque es inadecuado para su interés cualquier intervención habida cuenta del tiempo transcurrido desde la comisión de la infracción. Todos estos casos sólo pueden darse cuando los hechos sean constitutivos de delitos menos graves o de falta y se valora especialmente la ausencia de violencia o intimidación graves.

Realizado dicho trámite por el Fiscal, las partes emiten sus escritos de alegaciones proponiendo las pruebas que estiman oportunas. Si los escritos de alegaciones no contienen medida de internamiento (cualquiera que sea su modalidad) y hubiere conformidad del/la menor y de su letrado/a se dicta, previa comparecencia, sentencia de conformidad. En otro caso, puede dictar las siguientes resoluciones:

- La remisión de las actuaciones al Juzgado competente, si el expedientado era mayor de edad a la fecha de los hechos.
- Acordar la práctica de las diligencias que hubieran sido denegadas por el Fiscal durante la instrucción y que no puedan practicarse en el acto de la audiencia.
- El sobreseimiento de las actuaciones
- La apertura de la audiencia

6.2.3. Audiencia

La Audiencia (juicio oral en el procedimiento de mayores) es la fase más importante del proceso. El acto se realiza bajo los principios de oralidad (es un acto presencial que evita fases escritas), concentración (en una o varias sesiones), inmediación (en presencia del Juez) y publicidad. Este último principio sufre matizaciones dado que el Juez puede acordar, tanto en interés del/la menor expedientada como de la víctima, que las sesiones no sean públicas, no permitiéndose en ningún caso que los medios de comunicación obtengan o difundan imágenes del menor ni datos que permitan su identificación. La ley respeta el derecho del menor a la confidencialidad, estando prohibida la difusión de los datos personales o del expediente, en los términos que establezca el Juez de Menores.

Se inicia informando al menor, en lenguaje claro y comprensible adaptado a su edad, de los hechos que se le atribuyen y de las medidas y responsabilidad penal que se le exige. Posteriormente se le pregunta si se declara autor de los hechos, abriéndose la posibilidad de llegar a una conformidad que, normalmente, se negocia previamente a la apertura del acto. Puede existir sólo conformidad con los aspectos penales y no con los civiles, limitándose la audiencia a estos extremos.

Si no existiera conformidad, primeramente se abre un turno de intervenciones para que manifiesten los que tengan por conveniente sobre la práctica de nuevas pruebas, sobre la vulneración de algún derecho fundamental durante la tramitación del procedimiento o sobre la calificación jurídica de los hechos o la medida propuesta.

Finalizado este turno, se inicia la práctica de la prueba y, tras ésta, se emiten los informes orales del Equipo Técnico, del Fiscal y partes acusadoras y de la defensa del menor.

Finalmente, el/la menor tiene el derecho a la última palabra, concluyendo el acto declarando el Juez que el expediente queda visto para sentencia.

Sólo destacar que, en el ámbito de la Justicia de Menores, como en la de adultos, rigen las normas de protección de testigos y peritos en causas penales.

6.2.4. Sentencia

Finalizada la Audiencia, el Juez tiene un plazo para dictar resolución sobre el asunto. La sentencia tiene unos requisitos de forma y en la misma deben figurar los hechos que estima probados y las pruebas que la fundamentan, expresando el razonamiento que le ha llevado a adoptar esa decisión. La ley exige que ese razonamiento se procure expresar en un lenguaje claro y comprensible para la edad del menor.

Si la sentencia no es absolutoria, debe resolver sobre la medida o medidas propuestas, con indicación expresa de su contenido, duración y objetivos a alcanzar. También debe pronunciarse respecto de la responsabilidad civil.

Contra la sentencia dictada por el Juez de Menores cabe recurso ante la Audiencia Provincial.

En lo que concierne a la responsabilidad penal, el Juez se encuentra vinculado por el "principio acusatorio", es decir, no puede imponer una medida que suponga mayor restricción de derechos ni por un tiempo superior a la solicitada por el Ministerio Fiscal o la acusación particular. El contenido y objetivos de las medidas serán objeto de análisis en epígrafes sucesivos. Podemos establecer el siguiente esquema legal en cuanto a lo que a la duración de las medidas se refiere:

Actualmente se establece la siguiente distinción (artículos 9 y 10 de la Ley):

- *Criterio general* (artículo 7 n° 3 y 4): Para la elección de la medida o medidas adecuadas se deberá atender de modo flexible, no sólo a la prueba y valoración jurídica de los hechos, sino especialmente a la edad, las circunstancias familiares y sociales, la personalidad y el interés del menor. El Juez podrá imponer al menor una o varias medidas de las previstas en esta Ley con independencia de que se trate de uno o más hechos; pero, en ningún caso, se impondrá a un menor en una misma resolución más de una medida de la misma clase.

- *Faltas*: sólo se podrá imponer las medidas de libertad vigilada hasta un máximo de 6 meses, amonestación, permanencia de fin de semana hasta un máximo de 4 fines de semana, prestaciones en beneficio de la comunidad hasta 50 horas, privación del permiso de conducir o de otras licencias administrativas hasta 1 año, la prohibición de aproximarse o comunicarse con la víctima o con aquellos de sus familiares u otras personas que determine el Juez hasta seis meses, y la realización de tareas socio-educativas hasta seis meses.

- *Delitos*:

  - Regla general (artículo 9): La duración de las medidas no podrá exceder de 2 años, computándose, en su caso, a estos efectos el tiempo ya cumplido por el menor en medida cautelar. La medida de prestaciones en beneficio de la comunidad no podrá superar las 100 horas. La medida de permanencia de fin de semana no podrá superar los 8 fines de semana.

- Reglas especiales por razón del tipo de infracción (artículo 10):

  a) En los casos de delitos graves o delitos menos graves en cuya ejecución se haya empleado violencia o intimidación en las personas o se haya generado grave riesgo para la vida o la integridad física de las mismas o en los que se cometan en grupo o el menor perteneciere o actuare al servicio de una banda, organización o asociación, incluso de carácter transitorio, que se dedicare a la realización de tales actividades. Se distinguen dos tramos de edad:

  - 14-15 años: la medida podrá alcanzar 3 años de duración. Si se trata de prestaciones en beneficio de la comunidad, dicho máximo será de 150 horas, y de 12 fines de semana si la medida impuesta fuere la de permanencia de fin de semana.

  - 16-17 años: la duración máxima de la medida será de 6 años; o, en sus respectivos casos, de 200 horas de prestaciones en beneficio de la comunidad o permanencia de 16 fines de semana. En este supuesto, cuando el hecho revista extrema gravedad, el Juez deberá imponer una medida de internamiento en régimen cerrado de 1 a 6 años, complementada sucesivamente con otra medida de libertad vigilada con asistencia educativa hasta un máximo de 5 años.

  b) Cuando el hecho sea constitutivo de alguno de los delitos tipificados en los arts. 138 (homicidio), 139 (asesinato), 179 (violación), 180 (agresiones sexuales agravadas) y 571 a 580 del Código Penal (delitos de terrorismo, en este último caso, además, se impone una medida de inhabilitación absoluta por un tiempo superior entre cuatro y quince años al de la duración de la medida de internamiento en régimen cerrado impuesta), o de cualquier otro delito que tenga señalada en dicho Código o en las leyes penales especiales pena de prisión igual o superior a quince años, el Juez debe imponer las medidas siguientes, distinguiendo también dos tramos de edad:

  - 14-15 años: una medida de internamiento en régimen cerrado de 1 a 5 años de duración, complementada en su caso por otra medida de libertad vigilada de hasta 3 años.

  - 16-17 años: una medida de internamiento en régimen cerrado de 1 a 8 años de duración, complementada en su caso por otra de libertad vigilada con asistencia educativa de hasta 5 años.

- Reglas especiales para los casos concurso de infracciones o delito continuado (artículo 11):

  Los límites máximos establecidos en el artículo 9 y en el apartado 1 del artículo 10 serán aplicables, con arreglo a los criterios establecidos en el artículo 7, apartados 3 y 4, aunque el menor fuere responsable de dos o más infracciones, en el caso de que éstas sean conexas o se trate de una infracción continuada, así como cuando un sólo hecho constituya dos o más infracciones. No obstante, en estos casos, el Juez, para determinar la medida o medidas a imponer, así como su duración, deberá tener en cuenta, además del interés del menor, la naturaleza y el número de las infracciones, tomando como referencia la más grave de todas ellas.

Cuando alguno o algunos de los hechos a los que se refiere el apartado anterior fueren de los mencionados en el art. 10.2 de esta Ley, la medida de internamiento en régimen cerrado podrá alcanzar una duración máxima de diez años para los mayores de dieciséis años y de seis años para los menores de esa edad, sin perjuicio de la medida de libertad vigilada que, de forma complementaria, corresponda imponer con arreglo a dicho artículo.

Existen reglas especiales para el caso de imposición de medidas de la misma naturaleza en diferentes resoluciones judiciales que veremos al analizar las reglas de la refundición en la ejecución de sentencia.

- Reglas especiales para las medidas privativas de libertad

    No pueden exceder (tanto la medida de internamiento en sus distintas modalidades como la permanencia de fin de semana), en ningún caso, del tiempo que hubiera durado la pena privativa de libertad que se le hubiere impuesto por el mismo hecho, si el sujeto, de haber sido mayor de edad, hubiera sido declarado responsable, de acuerdo con el Código Penal (artículo 8)

    La medida de internamiento constará de dos períodos: el primero se llevará a cabo en el centro correspondiente y el segundo se llevará a cabo en régimen de libertad vigilada, no pudiendo exceder su duración de la prevista en los artículos 9 y 10.

La medida de internamiento en régimen cerrado sólo podrá ser aplicable cuando: a) Los hechos estén tipificados como delito grave por el Código Penal o las leyes penales especiales. b) Tratándose de hechos tipificados como delito menos grave, en su ejecución se haya empleado violencia o intimidación en las personas o se haya generado grave riesgo para la vida o la integridad física de las mismas. c) Los hechos tipificados como delito se cometan en grupo o el menor perteneciere o actuare al servicio de una banda, organización o asociación, incluso de carácter transitorio, que se dedicare a la realización de tales actividades.

Las acciones u omisiones imprudentes no podrán ser sancionadas con medidas de internamiento en régimen cerrado.

La medida de internamiento en régimen cerrado es susceptible de cumplimiento en centro penitenciario, conforme al régimen general establecido en la Ley General Penitenciaria (artículo 14):

- Facultativamente cuando el menor alcance los 18 años sin haber finalizado su cumplimiento y no responda a los objetivos propuestos en la sentencia

- Como regla general si ha cumplido los 21 sin haber finalizado su cumplimiento o cuando sean impuestas a quien haya alcanzado esta edad. Permite la excepción de modificación de la medida, archivo o permanencia en el centro si el menor ha respondido a los objetivos propuestos en la sentencia.

- Imperativamente si antes de la ejecución de la medida ha cumplido, total o parcialmente, pena de prisión o medida de internamiento en centro penitenciario.

7. La ejecución

7.1. Introducción

Si la sentencia no fue recurrida o una vez resueltos los recursos, si estos fueron interpuestos, el Juez debe declarar la firmeza de la sentencia. Una vez declarada firme, sus pronunciamientos deben llevarse a efecto. La ejecución está sometida al "principio de legalidad" lo que conlleva que sólo puede realizarse en la forma prescrita por la Ley y sus reglamentos de desarrollo.

La competencia para la ejecución de las medidas adoptadas por los Jueces de Menores corresponde a las Comunidades Autónomas y a las Ciudades de Ceuta y Melilla del lugar donde se ubiquen que llevarán a cabo, conforme a sus propias normas de organización, la creación, dirección, organización y gestión de los servicios, instituciones y programas adecuados. La norma permite el establecimiento de convenios o acuerdos de colaboración con otras entidades, públicas o privadas sin ánimo de lucro.

De la norma anterior se exceptúan los delitos de terrorismo, competencia del Juzgado Central de Menores de la Audiencia Nacional cuya ejecución compete al Estado que puede establecer convenios con las Comunidades Autónomas y las ciudades de Ceuta y Melilla.

No obstante existen algunas medidas cuya ejecución no precisa de la intervención de las Comunidades Autónomas. Tales son la amonestación (que se lleva a cabo directamente por el Juez de Menores), las medidas de privación del permiso de conducir ciclomotores o vehículos a motor o del derecho a obtenerlo, o de las licencias administrativas para caza o para cualquier tipo de armas y la inhabilitación absoluta.

Dado que en epígrafes siguientes se va a tratar del contenido concreto de las medidas, en este apartado nos vamos a centrar en los aspectos propiamente judiciales.

7.2. La suspensión de la ejecución del fallo

De forma paralela a la de la justicia de adultos en donde se regula la posibilidad de suspensión de la ejecución de las penas privativas de libertad, en la Justicia de Menores se regula una institución semejante pero más amplia: la suspensión de la ejecución del fallo. Ésta puede acordarse en la propia sentencia o por auto motivado cuando aquella sea firme.

Para que pueda otorgarse este beneficio, las medidas no pueden ser superiores a dos años de duración, aunque la norma exceptúa los delitos de especial gravedad (homicidio, asesinato, agresiones sexuales de los artículos 179 y 180 del Código Penal, delitos de terrorismo o delitos que tengan señalada pena de prisión igual o superior a 15 años cometidos por menores con edad de 16 ó 17 años) donde no se permite hacer uso de esta facultad hasta que haya transcurrido, al menos, la mitad de la medida de internamiento impuesta. La suspensión tiene un plazo de duración determinado que no puede exceder de dos años.

Las condiciones que deben cumplirse son:

- Que durante el tiempo que dure la suspensión, el que ha obtenido el beneficio no sea condenado en sentencia firme por delito (si ha alcanzado la mayoría de edad) o no le sea aplicada medida en sentencia firme en procedimiento regulado por la Ley de Responsabilidad Penal de los Menores.
- Que asuma el compromiso de mostrar una actitud y disposición de reintegrarse a la sociedad, no incurriendo en nuevas infracciones.
- El Juez puede también condicionar la suspensión a un régimen de libertad vigilada durante su plazo de duración o a la obligación de realizar una actividad socioeducativa que puede vincularse al compromiso de participación de los padres, tutores o guardadores del menor.

Si las condiciones no se cumplieran por el que ha obtenido el beneficio, el Juez alzará la suspensión y la sentencia se procederá a ejecutar en todos sus extremos.

7.3. Control judicial de la ejecución

Aunque la competencia para la ejecución es administrativa, el control de ésta se realiza por el Juez de Menores que haya dictado la sentencia correspondiente, resolviendo las incidencias que puedan surgir durante su transcurso. Corresponden especialmente al Juez de Menores las funciones siguientes:

a) Adoptar todas las decisiones que sean necesarias para proceder a la ejecución efectiva de las medidas impuestas.
b) Resolver las propuestas de revisión de las medidas.
c) Aprobar los programas de ejecución de las medidas.
d) Conocer de la evolución de los menores durante el cumplimiento de las medidas a través de los informes de seguimiento de las mismas.
e) Resolver los recursos que se interpongan contra las resoluciones dictadas para la ejecución de las medidas.
f) Acordar lo que proceda en relación a las peticiones o quejas que puedan plantear los menores sancionados sobre el régimen, el tratamiento o cualquier otra circunstancia que pueda afectar a sus derechos fundamentales.
g) Realizar regularmente visitas a los centros y entrevistas con los menores.
h) Formular a la entidad pública de protección o reforma de menores correspondiente las propuestas y recomendaciones que considere oportunas en relación con la organización y el régimen de ejecución de las medidas.
i) Resolver los recursos que se interpongan por los menores internados en relación con el régimen disciplinario.

7.4. Expediente de ejecución

Firme la sentencia y aprobado el programa de ejecución, el secretario del Juzgado de Menores practicará la liquidación de la medida indicando las fechas de inicio y terminación, abonando el tiempo cumplido en medida cautelar si lo hubiere. Al mismo tiempo se abre un expediente de ejecución en el que se hacen constar las incidencias que se produzcan en el desarrollo de la misma.

Si se hubieran impuesto al menor varias medidas en la misma sentencia y no es posible su cumplimiento simultáneo, éste se realizará de forma sucesiva.

Si se diera el supuesto de que existen otras medidas firmes en ejecución, pendientes de ejecución o suspendidas impuestas al mismo menor por otros jueces de menores en anteriores sentencias, debe remitirse testimonio al Juez que haya dictado la primera sentencia firme que será competente para la ejecución de todas. Si se hubieran impuesto al menor en diferentes resoluciones judiciales dos o más medidas de la misma naturaleza, el Juez competente de la ejecución, previa audiencia del menor, refundirá dichas medidas en una sola, sumando la duración de las mismas, hasta el límite del doble de la más grave de las refundidas (artículo 47.2).

Cuando las medidas de distinta naturaleza, impuestas directamente o resultantes de la refundición anteriormente señalada, hubieren de ejecutarse de manera sucesiva, se atenderá a los siguientes criterios:

a) La medida de internamiento terapéutico se ejecutará con preferencia a cualquier otra.
b) La medida de internamiento en régimen cerrado se ejecutará con preferencia al resto de las medidas de internamiento.
c) La medida de internamiento se cumplirá antes que las no privativas de libertad, y en su caso interrumpirá la ejecución de éstas.
d) Las medidas de libertad vigilada contempladas en el art. 10 se ejecutarán una vez finalizado el internamiento en régimen cerrado que se prevé en el mismo artículo.
e) En atención al interés del menor, el Juez puede acordar motivadamente la alteración en el orden de cumplimiento previsto en las reglas anteriores.

Cuando una persona que se encuentre cumpliendo medidas impuestas por hechos cometidos cuando era menor de edad sea condenada a una pena o medida de seguridad prevista en el Código Penal o en leyes penales especiales, se ejecutarán simultáneamente aquéllas y éstas si fuera materialmente posible. Si no fuera posible la ejecución simultánea, se cumplirá la sanción penal, quedando sin efecto la medida o medidas impuestas en aplicación de la Ley de Responsabilidad Penal del Menor, salvo que se trate de una medida de internamiento y la pena impuesta sea de prisión y deba efectivamente ejecutarse. En este último caso, la medida de internamiento terminará de cumplirse en el centro penitenciario y una vez cumplida se ejecutará la pena.

7.5. Sustitución de las medidas

A diferencia del proceso de adultos, la ley establece un régimen flexible de modificación, sustitución e incluso supresión de las medidas. El Juez puede, en cualquier momento y por auto motivado, dejar sin efecto la medida impuesta, reducir su duración o sustituirla por otra, siempre que la modificación redunde en el interés del menor y se exprese suficientemente a éste el reproche merecido por su conducta. La sustitución se realizará por otra que se estime más adecuada de entre las previstas en la Ley, por tiempo igual o inferior al que reste para su cumplimiento, siempre que la nueva medida pudiera haber sido impuesta inicialmente atendiendo a la infracción cometida.

Cuando el Juez de Menores haya sustituido la medida de internamiento en régimen cerrado por la de internamiento en régimen semiabierto o abierto, y el menor evoluciona desfavorablemente puede dejar sin efecto la sustitución, volviéndose a aplicar la medida sustituida de internamiento en régimen cerrado. Igualmente, si la medida impuesta es la de internamiento en régimen semiabierto y el menor evoluciona desfavorablemente, el Juez de Menores puede sustituirla por la de internamiento en régimen cerrado, cuando el hecho delictivo por la que se impuso sea alguno de los que autorizan su imposición.

La conciliación del menor con la víctima puede dejar sin efecto la medida impuesta cuando el Juez, a propuesta del Ministerio Fiscal o del letrado del menor y oídos el equipo técnico y la representación de la entidad pública de protección o reforma de menores, juzgue que dicho acto y el tiempo de duración de la medida ya cumplido expresan suficientemente el reproche que merecen los hechos cometidos por el menor.

En los casos de menores con 16 ó 17 años de edad que hayan cometido hechos que revistan extrema gravedad (artículo 10.1), sólo podrá hacerse uso de las posibilidades de modificación o sustitución una vez transcurrido el primer año de cumplimiento efectivo de la medida de internamiento. En los casos de delitos que revisten una especial gravedad (artículo 10.2), en la misma franja de edad antedicha, sólo podrá hacerse uso de tales facultades cuando haya transcurrido al menos, la mitad de la duración de la medida de internamiento impuesta.

Por último, señalar que en los casos de quebrantamiento de medida no privativa de libertad, el Ministerio Fiscal puede instar del Juez de Menores la sustitución de aquélla por otra de la misma naturaleza. Excepcionalmente, y a propuesta del Ministerio Fiscal, oídos el letrado y el representante legal del menor, así como el equipo técnico, el Juez de Menores puede sustituir la medida por otra de internamiento en centro semiabierto, por el tiempo que reste para su cumplimiento.

Si el menor quebranta una medida privativa de libertad, se procede a su reingreso en el mismo centro del que se hubiera evadido o en otro adecuado a sus condiciones, o, en caso de permanencia de fin de semana, en su domicilio, a fin de cumplir de manera ininterrumpida el tiempo pendiente. Como en el caso anterior, el quebrantamiento no supone la aplicación automática de un régimen de sustitución o modificación, sino que se rige por las normas generales anteriormente expuestas. Todo lo anterior se entiende sin perjuicio de deducir testimonio por la comisión del correspondiente delito.

¿QUÉ LLEVA A QUE UNA PERSONA SE IMPLIQUE EN ACTIVIDADES DELICTIVAS?

En: VV.AA. (2011) *Nuevas perspectivas de intervención con menores infractores*. Madrid. Ministerio de Educación, política social y deporte. Cursos en la modalidad de teleformación en Familia e infancia.

Madrid: Ministerio de educación, política social y deporte

La respuesta supone comprender las variables ambientales y personales que establecen una tendencia o disposición a un estilo de vida antisocial. Sin la tarea previa de clarificar estos factores, los programas de tratamiento carecerán de rigor y efectividad, ya que no estarán basados en los correlatos (o "causas", en un sentido amplio) del delito.

Se han señalado diversos factores de riesgo que incrementan la propensión de un joven hacia la delincuencia. Un factor de riesgo es aquel que, si se halla presente, incrementa la probabilidad de que un niño desarrolle un trastorno emocional o de conducta en comparación con los niños de la población general. Por ejemplo, un niño "en riesgo" podría provenir de un hogar marginal, con unos padres que son negligentes en su trato o que incluso abusan de él, con pocos vínculos sociales, que tiene fuertes lazos con amigos antisociales, y que vive en un barrio donde hay índices elevados de violencia.

Ahora bien, ciertamente no todos los niños que están expuestos a estas condiciones desarrollarán una actividad delictiva. La presencia de factores de protección puede compensar la influencia negativa de los factores de riesgo. Los factores de protección son atributos de personas, ambientes, situaciones y acontecimientos que actúan moderando las predicciones de resultados patológicos de niños calificados "en riesgo". Así, los factores de protección proporcionan una "resistencia" ante los factores de riesgo, fomentando patrones de conducta adaptados y competentes (Rutter, 1990). Ejemplos de estos factores son confianza en uno mismo, buenas habilidades sociales, cohesión familiar, identificación con un modelo adulto prosocial y una buena red de fuentes informales de apoyo social a través de amigos, la familia extensa, vecinos y profesores. Más adelante nos volveremos a ocupar de los factores de protección.

Ningún factor, tomado de manera aislada, justifica la conducta delictiva o violenta. La comprensión científica de los patrones sociales requiere una visión holística e integrada de la persona a lo largo del tiempo. Así, una perspectiva que contemple el desarrollo de la carrera delictiva ha de señalar que los factores que influencian las conductas sociales se funden y mezclan en ese desarrollo: los menores agresivos son impopulares y rechazados por sus compañeros; consecuentemente, tienden a asociarse con compañeros que están igualmente al margen de los grupos bien integrados, y una vez entra un miembro nuevo en estos grupos empiezan a operar procesos recíprocos que llevan a conductas más homogéneas, incluyendo las actividades delictivas. Entonces se produce una transmisión de valores y un contagio de los problemas sociales. De este modo se refuerzan actitudes y conductas antisociales por la situación o el ambiente dentro del cual se halla metido el joven.

2. FACTORES DE RIESGO

2.1. Factores individuales

Aunque la moderna investigación en la neurociencia parece resucitar viejos fantasmas, lo cierto es que se ha avanzado mucho desde el siglo XIX, cuando los frenólogos (liderados por Gall y Spurzheim) establecieron que la forma del cráneo reflejaba las actitudes, capacidades y conductas de la gente. En los años finales de ese siglo, el criminólogo italiano Lombroso señaló que la criminalidad se transmitía genéticamente, y que los delincuentes podían ser reconocidos por ciertos aspectos físicos, como unas orejas prominentes o una frente sobresaliendo de los ojos.

Ahora bien, la ingenuidad de esos planteamientos no ha quitado valor al estudio de los correlatos biológicos de la conducta delictiva, una vez superada la suspicacia con la que se los consideró en los treinta años siguientes al fin de la segunda guerra mundial, cuando la herencia biologicista del nazismo hacía sospechoso cualquier estudio que no señalara su fe inequívoca con la causalidad absoluta del ambientalismo. En la actualidad, se ha señalado con rigor la influencia de variables genéticas y biológicas en la conducta delictiva (es necesario recordar que una "causa" biológica no ha de tener origen genético; una lesión cerebral es algo biológico, pero su origen puede ser un accidente de tráfico, por ejemplo).

Otro ejemplo de causa biológica de origen ambiental son las dificultades perinatales. Un estudio de Brenann, Mednick y Kandel halló que el 80% de los delincuentes reincidentes violentos en su muestra de estudio tenía diversas complicaciones en el momento de dar a la luz sus madres. Una de las dificultades durante el parto más estudiadas ha sido la lesión en la cabeza. En un clásico estudio realizado por Dorothy Lewis y sus colegas con 21 niños homicidas, los autores hallaron que el 79% de ellos presentaban lesiones en la cabeza y otras complicaciones surgidas durante el parto. También hallaron que el 48% tenía una historia de ataques epilépticos. Su conclusión fue que los jóvenes homicidas tenían una disfunción en el sistema nervioso central, la cual, combinada con una vulnerabilidad a la psicosis, contribuía de modo significativo a explicar sus actividades criminales.

Algunos investigadores, acudiendo a la moderna tecnología de la neuroimagen, han estudiado diversos tipos específicos de daño cerebral que podrían ser relevantes en la comprensión de la etiología de la conducta violenta, mientras que otros se han ocupado no de las lesiones, sino del posible funcionamiento anómalo o peculiar del cerebro en la captación e interpretación de los estímulos del ambiente. Robert Hare, por ejemplo, ha demostrado que los delincuentes violentos con un diagnóstico de psicopatía parece que procesan la información emocional de un modo diferente a los no psicópatas. En su investigación, los psicópatas conocen el significado de todas las palabras que se les presenta, pero parecen no reconocer el diferente significado emocional que contienen. De este modo, su cerebro podría estar funcionando de modo diferente, lo que llevaría a respuestas interpersonales crueles y violentas.

Además del funcionamiento cerebral, la investigación moderna ha dedicado mucho tiempo al análisis del temperamento del niño como indicador de una disposición general individual hacia la violencia o la transgresión. El temperamento es la expresión con la que definimos el sustrato biológico, determinado en buena medida genéticamente, de la personalidad. La importancia del temperamento se comprende fácilmente si entendemos que, por ejemplo, dos de las variables ambientales más significativas en la causalidad de la violencia como son las conductas educativas de los padres y el rechazo de los amigos prosociales, no son sino una parte de un sistema transaccional dinámico en el cual están interrelacionados los factores biológicos, psicológicos y sociológicos. Y así, hoy en día sabemos que el estilo educativo de los padres está parcialmente determinado por las disposiciones conductuales (temperamento) de los hijos: queremos decir que el modo en que un niño responde a las conductas de sus padres va a influir de un modo poderoso en las interacciones futuras de esos padres con su hijo. Por ejemplo, un niño con un temperamento irritable puede responder de modo agresivo a los intentos de disciplinarle de su madre, a lo que ésta puede reaccionar con una conducta más coercitiva. Cuando el niño responde con sumisión y abierta rebelión, en diversas ocasiones, a esos intentos de educar apoyándose de modo extenso en técnicas basadas en el castigo, tenemos lo que Patterson llama una "espiral de la coacción", que se constituye en un factor de riesgo importante de delincuencia en la infancia.

Se han señalado otros factores de riesgo individual biológicos como una baja tasa cardíaca, que viene a representar una dificultad en el niño para condicionar las respuestas de miedo y ansiedad frente al castigo, lo que dificultaría su socialización (ya que ésta pasa por la capacidad que tienen los chicos de evitar las transgresiones por el miedo a perder la aprobación de sus padres). Otro factor de riesgo importante es el síndrome de trastorno de la atención con hiperactividad (TDAH), especialmente si se combina con el diagnóstico de trastorno de conducta o trastorno disocial. El TDAH se vincularía con la delincuencia porque estorba el aprendizaje en la escuela y el seguimiento de las normas, dado que estos niños presentan serias limitaciones a la hora de atender a las instrucciones y de poder reflexionar antes de actuar. Por su parte, el trastorno disocial es una categoría diagnóstica que enfatiza una violación frecuente de las normas sociales y los derechos de los demás, con el resultado de que el menor así diagnosticado presenta frecuentes conductas agresivas, robos y actos de vandalismo, conjuntamente con una personalidad basada en la toma voluntaria de riesgos y en la impulsividad.

La inteligencia, de cuya base genética (al menos en el 50% de su variabilidad) nadie duda, es otra variable tradicionalmente relacionada con la delincuencia. La moderna investigación señala que esa relación no es directa, sino mediada por otras dos variables: el fracaso en la escuela y la asociación con compañeros antisociales (ver cuadro 1).

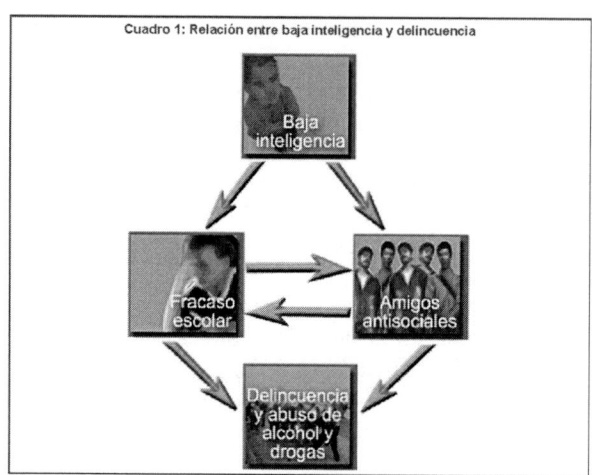

El cuadro 1: Relación entre baja inteligencia y delincuencia

El cuadro 1 muestra que una **baja inteligencia** dificulta el éxito en la escuela, lo que a su vez fomenta en el alumno un deseo de compensar su autoestima en la compañía de chicos que, como él, están al margen del triunfo en los estudios. Ambos factores se alimentan mutuamente: cuanto más se retrase un joven en sus estudios, más tenderá a apoyarse en compañeros que se marginan de la escuela, lo que a su vez producirá unos **resultados académicos peores**. Finalmente, son los **amigos antisociales** y el vivir al margen de la escuela lo que correlacionaría de modo más cercano con la actividad delictiva, y en general con un estilo de vida antisocial, que incluye también el **consumo abusivo de alcohol y de drogas**.

La delincuencia, y en particular la de tipo violento, también se relaciona mucho más con el sexo masculino. Las diferencias en agresión física son aparentes desde una edad muy temprana; las niñas son agresivas de modo más indirecto y emocional, mientras que los niños recurren mucho más a la violencia física. Sin descartar los procesos de socialización diferentes para ambos sexos, es muy lógico suponer que las condiciones hormonales, cromosómicas y neurológicas que existen en forma diversa en ambos sexos marcan también la conducta agresiva desde muy temprana edad

2.2. La influencia de la familia

No debe sorprendernos saber que la familia desempeña un papel determinante a la hora de que sus hijos se impliquen o no en conductas agresivas y delictivas. Después de revisar de modo sistemático los factores que mejor predecían la delincuencia, Loeber y Dishion (1983) concluyeron que los predictores más potentes eran las prácticas educativas de los padres (en particular dos atributos: supervisión y disciplina), los problemas de conducta de los hijos, los antecedentes delictivos de los padres y el rendimiento deficiente de los niños en la escuela.

La importancia del ambiente familiar, con el refuerzo de las conductas adaptadas o desviadas de los hijos, ha sido destacado en muchos análisis teóricos de la delincuencia, pero sin duda los teóricos del aprendizaje social (Bandura, Akers, Patterson y otros muchos) han estado entre los más relevantes, con su énfasis en que es la interacción entre el niño y su ambiente lo que en último extremo va a determinar si un menor se va a implicar o no en una carrera delictiva significativa.

Las variables familiares más relevantes en su correlación con la delincuencia de los hijos son las siguientes: prácticas de disciplina basadas en el castigo, deficiente supervisión del niño dentro y fuera del hogar, mala calidad del vínculo afectivo, criminalidad de los padres, separación de los padres ("hogar roto") e inconsistencia en la disciplina.

Ahora bien, ¿cuál es el mecanismo específico por el que la familia influye en la delincuencia –o no- de sus hijos? Algunos autores señalan que los padres muestran y refuerzan en el niño "guiones" o "esquemas" cognitivos que indican que las cosas han de manejarse de modo agresivo, algo que resulta reforzado a medida que el niño crece, y llega a entronizarse como un modelo general de respuesta ante el ambiente.

Además de que estas familias presenten de modo obvio o de modo más sutil la aprobación y modelado de conductas de agresión, otras cualidades han venido a anotarse en los estudios criminológicos que versan sobre la familia en los últimos años: los padres suelen estar en conflicto permanente, no es infrecuente el abuso de alcohol o drogas, la promiscuidad sexual y la negligencia en la atención a los hijos.

En particular hoy sabemos que ser objeto de violencia por parte de los padres, o ser testigo de ella (violencia conyugal), es un claro factor de riesgo para que los hijos sean luego delincuentes juveniles, así como para que participen luego en esas mismas conductas, cuando sean jóvenes adultos y adultos (es lo que se conoce como "ciclo de abuso" o transmisión intergeneracional de la violencia, una expresión acuñada por Sinclair en 1985). Este hallazgo está plenamente en consonancia con la teoría del aprendizaje social: los niños que viven la violencia en sus casas aprenden que la violencia es un buen método para solucionar los conflictos. Y ello, sin menospreciar los daños emocionales – e incluso neurológicos si los abusos afectan al sistema nervioso- que la violencia tiene sobre el desarrollo del niño, lo que puede generar en ellos sentimientos difíciles de eliminar de rabia y frustración, y un estilo de aprendizaje basado en la impulsividad y en la falta de confianza en uno mismo (al haber aprendido que su vida, desde pequeño, no es nada valorada ni segura, y que lo importante es lo que *sucede ahora,* esto es, lo que puede evitarle sentirse mal o ser maltratado).

Ahora bien, siendo importante toda esta investigación y reflexiones teóricas, no debemos considerar que el "ciclo de la violencia" es la explicación para todo devenir antisocial de un joven. Esto tomó carta de naturaleza a partir de un célebre artículo publicado en 1989 con el título de "¿Lleva la violencia a más violencia?" (*Does violence begets violence?*), en el que Cathy Widom señalaba que la transmisión intergeneracional de la violencia podría cifrarse en un 30% de los casos, algo importante pero sin duda insuficiente para explicar la delincuencia y violencia juveniles sólo desde este planteamiento. Permanece como un hecho diáfano el hecho de que muchos chicos criados en ambientes violentos no se convierten en delincuentes, y de que otros que tuvieron la suerte de tener atmósferas familiares no violentas sí desarrollaron conductas delictivas y antisociales de relieve.

Parte de la respuesta a este hecho se halla en la función de los factores de protección, que veremos luego; otra parte estaría en estudiar modos diferenciales en que los chicos interaccionan con sus padres, de modo tal que ya no se trataría sólo de considerar si determinada variable se halla presente o no en un hogar determinado (por ejemplo, maltrato al niño), sino de evaluar la naturaleza de la relación interpersonal que un niño tiene con su ambiente, y el modo en que diversos factores entran en juego o no a diversas edades.

Cuadro 2
Los dos caminos hacia el delito (Patterson et al)

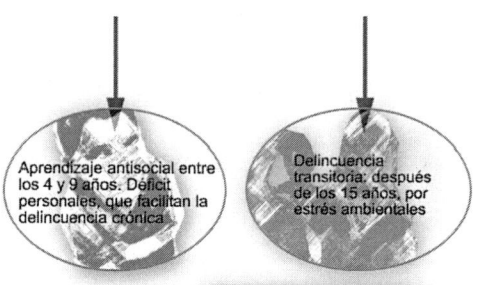

Así, Patterson, De Baryshe y Ramsey (Cuadro 2) describieron el proceso de desarrollo de la actividad delictiva, que se caracterizaría porque desde el comienzo los padres descuidan al niño y lo disciplinan de modo errático, lo que lleva a que éste desarrolle problemas de conducta. En la infancia media sobreviene el rechazo de los compañeros y el fracaso escolar, que posteriormente culmina en los actos delictivos. Sobre este modelo general, los autores describen dos caminos hacia el delito: en el primer tipo, de comienzo temprano, los niños comienzan su "entrenamiento antisocial" muy temprano (en el periodo entre los 4 y los 9 años), lo que se acompaña por déficit en habilidades sociales y como resultado el niño se ve impedido de penetrar con éxito en la atmósfera o ambiente socializador de la escuela y el grupo de amigos. El segundo modelo, conocido como de "comienzo tardío", el chico empieza a delinquir en la adolescencia temprana (a partir de los 15 años), y consiste de jóvenes que parece que responden a estresores ambientales específicos que causan una perturbación en la tarea de supervisión de los hijos que realizan los padres, caso del divorcio, el desempleo, una enfermedad grave y otros. Cono consecuencia, el chico se relaciona con jóvenes que presentan conductas desviadas, y de ahí llega a la delincuencia. Patterson ha señalado que la edad de inicio del proceso de desarrollo de la conducta antisocial es muy importante debido a que determina la magnitud con la que el chico desarrollará un déficit en el aprendizaje de habilidades sociales necesarias para la competencia social.

2.3. Factores cognitivos del desarrollo social

Diversas investigaciones han demostrado que los niños agresivos perciben y reaccionan al mundo de modo diferente a como lo hacen los niños no agresivos. En uno de estos estudios clásicos, Dodge (1991) halló que los niños agresivos suelen juzgar erróneamente las intenciones de los que les rodean, al creer que éstos obran con mala intención, y de igual modo reaccionan con mayor hostilidad. Otros trabajos señalan que estos niños presentan un estilo atribucional consistente en echar la culpa en circunstancias ambiguas a aspectos disposicionales (como el carácter) de los otros.

En esta discusión es importante distinguir entre los menores que reaccionan a claves del ambiente que ellos interpretan como amenazas –niños reactivos ante la agresión- y aquellos otros que emplean la amenaza o la violencia para conseguir sus propósitos –niños proactivos frente a la agresión-. Estos últimos no tendrían por qué presentar estos sesgos atribucionales, pero sí una falta de empatía suficiente que les permitiera dañar o intimidar a los otros para conseguir sus intereses.

¿Cómo desarrollan los niños estos sesgos en su percepción de las intenciones de los otros? Los niños con buena salud psicológica crecen con tres creencias fundamentales: que el mundo es un lugar benévolo, que tiene un significado comprensible y que el propio sujeto es alguien valioso. Si un niño resulta dañado en su desarrollo, por ejemplo a través de malos tratos, tenderá a creer que el mundo no es ese lugar que transmite sentido y seguridad. En vez de esforzarse por ganar la aprobación de los que le rodean, estos niños aprenderán que es un lugar hostil, donde lo importante es sobrevivir.. Por ejemplo, un niño que sufre abuso o un cuidado negligente es probable que tenga problemas a la hora de desarrollar un vínculo seguro con sus padres. En estas circunstancias, desarrollar un sesgo perceptivo hostil sirve al niño para recordarle que no debe fiarse de nadie, y que es mejor estar preparado porque la amenaza y la traición puede estar en cualquier relación. Janoff-Bulman, una de las grandes investigadoras de la psicología de las personas que han sufrido traumas debido a las agresiones de otros, ha señalado que muchas víctimas de abusos en la infancia pueden almacenar un sentimiento de rabia y de impotencia que les puede convertir posteriormente en perpetradores a su vez de nuevos actos violentos, a compañeros de edad o bien cuando son adultos a sus propios hijos o esposas.

Otro de los grandes investigadores del abuso infantil, James Garbarino, ha señalado que una consecuencia de haber sido víctima de abusos es que el niño pierde la confianza básica en la humanidad, y puede desarrollar una incapacidad crónica para establecer relaciones cercanas con la gente. Otros autores han señalado que el sentimiento de vergüenza, una autoestima disminuida y una identidad negativa juegan un rol crucial en el desarrollo de la conducta violenta. A diferencia del sentimiento de culpa, que se deriva de la valoración negativa que realiza el sujeto de una conducta que ha realizado, y que se esfuerza en reparar, el sentimiento de vergüenza implica a la persona en su totalidad, y el resultado no es algo reparable: el sujeto se encuentra humillado. Y la humillación es un sentimiento que genera ganas de desquitarse, una furia que busca restablecer la autoestima mediante la violencia dirigida a quien provocó la humillación o hacia otros. El psicólogo y criminólogo James Giligan ha escrito: "… el motivo psicológico básico, o causa, de la conducta violenta es el deseo de rechazar o eliminar el sentimiento de vergüenza y humillación –un sentimiento que es doloroso, y que incluso puede ser intolerable yaniquilador-y sustituirlo con su opuesto, el sentimiento de orgullo". Para este autor, muchos de los crímenes violentos cometidos por los jóvenes son el resultado de querer proteger el yo de los sentimientos de humillación del que ha sido objeto, atacando a profesores, compañeros de clase u otras personas. Para evitar desarrollar luego sentimientos de culpa, estos jóvenes violentos procederían a negar y racionalizar sus actos. Sus delitos serían formas de sentir un sentimiento de poder y control que les fue negado por un pasado vivido como humillante y lleno de vergüenza.

Para terminar este apartado, es importante comprender qué sucede en la mente de aquellas personas que fueron testigos de violencia en sus casas cuando eran niños, pero que ya de mayores lograron vivir de modo competente, no reproduciendo el ciclo de la violencia. Esto fue justamente lo que estudió Balshaw en 1993, y concluyó que estos hombres *fueron capaces de vivir intencionalmente*. ¿Qué significaba esto? De acuerdo a su trabajo, esto implicaba que estos jóvenes eligieron de forma decidida hacer una contribución positiva al mundo, siendo distintos de sus padres. Estos hombres decidieron relacionarse con gente ajena a sus ambientes de violencia, y para ello emplearon habilidades de relación y atributos personales como capacidad de afrontamiento y un sentido de la espiritualidad para salir adelante.

2.4. Los factores sociales

Son diversos los factores sociales que guardan relación con la delincuencia y la violencia, entre los más importantes hallamos los siguientes: exposición a la violencia en la comunidad; actitudes facilitadoras de la violencia en compañeros de edad y pandillas; prejuicio y discriminación; pobreza y desigualdad económica; acceso a armas y presentación positiva de la violencia en los medios de comunicación social. Aquellos jóvenes que crecen en un ambiente donde el estatus se logra siendo violento, y donde hay pocas esperanzas de sobresalir mediante el esfuerzo y las oportunidades legítimas, tendrán más dificultades para desarrollar un autoconcepto donde quede excluido el crimen y el abuso de drogas. Esto todavía puede ser peor para aquellos que deben de soportar prejuicios y discriminación derivados de su pertenencia a minorías étnicas.

En particular, la implicación con el alcohol y las drogas se revela como un factor poderoso en la facilitación de las carreras delictivas, ya que la investigación revela la profunda conexión existente entre la violencia interpersonal y el consumo de alcohol, así como el tráfico y consumo de drogas y la delincuencia contra la propiedad (para sostener el hábito) y también los delitos violentos (para proteger la red de tráfico ilegal), si bien en los jóvenes menores de 18 años esto último no es tan grave como entre los adultos. Finalmente, no debemos olvidar que el abuso del alcohol y las drogas lleva a una vida más deteriorada y marginal, alejando a los menores de las fuentes de apoyo social legítimos, es decir, personas e instituciones que juegan un papel positivo en su proceso de socialización (padres responsables, escuela, grupos de pares integrados, etcétera.)

Para terminar, reproducimos, a modo de síntesis, una lista de factores de riesgo de la delincuencia recogidos por Andrews, Leschied y Hodge (1992) (cuadro 3).

CATEGORÍA	FACTORES
Historia de comportamiento	Historia delictiva juvenil variada y de comienzo temprano; violaciones de medidas judiciales; abuso de alcohol y drogas; mal uso del tiempo libre
Amistades	Amigos antisociales; falta de amigos prosociales
Circunstancias familiares actuales y cuando el joven era pequeño	Bajos niveles de afecto y cohesión; pobre disciplina y supervisión; negligencia y abuso.
Relaciones interpersonales	Vínculos afectivos débiles; indiferencia ante las opiniones de los demás; rechazo de los compañeros de edad.
Bajo nivel socioeconómico	Situación de marginalidad o carencia socioeconómica
Otros factores individuales	Sexo varón; edad en la juventud (14-24 años); disfunciones neuronales
Actitudes, sentimientos y valores	Aceptación de la delincuencia; racionalizar los actos antisociales; interpretación de estímulos como amenazantes
Logro educativo y profesional	Pocos logros escolares y formativos para el empleo
Temperamento, aptitudes e historia de comportamiento temprana	Impulsividad; ausencia de temor y gusto por el riesgo; baja tolerancia a la frustración; baja inteligencia; ausencia de sentimiento de culpa; egocentrismo; problemas de conducta tempranos; deficientes habilidades sociales y de solución de problemas; pobre autocontrol.
Problemas en la familia de origen	Delincuencia en los padres; historial de apoyo por los servicios sociales; diferentes hándicaps psicológicos (pobre inteligencia; trastornos emocionales, abuso de alcohol y drogas)
Psicopatología	Psicopatía y Trastorno antisocial de la personalidad; trastorno disocial; otros trastornos de personalidad y emocionales
Escuela	Falta de interés por el trabajo escolar; despreocupación por el futuro; problemas en la escuela (disciplina)

Fuente: Andrews, Leschied y Hodge, 1992

3. FACTORES DE RIESGO ESTÁTICOS Y DINÁMICOS

Andrews y Bonta realizaron una distinción muy importante en relación con los factores que predicen la conducta delictiva: factores de riesgo estáticos y factores de riesgo dinámicos. Los primeros son aspectos del pasado del delincuente (como su edad o su historial delictivo) que no pueden ser modificados. Los segundos, también denominados "necesidades criminógenas" son cambiables y son los que constituyen propiamente los objetivos de un programa de tratamiento. Entre ellos se encuentran tener amigos delincuentes, actitudes antisociales, etcétera.

Esta separación es de una importancia crucial, ya que la investigación ha revelado que tanto unos como otros son igualmente necesarios para predecir correctamente la probabilidad de que un delincuente juvenil reincida,
o de que un menor en riesgo acabe finalmente entrando en el sistema de justicia juvenil.

Pero además de la función de predicción con vista a evaluar el riesgo de reincidencia (lo que se realiza con escalas de predicción del riesgo construidas para este propósito), un análisis detallado de estos factores es imprescindible para determinar cuáles son los objetivos que el programa ha de intentar alcanzar con la meta puesta en lograr la reinserción del menor infractor. La idea fundamental es esta: en cada joven cobra importancia una particular secuencia de correlatos; algunos de estos no son modificables (por ejemplo, su madre lo abandonó cuando tenía seis meses de edad), pero otros sí. Estos factores de riesgo dinámicos, en la medida en que se consideren que están influyendo en que el joven se implique en actos delictivos, pasarán a ser considerados objetivos de intervención, y son sus necesidades criminógenas.

Ahora bien, un programa de intervención no emplea únicamente los factores de riesgo, sino que se orienta igualmente a potenciar los recursos o factores de protección que presenta el joven.

4. LOS FACTORES DE PROTECCIÓN

Antes hablamos de ellos: hay chicos que cuentan con bastantes correlatos para delinquir, que "deberían" ser delincuentes, pero finalmente logran salir indemnes de este laberinto, al menos por lo que respecta a la delincuencia. Los menores que cuentan con estos factores de protección se dicen que son "resistentes" frente al delito. La resistencia implica un proceso de adaptación flexible, en tres sentidos:

- Un desarrollo saludable en medio de un ambiente desfavorable (por ejemplo, vivir en un barrio muy marginal).
- Mantener la competencia social bajo factores de estrés específicos (por ejemplo, muerte de un padre; divorcio).
- Recuperarse de un trauma severo (por ejemplo, abuso sexual; maltrato).

Las variables pueden funcionar, dependiendo del caso, tanto como variables de riesgo como de protección. Por ejemplo, un vínculo afectivo estable con uno de los padres es un factor de protección, pero su ausencia – especialmente en la primera infancia- es un claro factor de riesgo. Esto no sólo pasa con las variables dicotómicas (presencia / ausencia) sino con las continuas; por ejemplo, la inteligencia elevada es un factor de protección frente a la delincuencia, pero la baja inteligencia es un factor bien estudiado de riesgo.

Algunos factores tienen sólo un efecto de riesgo, es el caso por ejemplo de trastornos psicológicos como la hiperactividad o el trastorno disocial, o la edad precoz de la madre al dar a luz, mientras que otros -como hemos visto- tienen tanto un efecto de riesgo como de protección, caso del sentimiento de culpa (ausencia: riesgo; presencia: protección), la motivación escolar o la supervisión que los padres realizan de las actividades de sus hijos. Sin embargo, los factores de protección "puros" parecen ser raros; sólo deberíamos hablar de un factor de protección puro cuando la variable, en un polo, tiene ese efecto en los sujetos, pero en el otro polo no hay un elemento de riesgo (o es muy escaso) para implicarse en actos antisociales. Un ejemplo: si un niño tiene un diagnóstico de trastorno disocial (que implica repetidos actos antisociales, rebeldía ante los padres, absentismo escolar, y otros síntomas disruptivos), podría contar con un factor de protección si tiene capacidad para llevarse bien con la gente; el no llevarse bien no aumentaría su situación de riesgo.

Todo ello nos lleva a concluir que no se debería hablar de factores de protección en general, sino de "funciones protectoras" de ciertos niveles de variables, considerando, además, que muchas de estas variables pueden funcionar en interacción. Esa es la razón del moderno concepto de factor de protección: *una variable es protectora si sirve para reducir o aminorar los efectos patogénicos de riesgos específicos.* Dicho en otras palabras, un factor de protección modera la relación existente entre los factores de riesgo y la conducta problema. Por ejemplo, Neighbors et al. (1993) hallaron que los niños que tenían una buena relación con sus madres (factor de protección) eran capaces de superar el divorcio (factor de riesgo) con menos problemas emocionales y de conducta (el problema o desorden). El típico diseño de investigación adopta la siguiente forma: se elige un factor de riesgo (o varios), como tener un padre con antecedentes penales, y entonces se evalúa el efecto de un posible factor de protección, por ejemplo, la inteligencia, que es lo que hizo Kandel y su grupo (1988). Kandel halló que los chicos que eran inteligentes tenían menos probabilidad de cometer delitos.

Quizás el estudio más famoso sobre resiliencia, donde los factores de protección sirven para modular los factores de riesgo es el llevado a cabo en la isla de Kauai (Werner y Smith, 1982 y 1992). Estos autores siguieron hasta la edad adulta a todos los niños nacidos en esa isla en el año 1955. Observaron que ciertos niños no habían cometido delitos, a pesar de que contaban con tres factores que habían probado ser muy habituales en los jóvenes antisociales, como eran tener un padre psicótico, vivir en la pobreza y haber nacido con complicaciones en el parto.

Los investigadores hallaron que los niños protegidos eran más sociables, activos, independientes, confiados en sus posibilidades (auto-eficacia) y tenían un temperamento más fácil que los que cometieron delitos. Su autoestima era elevada, y el locus de control era interno (la creencia de que uno es capaz de influir sobre las cosas que le pasan se llama *locus de control interno*). Además, iban mejor en la escuela, eran más comunicativos y mostraban aficiones o intereses reseñables. Al final de la escuela secundaria habían desarrollado un vínculo fuerte con un adulto de dentro o de fuera de la familia. También recibían ayuda de los adultos o de otras redes sociales, tenían modelos de rol positivos, y al menos un amigo íntimo.

Cuando llegaron a la edad adulta, solían continuar su educación más allá del bachillerato, y mostraban deseos de progresar en su vida laboral. En general, tendían a considerar la vida como algo significativo y satisfactorio. Cuando se casaban y tenían hijos, ellos imprimían en sus hijos esos mismos (u otros) factores de protección.

Los investigadores también prestaron atención a los factores que se asociaban en los chicos que, a pesar de haber cometido delitos, desistían de seguir cometiéndolos al llegar a la edad adulta. Las variables que aparecieron estar vinculadas con el abandono de la carrera delictiva fueron una familia más intacta, apoyo externo, asistir a programas de educación de adultos, tener una relación de pareja y haber estado en el ejército (Elder, 1986).

¿Son los efectos de un factor de protección de naturaleza directa? De ningún modo; muchos de estos efectos son indirectos, a modo de "reacción en cadena" (Rutter, 1990), de tal modo que es necesario, en muchos casos, que diversos factores de protección funcionen en cascada para evitar un posible resultado (la delincuencia).

5. LA TEORÍA INTEGRADOREA DE FARRINGTON

En un trabajo de 1996, David Farrington presentó una teoría integradora que es paradigmática dentro de las teorías del desarrollo, las cuales se ocupan de analizar los factores de riesgo y de protección en la medida en que el joven va creciendo y acumulando determinadas experiencias. Esta teoría, al igual que otras, es relevante para nosotros en este tema porque demuestra de qué modo la investigación puede ser eficaz para comprender en modelos teóricos el origen, desarrollo y finalización de las carreras delictivas.

Farrington comienza distinguiendo el desarrollo en los individuos de una serie de tendencias antisociales, por un lado, y la concreta ocurrencia de los delitos, por otro.

5.1. El grado de la tendencia antisocial

Según Farrington, existen tres tipos de factores y procesos de los que depende que los niños y jóvenes desarrollen propensiones antisociales y delictivas. En primer lugar están los *procesos energizantes* o motivadores de estas conductas, entre los que se encontrarían el nivel de deseo de bienes materiales y de prestigio social (más intensos en chicos pertenecientes a familias más pobres debido a que son menores las posibilidades para su obtención), su nivel de búsqueda de estímulos, el nivel de frustración y de estrés que padecen y el posible consumo de alcohol.

En segundo lugar se hallan los procesos que imprimen al comportamiento una *direccionalidad antisocial*. Ello depende fundamentalmente de si el joven suele optar —como hábito— por la utilización de métodos ilícitos, como resultado de su falta de habilidades lícitas para el logro de los objetivos anteriormente mencionados.

En tercer lugar, la mayor o menor tendencia antisocial dependerá también de si el joven posee o no las adecuadas *inhibiciones*, que le alejen del comportamiento delictivo. La mayor o menor presencia de mecanismos inhibitorios internalizados (creencias, actitudes, empatía, etc.) son el resultado sobre todo de la capacidad de los padres para efectuar una adecuada supervisión educativa mediante una disciplina equilibrada. Si el joven posee una alta impulsividad, una baja inteligencia y se halla en contacto con modelos delictivos se dificultará la internalización de los procesos inhibitorios.

5.2. La decisión de cometer un delito

Farrington considera que, finalmente, la ocurrencia o no de delitos tiene lugar en la interacción del individuo con la situación concreta. Así pues, cuando se hallan presentes las tendencias antisociales mencionadas, el delito ocurrirá dependiendo de las oportunidades que se presenten y de la valoración de costes y beneficios anticipados del delito (materiales, castigos penales, etc.). Es menos probable que los individuos impulsivos tomen en consideración las consecuencias posibles de sus actos, especialmente aquellas que tienen un cariz demorado (como suele ser el caso de las sanciones penales).

5.3. Inicio, persistencia y desistimiento de la delincuencia

Farrington sitúa prioritariamente el *inicio* de la conducta delictiva en la mayor influencia que ejercen sobre el joven los amigos, que adquiere su punto álgido durante la adolescencia. Esta influencia, y el correspondiente proceso de maduración del joven, determinan un aumento de la motivación para la obtención de dinero, de una mayor consideración dentro del grupo y de mayores niveles de estimulación. Aumenta también la probabilidad de que, si los amigos utilizan métodos ilegales para los anteriores objetivos, el joven los imite. En compañía del grupo de amigos (y en ausencia de los padres, que pierden influencia sobre el joven en este período adolescente) se hacen asimismo más frecuentes las oportunidades para el delito, a la vez que aumenta con la edad la utilidad esperada de las acciones ilícitas.

La *persistencia* va a depender esencialmente de la estabilidad que presente la tendencia antisocial, como resultado de un prolongado proceso de aprendizaje. Por último, se va a producir el *desistimiento* o abandono de la carrera delictiva ya iniciada en la medida en que el joven mejore sus habilidades para la satisfacción de sus objetivos y deseos por medios legales y aumenten sus vínculos afectivos con parejas no antisociales (lo que suele ocurrir al final de la adolescencia o en las primeras etapas de la vida adulta).

Farrington sintetiza estas etapas de la siguiente manera:

"La prevalencia de la conducta delictiva puede aumentar al máximo entre los catorce y los veinte años debido a que los jóvenes (especialmente los de clase baja que fracasan en la escuela) tienen en esas edades una alta impulsividad, grandes deseos de actividades estimulantes, de poseer determinadas cosas y de mayor consideración social, pocas posibilidades de lograr sus deseos mediante medios legales, y poco que perder (en la medida en que las sanciones legales son suaves y sus amigos aprueban con frecuencia la conducta delictiva). Sin embargo, después de los veinte años, sus deseos se tornan menos imperiosos o más realistas, es más posible su logro legalmente, y los costes del delito son mayores (ya que los castigos legales son más severos) y, además, las personas más allegadas —esposas o novias— desaprueban el delito."

Papeles del Psicólogo, 2007. Vol. 28(3). pp. 147-156
http://www.cop.es/papeles

LA PSICOLOGÍA DE LA DELINCUENCIA

Santiago Redondo Illescas y Antonio Andrés Pueyo
Universidad de Barcelona

A lo largo de las últimas décadas se ha ido conformado la denominada Psicología de la delincuencia, que aglutina conocimientos científicos en torno a los fenómenos delictivos. Entre sus principales ámbitos de interés se encuentran la explicación del comportamiento antisocial, en donde son relevantes las teorías del aprendizaje, los análisis de las características y rasgos individuales, las hipótesis tensión-agresión, los estudios sobre vinculación social y delito, y los análisis sobre carreras delictivas. Este último sector, también denominado 'criminología del desarrollo', investiga la relación que guardan con el inicio y mantenimiento de la actividad criminal diversos factores o predictores de riesgo (individuales y sociales, estáticos y dinámicos). Sus resultados han tenido gran relevancia para la creación de programas de prevención y tratamiento de la delincuencia. Los tratamientos psicológicos de los delincuentes se orientan a modificar aquellos factores de riesgo, denominados de 'necesidad criminogénica', que se consideran directamente relacionados con su actividad delictiva. En concreto se dirigen a dotar a los delincuentes (ya sean jóvenes, maltratadores, agresores sexuales, etc.) con nuevos repertorios de conducta prosocial, desarrollar su pensamiento, regular sus emociones iracundas, y prevenir las recaídas o reincidencias en el delito. Por último, en la actualidad la Psicología de la delincuencia pone un énfasis especial en la predicción y gestión del riesgo de comportamientos violentos y antisociales, campo al que se dedicará un artículo posterior de este mismo monográfico.
Palabras clave: *Delincuencia, Crimen, Tratamientos Psicológicos, Prevención y Predicción de la Violencia.*

Throughout the last decades the Psychology of criminal conduct, that agglutinates scientific knowledge around the criminal phenomena, has emerged. Among their scientific main interests they are the following: the explanation of antisocial behavior (where the learning theories are outstanding), the analyses of the individual characteristics, the hypotheses strain-aggression, the studies on social links and crime, and the analyses of criminal careers. This last topic, also denominated 'developmental criminology', investigates the relationship that the beginning and maintenance of the criminal activity keep with diverse risk predictors (singular and social, static and dynamic). Their results have had great relevance for the design of crime prevention and treatment programs. The psychological treatments of offenders are guided to modify those factors of risk, well-known as 'criminogenic needs', that are considered directly related with their criminal activity. In short the treatment programs try to train the criminals (youth, partner violence offenders, sexual aggressors, etc.) in new repertoires of social behavior, try to develop their thought, to regulate their choleric emotions, and to prevent the relapses or recidivisms in crime. Lastly, the Psychology of the criminal conduct puts a special emphasis at the present time in the prediction and management of the risk of violent and antisocial behaviors, field to which will be devoted a later paper of this same monograph.
Key words: *Delinquency, Crime, Offenders Treatments, Violence, Prediction and Prevention.*

L a delincuencia es uno de los problemas sociales en que suele reconocerse una mayor necesidad y posible utilidad de la psicología. Las conductas antisociales de los jóvenes, el maltrato de mujeres, las agresiones sexuales, el consumo de alcohol y otras drogas vinculados a muchos delitos, la exclusión social y la frustración como base para la agresión, o el terrorismo, crean extrema desazón en las sociedades y urgen una comprensión más completa que se oriente hacia su prevención. Aunque todos estos fenómenos tienen un origen multifactorial, algunas de sus dimensiones psicológicas son claves al ser el sujeto humano el que realiza la con-

ducta antisocial. En los comportamientos delictivos se implican interacciones, pensamientos y elecciones, emociones, recompensas, rasgos y perfiles de personalidad, aprendizajes y socializaciones, creencias y actitudes, atribuciones, expectativas, etc.

A lo largo de la segunda mitad del siglo XX y hasta nuestros días se ha ido conformando una auténtica *Psicología de la delincuencia*. En ella, a partir de los métodos y los conocimientos generales de la psicología, se desarrollan investigaciones y se generan conocimientos específicos al servicio de un mejor entendimiento de los fenómenos criminales. Sus aplicaciones están resultando relevantes y prometedoras tanto para la explicación y predicción del comportamientos delictivo (Bartol y Bartol, 2005; Blackburn, 1994; Hanson y Bussière, 1998; Quin-

Correspondencia: Santiago Redondo Illescas. *Facultad de Psicología. Universidad de Barcelona. España.*
E_Mail: sredondo@ub.edu

sey, Harris, Rice y Cormier, 1998) como para el diseño y aplicación de programas preventivos y de tratamiento (Andrés-Pueyo y Redondo, 2004; Andrews y Bonta, 2006; Dowden y Andrews, 2001; Garrido, 2005; Redondo, 2007). Así, los conocimientos psicológicos sobre la delincuencia se han acumulado especialmente en torno a los siguientes cuatro grandes ámbitos: 1) explicación del delito, 2) estudios sobre carreras delictivas, 3) prevención y tratamiento, y 4) predicción del riesgo de conducta antisocial. A continuación se hace breve referencia a cada uno de estos sectores temáticos.

EXPLICACIÓN DE LA DELINCUENCIA

Las explicaciones psicológicas de la delincuencia que han recibido apoyo empírico de parte de la investigación se concretan esencialmente en cinco grandes proposiciones, que actualmente se consideraran complementarias. Son las siguientes:

1. La delincuencia se aprende

La teoría del *aprendizaje social* es considerada en la actualidad la explicación más completa de la conducta delictiva. El modelo más conocido en psicología es el de Bandura (1987), que realza el papel de la *imitación* y de las *expectativas* de la conducta, y diferencia entre los momentos de *adquisición* de un comportamiento y su posterior *ejecución y mantenimiento*. Sin embargo, el modelo dominante en la explicación de la delincuencia es la versión del aprendizaje social formulada por Akers (2006; Akers y Sellers, 2004), que considera que en el aprendizaje del comportamiento delictivo intervienen cuatro mecanismos interrelacionados: 1) la *asociación diferencial* con personas que muestran hábitos y actitudes delictivos, 2) la adquisición por el individuo de *definiciones* favorables al delito, 3) el *reforzamiento diferencial* de sus comportamientos delictivos, y 4) la *imitación* de modelos pro-delictivos.

2. Existen rasgos y características individuales que predisponen al delito

La investigación biopsicológica sobre diferencias individuales y delincuencia ha puesto de relieve la asociación de la conducta antisocial con factores como lesiones craneales, baja actividad del lóbulo frontal, baja activación del Sistema Nervioso Autónomo, respuesta psicogalvánica reducida, baja inteligencia, Trastorno de Atención con Hiperactividad, alta impulsividad, propensión a la búsqueda de sen-

saciones y tendencia al riesgo, baja empatía, alta extraversión y locus de control externo. Una perspectiva psicológica todavía vigente sobre diferencias individuales y delito es la teoría de la personalidad de Eysenck (Eysenck y Gudjonsson, 1989), que incluye la interacción de elementos biológicos y ambientales. En síntesis, Eysenck considera que existen tres dimensiones temperamentales en interacción (Garrido, Stangeland y Redondo, 2006; Milan, 2001): 1) el continuo *extraversión*, que sería resultado de una activación disminuida del sistema reticular y se manifestaría psicológicamente en los rasgos "búsqueda de sensaciones", "impulsividad" e "irritabilidad"; 2) la dimensión *neuroticismo*, sustentada en el cerebro emocional y que se muestra en una "baja afectividad negativa" ante estados de estrés, ansiedad, depresión u hostilidad, y 3) la dimensión *psicoticismo*, que se considera el resultado de los procesos neuroquímicos de la dopamina y la serotonina, y se manifestaría en características personales como la mayor o menor "insensibilidad social", "crueldad" hacia otros y "agresividad". La combinación única en cada individuo de sus características personales en estas dimensiones y de sus propias experiencias ambientales, condicionaría los diversos grados de adaptación individual y, también, de posible conducta antisocial, por un marcado retraso en los procesos de socialización. Según Eysenck los seres humanos aprenderían la 'conciencia emocional' que inhibiría la puesta en práctica de conductas antisociales. Este proceso tendría lugar mediante condicionamiento clásico, a partir del apareamiento de estímulos aversivos, administrados por padres y cuidadores, y comportamientos socialmente inapropiados. Sin embargo, los individuos con *elevada extraversión*, *bajo neuroticismo* y *alto psicoticismo* tendrían mayores dificultades para una adquisición eficaz de la 'conciencia moral', en cuanto inhibidora del comportamiento antisocial (Milan, 2001).

3. Los delitos constituyen reacciones a vivencias individuales de estrés y tensión

Múltiples investigaciones han puesto de relieve la conexión entre las vivencias de tensión y la propensión a cometer ciertos delitos, especialmente delitos violentos (Andrews y Bonta, 2006; Tittle, 2006). Muchos homicidios, asesinatos de pareja, lesiones, agresiones sexuales y robos con intimidación son perpetrados por individuos que experimentan fuertes

sentimientos de ira, venganza, apetito sexual, ansia de dinero y propiedades, o desprecio hacia otras personas. Al respecto, una perspectiva clásica en psicología es la hipótesis que conecta la experiencia de frustración con la agresión. En esta misma línea, una formulación criminológica más moderna es la *teoría general de la tensión*, que señala la siguiente secuencia explicativa de la relación entre estrés y delito (Agnew, 2006; Garrido, Stangeland y Redondo, 2006):

a) Diversas *fuentes de tensión* pueden afectar al individuo, entre las que destacan la imposibilidad de lograr objetivos sociales positivos, ser privado de gratificaciones que posee o espera, y ser sometido a situaciones aversivas ineludibles.

b) Como resultado de las anteriores tensiones, se generarían en el sujeto *emociones negativas* que como la *ira* energizan su conducta en dirección a corregir la situación.

c) Una posible acción correctora contra una fuente de tensión experimentada es la *conducta delictiva*.

d) La supresión de la fuente *alivia la tensión* y de ese modo el mecanismo conductual utilizado para resolver la tensión se consolida.

4. La implicación en actividades delictivas es el resultado de la ruptura de los vínculos sociales

La constatación de que cuanto menores son los lazos emocionales con personas socialmente integradas (como sucede en muchas situaciones de marginación) mayor es la implicación de un sujeto en actividades delictivas, ha llevado a teorizar sobre este particular en las denominadas teorías del control social. La más conocida en la *teoría de los vínculos sociales* de Hirschi (1969), quien postuló que existe una serie de contextos principales en los que los jóvenes se unen a la sociedad: la *familia*, la *escuela*, el grupo de *amigos* y las *pautas de acción convencionales*, tales como las actividades recreativas o deportivas. El enraizamiento a estos ámbitos se produce mediante cuatro mecanismos complementarios: el *apego*, o lazos emocionales de admiración e identificación con otras personas, el *compromiso*, o grado de asunción de los objetivos sociales, la *participación* o amplitud de la implicación del individuo en actividades sociales positivas (escolares, familiares, laborales...), y las *creencias* o conjunto de convicciones favorables a los valores establecidos, y contrarias al delito. En esta perspectiva la etiología

de la conducta antisocial reside precisamente en la ruptura de los anteriores mecanismos de vinculación en uno o más de los contextos sociales aludidos.

5. El inicio y mantenimiento de la carrera delictiva se relacionan con el desarrollo del individuo, especialmente en la infancia y la adolescencia

Por último, una importante línea actual de análisis psicológico de la delincuencia se concreta en la denominada *criminología del desarrollo* que se orienta al estudio de la evolución en el tiempo de las carreras delictivas. Se hace referencia a ella a continuación con mayor extensión por la novedad y relevancia actual de este planteamiento.

ESTUDIOS SOBRE CARRERAS DELICTIVAS Y CRIMINOLOGÍA DEL DESARROLLO

La investigación sobre *carreras delictivas*, también conocida como *criminología del desarrollo*, concibe la delincuencia en conexión con las diversas etapas vitales por las que pasa el individuo, especialmente durante los periodos de su infancia, adolescencia y juventud (Farrington, 1992; Loeber, Farrington y Waschbusch, 1998). Se considera que muchos jóvenes realizan actividades antisociales de manera estacional, durante la adolescencia, pero que las abandonan pronto de modo 'natural'. Sin embargo, la prioridad para el análisis psicológico son los delincuentes 'persistentes', que constituyen un pequeño porcentaje de jóvenes, que tienen un inicio muy precoz en el delito y que van a cometer muchos y graves delitos durante periodos largos de su vida (Howell, 2003; Moffitt, 1993). En los estudios sobre carreras delictivas se analiza la secuencia de delitos cometidos por un individuo y los "factores" que se vinculan al *inicio*, *mantenimiento* y *finalización* de la actividad delictiva. Así pues, su principal foco de atención son los "factores de riesgo" de delincuencia. Se efectúa una diferenciación entre factores *estáticos* (como la precocidad delictiva de un sujeto, su impulsividad o su psicopatía), que contribuyen al riesgo actual pero que no pueden generalmente modificarse, y factores *dinámicos*, o sustancialmente modificables (como sus cogniciones, tener amigos delincuentes, o el consumo de drogas).

Farrington (1996) formuló una teoría psicológica, integradora del conocimiento sobre carreras delictivas, que diferencia, en primer lugar, entre 'tendencia antisocial' de un sujeto y 'decisión' de cometer un delito. La 'tendencia antisocial' dependería de tres tipos de factores: 1) los procesos *energizantes*, entre los que se encontrarían los niveles de deseo de bienes materiales, de estimulación y prestigio social (más intensos en jóvenes marginales debido a sus mayores privaciones), de frustración y estrés, y el posible consumo de alcohol; 2) los procesos que imprimen al comportamiento una *direccionalidad antisocial*, especialmente si un joven, debido a su carencia de habilidades prosociales, propende a optar por métodos ilícitos de obtención de gratificaciones, y 3) la posesión o no de las adecuadas *inhibiciones* (creencias, actitudes, empatía, etc.) que le alejen del comportamiento delictivo. Estas inhibiciones serían especialmente el resultado de un apropiado proceso de crianza paterno, que no sea gravemente entorpecido por factores de riesgo como una alta impulsividad, una baja inteligencia o el contacto con modelos delictivos.

La 'decisión' de cometer un delito se produciría en la interacción del individuo con la situación concreta. Cuando están presentes las tendencias antisociales aludidas, el delito sería más problable en función de las *oportunidades* que se le presenten y de su valoración favorable de *costes y beneficios anticipados* del delito (materiales, castigos penales, etc.).

En un plano longitudinal la teoría de Farrington distingue tres momentos temporales de las carreras delictivas. El *inicio* de la conducta delictiva dependería principalmente de la mayor influencia sobre el joven que adquieren los amigos, especialmente en la adolescencia. Esta incrementada influencia de los amigos, unida a la paulatina maduración del joven, aumenta su motivación hacia una mayor estimulación, la obtención de dinero y otros bienes materiales, y la mayor consideración grupal. Incrementa también la probabilidad de imitación de los métodos ilegales de los amigos y, en su compañía, se multiplican las oportunidades para el delito, a la vez que crece la utilidad esperada de las acciones ilícitas. La *persistencia* en el delito va a depender esencialmente de la estabilidad que presenten las tendencias antisociales, como resultado de un un intensivo y prolongado proceso de aprendizaje. Finalmente, el *desistimiento* o abandono de la carrera delictiva se va a producir en la medida en que el joven mejore sus habilidades para la satisfacción de sus objetivos y deseos por medios legales y aumenten sus vínculos afectivos con parejas no antisociales (lo que suele ocurrir al final de la adolescencia o en las primeras etapas de la vida adulta).

En el marco de la *criminología del desarrollo* una de las propuestas teóricas más importantes en la actualidad, que incorpora conocimientos de la investigación y

teorías psicológicas precedentes, es la síntesis efectuada por los investigadores canadienses Andrews y Bonta (2006), en su modelo de *Riesgo-Necesidades-Responsividad*. Dicho modelo se orienta a las aplicaciones psicológicas en prevención y tratamiento de la delincuencia y establece tres grandes principios: 1) el *principio de riesgo*, que asevera que los individuos con un mayor riesgo en *factores estáticos* (históricos y personales, no modificables) requieren intervenciones más intensivas; 2) el *principio de necesidad*, que afirma que los *factores dinámicos* de riesgo directamente conectados con la actividad delictiva (tales como hábitos, cogniciones y actitudes delictivas) deben ser los auténticos objetivos de los programas de intervención, y 3) el *principio de individualización*, que advierte sobre la necesidad de ajustar adecuadamente las intervenciones a las características personales y situacionales de los sujetos (su motivación, su reactividad a las técnicas, etc.). A continuación se presentan con mayor extensión los progresos de la psicología en los ámbitos de la prevención y el tratamiento de la delincuencia.

PREVENCIÓN Y TRATAMIENTO

La prevención de la delincuencia admite variadas posibilidades, en función tanto de los sucesivos momentos temporales en el desarrollo de las carreras delictivas (prevención primaria, secundaria y terciaria) como también de los distintos actores y contextos que intervienen en el delito (prevención en relación con agresores, víctimas, comunidad social y ambiente físico) (Garrido *et al.*, 2006). En todas estas modalidades de prevención se requiere la colaboración de diversas disciplinas tales como, por sólo mencionar algunas que resultan más evidentes, la criminología, la psicología, la victimología, el derecho, la sociología, la educación, el trabajo social y el diseño urbanístico. No se hará aquí referencia a todas las posibilidades y variantes de la prevención sino que se dirigirá la atención a aquéllas en que la psicología ha mostrado hasta ahora una mayor utilidad, que se concretan principalmente en el tratamiento psicológico de los delincuentes tanto juveniles como adultos.

Los tratamientos psicológicos se fundamentan en las explicaciones y otros conocimientos sobre la delincuencia a que se ha aludido con anterioridad, tales como la teoría del aprendizaje social y los análisis de carreras criminales. En esencia los tratamientos consisten en intervenciones psicoeducativas que se dirigen a jóvenes en riesgo de delincuencia o a delincuentes convictos, con el objetivo de reducir los factores de riesgo dinámicos que se asocian a su actividad delictiva. Constituyen uno de los medios técnicos de que puede disponerse en la actualidad para reducir el riesgo delictivo de los delincuentes. Sin embargo, ello no significa que los tratamientos sean la 'solución' a la delincuencia, ya que ésta es un fenómeno complejo y multicausal, y requiere por ello muy diversas intervenciones.

Canadá es, en el plano internacional, el país con mayor desarrollo en materia de programas de tratamiento y rehabilitación de sus delincuentes. Su oferta es muy amplia e incluye programas nacionales de prevención de la violencia familiar, el denominado *Programa Razonamiento y Rehabilitación (R&R)* (primer programa cognitivo aplicado con delincuentes), un programa de manejo de las emociones y la ira, uno de entrenamiento en actividades de tiempo libre, de habilidades de crianza de los hijos, de integración comunitaria, de delincuentes sexuales, de prevención del abuso de sustancias tóxicas, de prevención de la violencia, de prevención del aislamiento en regímenes penitenciarios cerrados, y un conjunto específico de programas para mujeres delincuentes (Brown, 2005). En Europa, el país que cuenta con un mayor desarrollo técnico del tratamiento de los delincuentes es el Reino Unido. A semejanza de Canadá dispone de una amplia oferta de programas de tratamiento, que incluye los dirigidos a entrenar en habilidades de pensamiento, controlar la ira, diversos programas para agresores sexuales, programa motivacional y programa de habilidades de vida para delincuentes juveniles (McGuire, 2001). Otros países europeos con buen desarrollo del tratamiento de los delincuentes son las Países Nórdicos, y algunos de los de Centroeuropa, como los Países Bajos y Alemania.

España cuenta con una razonable oferta de programas de tratamiento de delincuentes (principalmente en las prisiones), que incluye tratamientos para jóvenes internados, delincuentes drogodependientes, agresores sexuales, maltratadores, condenados extranjeros, penados discapacitados, delincuentes de alto riesgo en régimen cerrado, y prevención de suicidios (Redondo, Pozuelo y Ruiz, en prensa). El gran problema al que se enfrenta la aplicación de tratamientos en las prisiones españolas es el gran número de encarcelados, que no para de crecer día a día, debido, no a un aumento real del número de delitos, sino a un espectacular y sistemático endurecimiento del sistema penal (Redondo, 2007).

Los objetivos preferentes del tratamiento de los delin-

cuentes son sus *necesidades criminogénicas*, o factores de riesgo directamente relacionados con sus actividades delictivas. Andrews y Bonta (2006) se han referido a los que denominan los "cuatro grandes" factores de riesgo: 1) las cogniciones antisociales, 2) las redes y vínculos pro-delictivos, 3) la historia individual de comportamiento antisocial, y 4) los rasgos y factores de personalidad antisocial. En función de lo anterior, de los modelos psicológicos con implicaciones terapéuticas, el modelo *cognitivo-conductual* es el que ha dado lugar a un mayor número de programas con delincuentes. Desde esta perspectiva se considera que el comportamiento delictivo es parcialmente el resultado de déficit en habilidades, cogniciones y emociones. Así, la finalidad del tratamiento es entrenar a los sujetos en todas estas competencias, que son imprescindibles para la vida social. Este modelo se ha concretado en el entrenamiento en los siguientes grupos de habilidades (véase con mayor amplitud en Redondo, 2007):

1. *Desarrollo de nuevas habilidades.* Muchos delincuentes requieren aprender nuevas habilidades y hábitos de comunicación no violenta, de responsabilidad familiar y laboral, de motivación de logro personal, etc. En psicología se dispone de una amplia tecnología, en buena medida derivada del *condicionamiento operante*, para la enseñanza de nuevos comportamientos y para el mantenimiento de las competencias sociales que ya puedan existir en el repertorio conductual de un individuo. Entre las técnicas que sirven para el desarrollo de nuevas conductas destacan el *reforzamiento positivo* y el *moldeamiento*, a partir de dividir un comportamiento social complejo en pequeños pasos y reforzar al individuo por sus aproximaciones sucesivas a la conducta final. Las mejores técnicas para reducir comportamientos inapropiados han mostrado ser la *extinción* de conducta y la enseñanza a los sujetos de nuevos *comportamientos alternativos* que les permitan obtener las gratificaciones que antes lograban mediante su conducta antisocial. El mantenimiento de la conducta prosocial a largo plazo se ha promovido mediante *contratos conductuales*, en que se pactan con el individuo los objetivos terapéuticos y las consecuencias que recibirá por sus esfuerzos y logros.

En instituciones, como prisiones y centros para delincuentes juveniles, se han aplicado los denominados *programas ambientales de contingencias*, que organizan el conjunto de una institución cerrada a partir de principios de reforzamiento de conducta.

Otra de las grandes estrategias de desarrollo de comportamientos prosociales en los delincuentes es el *modelado* de dichos comportamientos por parte de otros sujetos, lo que facilita la imitación y adquisición de la conducta en los 'aprendices'. El modelado es también la base de la técnica de *entrenamiento en habilidades sociales*, otra de las técnicas más empleadas con los delincuentes (Redondo, 2007).

2. *Desarrollo del pensamiento*. Al igual que sucedió con la terapia psicológica en general, en el tratamiento de los delincuentes también se descubrió en la década de los setenta la relevancia de intervenir sobre el pensamiento y la cognición. En el marco de la *psicología criminal*, el trabajo científico decisivo para ello fue el desarrollado por Ross y sus colegas en Canadá, quienes revisaron numerosos programas de tratamiento aplicados en años anteriores y concluyeron que los más efectivos habían sido los que habían incluido componentes de cambio del pensamiento de los delincuentes (Ross y Fabiano, 1985). Como resultado de este análisis concibieron un programa multifacético, denominado *Reasoning and Rehabilitation (R&R)*, que adaptaba e incorporaba distintas técnicas de otros autores que habían mostrado ser altamente eficaces. Este programa, en distintos formatos, ha sido ampliamente aplicado con delincuentes en diversos países, incluido el caso de España, con buenos resultados (Tong y Farrinton, 2006).

Muchos delincuentes son muy poco competentes en la solución de sus problemas interpersonales, por lo que una estrategia de tratamiento especialmente aplicada ha sido la de "solución cognitiva de problemas interpersonales". Incluye entrenamiento en reconocimiento y definición de un problema, identificación de los propios sentimientos asociados al mismo, separación de hechos y opiniones, recogida de información sobre el problema y análisis de todas sus posibles soluciones, toma en consideración de las consecuencias de las distintas soluciones y, finalmente, adopción de la mejor solución y puesta en práctica de la misma.

Otro de los grandes avances en el tratamiento cognitivo de los delincuentes lo constituyen las técnicas destinadas a su *desarrollo moral*. El origen de estas técnicas son los trabajos sobre desarrollo moral de Piaget y, especialmente, de Kohlberg, quien diferen-

ció una serie de niveles y 'estadios' de desarrollo moral, desde los más inmaduros (en que las decisiones de conducta se basan en evitación del castigo y en recompensas inmediatas) a los más avanzados (imbuidos de consideraciones morales altruistas y autoinducidas). Las técnicas de desarrollo moral enseñan a los sujetos, mediante actividades de discusión grupal, a considerar los sentimientos y puntos de vista de otras personas (Palmer, 2003).

3. *Regulación emocional y control de la ira*. Según ya se ha comentado, la ira puede jugar un papel destacado en la génesis del comportamiento violento y delictivo. Las técnicas de regulación emocional parten del supuesto de que muchos delincuentes tienen dificultades para el manejo de situaciones conflictivas de la vida diaria, lo que puede llevarles al descontrol emocional, y a la agresión tanto verbal como física a otras personas. En ello suele implicarse una secuencia que incluye generalmente tres elementos: carencia de habilidades de manejo de la situación, interpretación inadecuada de las interacciones sociales (por ej., atribuyendo mala intención) y exasperación emotiva. En consecuencia, el tratamiento se orienta a entrenar a los sujetos en todas las anteriores parcelas, lo que incluye autorregistro de ira y construcción de una jerarquía de situaciones en que la ira se precipita, reestructuración cognitiva, relajación, entrenamiento en afrontamiento y comunicación en la terapia, y práctica en la vida diaria (Novaco, Ramm y Black, 2001).

4. *Prevención de recaídas*. La experiencia indica que muchos de los cambios producidos por el tratamiento no siempre son definitivos sino que a menudo se producen retornos 'imprevistos' a la actividad delictiva, o recaídas en el delito. Así, uno de los grandes objetivos actuales del tratamiento de los delincuentes es promover la generalización de los logros terapéuticos a los contextos habituales del sujeto, y facilitar el mantenimiento de dichas mejoras a lo largo del tiempo. Con los anteriores propósitos se han concebido y aplicado dos grandes tipos de técnicas psicológicas. Las técnicas de "generalización y mantenimiento", más tradicionales, tienen como objetivo la transferencia proactiva de las nuevas competencias adquiridas por los delincuentes durante el programa de tratamiento. Para ello se emplean estrategias como programas de refuerzo intermitentes, entrenamiento amplio de habilidades por diversas

personas y en múltiples lugares, inclusión en el entrenamiento de personas cercanas al sujeto (que luego estarán en sus ambientes naturales), uso de consecuencias y gratificaciones habituales en los contextos del individuo (más que artificiales), control estimular y autocontrol. Una técnica más reciente y específica es la de "prevención de recaídas", que comenzó siendo diseñada para el campo de las adicciones y después se trasladó también al del tratamiento de los delincuentes (Laws, 2001; Marlatt y Gordon, 1985). Se estructura general consiste en entrenar al sujeto en: a) detección de situaciones de riesgo de recaída en el delito, b) prevención de decisiones aparentemente irrelevantes, que pese a que parecen inocuas le podrán en mayor riesgo, y c) adopción de respuestas de afrontamiento adaptativas.

Si se atiende a las tipologías delictivas, los tratamientos psicológicos se han dirigido especialmente a las siguientes categorías de delincuentes:

1. *Delincuentes juveniles.* Uno de los mejores modos de prevención del delito son los programas familiares. Actualmente uno de los tratamientos juveniles más contrastados empíricamente es la denominada *terapia multisistémica* (MST), de Henggeler y sus colaboradores (Edwards, Schoenwald, Henggeler y Strother, 2001). Parte de la consideración de que el desarrollo infantil se produce bajo la influencia combinada y recíproca de distintas capas ambientales, que incluyen la familia, la escuela, las instituciones del barrio, etc. En todos estos sistemas hay tanto factores de *riesgo* para la delincuencia como factores de *protección*. A partir de ello se establece una serie de principios básicos: evaluar el 'encaje' entre los problemas identificados en los distintos sistemas; basar el cambio terapéutico en los elementos positivos; orientar la terapia a promover la conducta responsable y enfocarla al presente y a la acción; las intervenciones deben ser acordes con las necesidades del joven, y, por último, se debe programar la generalización y el mantenimiento de los logros. La terapia multisistémica utiliza como intervenciones específicas todas aquellas técnicas que han mostrado mayor eficacia con los delincuentes, tales como reforzamiento, modelado, reestructuración cognitiva y control emocional. Se aplica en los lugares y horarios de preferencia de los sujetos, lo que a menudo incluye domicilios familiares, centros de barrio, horarios de comidas o fines de semana.

Otro programa multifacético altamente eficaz con jóvenes delincuentes es el *Entrenamiento para Reemplazar la Agresión* (programa ART) que tiene tres ingredientes principales (Goldstein y Glick, 2001): a) entrenamiento en 50 habilidades consideradas de la mayor relevancia para la interacción social, b) entrenamiento en control de ira (identificar disparadores y precursores, usar estrategias reductoras y de reorientación del pensamiento, autoevaluación y autorrefuerzo), y c) desarrollo moral (a partir del trabajo grupal sobre dilemas morales). Actualmente existe una versión abreviada de este programa que se aplica en diez semanas.

2. *Agresores sexuales.* Constituyen, debido a la complejidad y persistencia del comportamiento sexual antisocial, uno de los retos más importantes a que se enfrenta el tratamiento psicológico de los delincuentes. Los ingredientes terapéuticos más comunes en estos programas son el trabajo sobre distorsiones cognitivas, desarrollo de la empatía con las víctimas, mejora de la capacidad de relación personal, disminución de actitudes y preferencias sexuales hacia la agresión o hacia los niños, y prevención de recaídas (Marshall y Redondo, 2002). En un trabajo posterior se abundará en lo relativo al análisis psicológico y tratamiento de este tipo de delincuentes.

3. *Maltratadores.* En la actualidad se considera que la violencia de pareja es un fenómeno complejo en el que intervienen diversos factores de riesgo que incluyen tanto características personales como culturales y de interacción. Los programas de tratamiento internacionalmente aplicados incluyen técnicas terapéuticas como las siguientes (Dobash y Dobash, 2001): autorregistro de emociones de ira, desensibilización sistemática y relajación, modelado de comportamientos no violentos, reforzamiento de respuestas no violentas, entrenamiento en comunicación, reestructuración cognitiva de creencias sexistas y justificadoras de la violencia, y prevención de recaídas. En España existen programas de tratamiento para maltratadores tanto en prisiones como en la comunidad. El programa que se aplica en prisiones, diseñado en origen por Echeburúa y su equipo, incluye los siguientes ingredientes (Echeburúa, Fernández-Montalvo y Amor, 2006): aceptación de la propia responsabilidad, empatía y expresión de emociones, creencias erróneas, control de emociones, desarrollo de habilidades y prevención de recaídas. Más recientemente, en la comunidad autónoma gallega se

ha puesto en marcha el denominado "Programa Galicia de reeducación psicosocial de maltratadores de género", que se aplica, bajo supervisión judicial, en la comunidad. Dicho programa, que se desarrolla en 52 sesiones a lo largo de un año, incorpora técnicas de autocontrol de la activación emocional y de la ira, reestructuración cognitiva, resolución de problemas, modelado y entrenamiento en habilidades de comunicación (Arce y Fariña, 2007).

En relación con la eficacia de los tratamientos psicológicos de los delincuentes, entre 1985 y la actualidad se han desarrollado alrededor de 50 revisiones meta-analíticas. El mensaje esencial de los meta-análisis ha sido que los tratamientos psicológicos tienen un efecto parcial pero significativo en la reducción de las tasas de reincidencia (Hollin, 2006; McGuire, 2004): logran en promedio una reducción de la reincidencia delictiva de alrededor de 10 puntos, para tasas base de reincidencia del 50% (Cooke y Philip, 2001; Cullen y Gendreau, 2006; Lösel, 1996; McGuire, 2004; Redondo y Sánchez-Meca, en preparación), y los mejores tratamientos llegan a obtener reducciones superiores a 15 puntos (algunos programas, los mejores de todos, de entre 15 y 25 puntos). En otras palabras, el tratamiento puede reducir la reincidencia esperada en proporciones de alrededor de 1/3 (y, dependiendo de la calidad de las intervenciones, de entre 1/5 y 1/2).

PREDICCIÓN DEL RIESGO DE CONDUCTA ANTISOCIAL

En la actualidad, en paralelo al tratamiento de los delincuentes, se está desarrollando con fuerza la evaluación del riesgo de violencia y delincuencia que puedan presentar, ya sea antes o después de un tratamiento. Con esta finalidad se han construido y se están aplicando diversos instrumentos de predicción de riesgo, a los que se hará referencia en los trabajos que siguen a éste.

CONCLUSIÓN

En el primer trabajo de este monográfico sobre violencia se han presentado los avances y posibilidades de la psicología en el análisis de la delincuencia, lo que ha dado lugar al desarrollo, en el plano internacional, de una auténtica *Psicología de la delincuencia*. En concreto, se ha ilustrado cómo la psicología cuenta con buenas teorías y explicaciones de la delincuencia, con análisis precisos del inicio, mantenimiento y desistimiento en las carreras delictivas y, especialmente, con sólidos tratamientos psicológicos que logran resultados notables en la disminución de

las tasas de reincidencia en el delito. También se han anticipado, para su presentación en el siguiente artículo, las posibilidades de la psicología en lo relativo a la valoración del riesgo de violencia. Como resultado de todo lo anterior, un número considerable de psicólogos trabajan en los países desarrollados en los ámbitos del análisis, predicción, prevención y tratamiento de la delincuencia.

Frente a lo anterior y para finalizar, quiere llamarse la atención del lector sobre el desequilibrio que existe en la actualidad entre todos estos desarrollos psicológicos en un campo de tanta relevancia social, como lo es el de la violencia y la delincuencia, y, en contraste, la escasísima presencia que dichos conocimientos tienen en la actual formación universitaria de los psicólogos. Los planes de estudio de Psicología son en general ajenos a los conocimientos y desarrollos profesionales de la Psicología de la delincuencia, algo que, en bien de la proyección científica y aplicada de la psicología, debería ser remediado en el futuro.

Agradecimientos: Este trabajo se ha realizado en el marco del desarrollo de los proyectos de investigación SEC2001-3821-C05-01/PSCE y SEJ2005-09170-C04-01/PSIC del Ministerio de Educación y Ciencia del Gobierno de España.

REFERENCIAS

Agnew, R. (2006). *Pressured into crime: an overview of general strain theory*. Los Ángeles: Roxbury Publishing Company.

Akers, R.L. (2006). Aplicaciones de los principios del aprendizaje social. Algunos programas de prevención y tratamiento de la delincuencia. En J.L. Guzmán Dálbora y A. Serrano Maíllo, *Derecho penal y criminología como fundamento de la política criminal: estudios en homenaje al profesor Alfonso Serrano Gómez* (pp. 1117-1138). Madrid: Dykinson.

Akers, R.L. y Sellers, C.S. (2004). *Criminological theories: Introduction, evaluation and aplication*. Los Angeles (EEUU): Roxbury Publishing Company.

Andrés-Pueyo, A. y Redondo, S. (2004). *Predicción de la conducta violenta: estado de la cuestión*. Comunicación presentada en la Mesa 4ª: Evaluación y predicción de la violencia, en el Congreso de Criminología: Violencia y Sociedad. Salamanca, 1-3 de abril.

Andrews, D. y Bonta, J. (2006). *The Psychology of Criminal Conduct* (4ª ed.). Cincinnati (EEUU): Anderson Publishing Co.

Arce, R. y Fariña, F. (2007). Intervención psicosocial con maltratadores de género. En J.M. Sabucedo y J. Sanmartín, *Los escenarios de la violencia* (pp. 29-43). Barcelona: Ariel.

Bandura, A. (1987). *Teoría del Aprendizaje Social*. Madrid: Espasa-Calpe.

Bartol, C.R. y Bartol, A.M. (2005). *Criminal Behavior: A Psychological Approach*. Upper Saddle River, New Jersey: Prentice Hall.

Blackburn, R. (1994). *The psychology of criminal conduct: Theory, research and practice*. Chichester, Reino Unido: Wiley.

Brown, S. (2005). *Treating sex offenders*. Cullompton, Devon (Reino Unido): Willan Publishing.

Cooke, D.J. y Philip, L. (2001). To treat or not to treat? An empircal perspective. En C.R. Hollin (Ed.), *Offender assessment and treatment* (pp. 17-34). Chichester (Reino Unido): Wiley.

Cullen, F.T. y Gendreau, P. (2006). Evaluación de la rehabilitación correccional: política, práctica y perspectivas. En R. Barberet y J. Barquín, *Justicia penal siglo XXI: Una selección de Criminal Justice 2000* (pp. 275-348). Granada: Editorial Comares.

Dobash, R. y Dobash, R.E. (2001). Criminal justice programmes for men who assault their partners. En C.R. Hollin (Ed.), *Offender assessment and treatment* (pp. 379-389). Chichester (Reino Unido): Wiley.

Dowden, C. y Andrews, D.A. (2000). Effective correctional treatment and violent reoffending: A meta-analysis. *Canadian Journal of Criminology, October*, 449-467.

Echeburúa, E., Fernández-Montalvo, J. y Amor, P.J. (2006). Psychological treatment of men convicted of gender violence. *International Journal of Offender Therapy and Comparative Criminology, 50(1)*, 57-70.

Edwards, D.L., Schoenwald, S.K., Henggeler, S.W. y Strother, K.B. (2001). A multilevel perspective on the implementation of Multisystemic Therapy (MST): attempting dissemination with fidelity. En G.A. Bernfeld, D.P. Farrington, y A.W. Leschied, *Offender rehabilitation in practice: Implementing and evaluating effective programs* (pp. 97-120). Chichester: Wiley.

Eysenck, H.J. y Gudjonsson, G.H. (1989). *The causes and cures of criminality*. Nueva York: Plenum Press.

Farrington, D.P. (1992). Criminal career research in the United Kingdom. *British Journal of Criminology, 32*, 521-536.

Farrington, D.P. (1996). The explanation and prevention of youthful offending. En P. Cordelia y L. Siegel (Eds.): *Readings in contemporary criminological theory*. Boston: Northeastern University Press.

Garrido, V. (2005). *Qué es la psicología criminológica*. Madrid: Editorial Biblioteca Nueva.

Garrido, V., Stangeland, P. y Redondo, S. (2006). *Principios de Criminología* (3ª ed.). Valencia: Tirant lo Blanch.

Goldstein, A.P. y Glick, B. (2001). Aggression Replacement Training: application and evaluation management. En G.A. Bernfeld, D.P. Farrington, y A.W. Leschied, *Offender rehabilitation in practice: Implementing and evaluating effective programs* (pp. 121-148). Chichester: Wiley.

Hanson, R.K. y Bussière, M.T. (1998). Predicting relapse: A meta-analysis of sexual offender recidivism studies. *Journal of Consulting and Clinical Psychology, 66*, 348-362.

Hirschi, T. (1969). *Causes of delinquency*. Berkeley (EEUU): University of California Press.

Hollin, C.R. (2006). Offending behaviour programmes and contention: evidence-based practice, manuals, and programme evaluation. En C.R. Hollin y E.J. Palmer (Ed.), *Offending behaviour programmes* (pp. 33-67). Chichester (Reino Unido): Wiley.

Howell, J.C. (2003). *Preventing and reducing juveniles delinquency*. Thousand Oaks (EEUU): Sage Publications.

Laws, D.R. (2001). Relapse prevention: reconceptualization and revision. En C.R. Hollin (Ed.), *Offender assessment and treatment* (pp. 297-307). Chichester (Reino Unido): Wiley.

Loeber, R., Farrington, D.P. y Waschbusch, D.A. (1998). Serious and violent juvenile offenders. En R. Loeber y D.P. Farrington (Eds.), *Serious and violent juvenile offenders* (pp. 313.345), Thousand Oaks, CA: Sage.

Lösel, F. (1996). What Recent Meta-Evaluations Tell us About the Effectiveness of Correctional Treatment. En G. Davies, S. Lloyd-Bostock, M. MacMurran y C. Wilson (Eds.), *Psychology, Law, and Criminal Justice: International Developments in Research and Practice*. Berlín: De Gruyter.

Marlatt, G.A. y Gordon, J.R. (1985). *Relapse prevention: Maintenance strategies in the treatment of addictive behaviors*. New York: Guilford Press.

Marshall, W.L. y Redondo, S. (2002). Control y tratamiento de la agresión sexual. En S. Redondo (Coord.),

Delincuencia sexual y sociedad (pp. 301-328). Barcelona: Ariel.

McGuire, J. (2001). Defining correccional programs. En L. Motiuk y R.C. Serin (Eds.), *Compendium 2000 on Effective Correccional Programming* (Cap. 1). Ottawa (Canadá): Correccional Service of Canada.

McGuire, J. (2004). Commentary: promising answers, and the next generation of questions. *Psychology, Crime & Law, 10(3)*, 335-345.

Milan, M.A. (2001). Behavioral approaches to correctional management and rehabilitation. En C.R. Hollin (Ed.), *Offender assessment and treatment* (pp. 139-154). Chichester (Reino Unido): Wiley.

Moffitt, T.E. (1993). Adolescence-limited and life-course-persistent antisocial behavior: A developmental taxonomy. *Psychological Review, 100*, 674-701.

Novaco, R.W., Ramm, M. y Black, L. (2001). Anger treatment with offenders. En C.R. Hollin (Ed.), *Offender assessment and treatment* (pp. 281-296). Chichester (Reino Unido): Wiley.

Palmer, E. (2003). *Offending behaviour: Moral reasoning, criminal conduct and the rehabilitation of offenders*. Cullompton, Devon (Reino Unido): Willan Publishing.

Quinsey, V.L., Harris, G.T., Rice, M.E. y Cormier, C.A. (1998). *Violent offenders. Appraising and managing risk*. Washington: American Psychological Association.

Redondo, S. (2007). *Manual para el tratamiento psicológico de los delincuentes*. Madrid: Pirámide.

Redondo, S., Pozuelo, F. y Ruiz, A. (en prensa). El tratamiento en prisiones: investigación internacional y situación en España. En A. Cerezo y E. García-España, *Manual de criminología penitenciaria*.

Redondo, S. y Sánchez-Meca, J. (en preparación). The State of the Art of offender rehabilitation: an analysis of 20 years of meta-analysis.

Ross, R. y Fabiano, E. (1985). *Time to think. A cognitive model of delinquency prevention and offender rehabilitation*. Johnson City, Tennese: Institute of Social Sciences and Arts.

Tittle, C. (2006). Desarrollos teóricos de la Criminología. En R. Barberet y J. Barquín (ed.), *Justicia penal siglo XXI*. (pp. 1-54). Granada: Editorial Comares.

Tong, L.S. y Farrington, D. (2006). How effective is the "Reasoning and Rehabilitation" programme in reducing reoffending? A meta-analysis of evaluations in four countries. *Psychology, Crime & Law, 12 (1)*, 3-24.

Terapia institucional. Planteamiento de intervención en menores

———— *AGUSTIN BUENO BUENO*

Profesor de la Universidad de Alicante. Departamento de Psicología de la Salud

Con frecuencia, si se pregunta en un centro o institución de tratamiento de menores cuál es el planteamiento educativo o reeducativo con el que allí se trabaja (y lo que no está en duda es que se trabaja, y mucho), es fácil que nos encontremos con una de las siguientes respuestas:

— Un documento lleno de principios como «educación personalizada», «formación integral», «superación de la marginación», etcétera.

— En otros casos puede que no exista tal documento y que el estilo de intervención dependa del director del momento y de la iniciativa de cada educador que conoce unas técnicas u otras.

— En otros casos podemos hallar como planteamiento educativo un listado de normas, horarios y actividades reglamentadas.

Lo que a continuación se plantea es una forma global de abordar la intervención institucional con menores. Global, como fruto de un análisis de la problemática común a la población atendida, pero concreta en cuanto a su utilización, y sin menoscabo de las intervenciones particulares que cada caso requiera.

1. SUPUESTO BASICO GENERAL DE DIAGNOSTICO

Los niños que llegan a una institución de menores tienen, todos ellos, un doble denominador común en su problemática social de origen: la pobreza extrema y la ruptura o distorsión del núcleo familiar. Esta formulación estructural de la problemática originaria de su situación puede tener también una expresión funcional de «descuido, desamparo, abuso, malos tratos, abandono».

Da igual el nivel de formulación que se emplee. Ambos remiten a una etiología social de su problemática, en términos más generales o más inmediatos al individuo. La repercusión en la salud, física o psíquica del niño es que en su mayoría no se les puede considerar enfermos. No presentan patologías orgánicas o mentales que los puedan delimitar como una población enferma propiamente dicha. En cambio, sí presentan prácticamente todos alteraciones en su desarrollo cognitivo, afectivo y social (Apisma-Gese, 1981). Tales alteraciones representan lo que Ajuriaguerra (1976) denomina «variaciones de la normalidad». Variaciones que son estilos cognitivos y reactivos peculiares o excepcionales estadísticamente, no por el extremo superior de la curva, sino por el inferior, ya que suponen estilos de funcionamiento poco frecuentes y menos adecuados al éxito dentro de la sociedad general en que vivimos. Podemos decir que se encuentran, en gran proporción, en la frontera entre lo considerado «normal» y lo considerado patológico.

El origen de tales alteraciones hay que atribuirlo a los esquemas relacionales —de interacción y contexto social— en que han vivido estos niños sus primeros años de vida (A. Bueno, 1990). Cuando llegan al centro (casi siempre después de los seis años) han pasado los años de mayor plasticidad y adaptabilidad de su organismo y de su mente en un contexto caracterizado por un cúmulo de necesidades, aun las básicas, no satisfechas o satisfechas de forma muy deficiente. Han vivido en un contexto de violencia, de explosión emocional, de falta de intimidad; en un contexto relacional y vital donde tenía muy poca cabida la toma de decisiones lógicas y planificadas, donde hay que repentizar continuamente, donde cualquier evento natural o social puede ser una grave amenaza...

Esta realidad existencial en que nace y se cría el niño produce un doble efecto en su desarrollo:

— La adaptación al contexto social y relacional inmediato le lleva a desarrollar las habilidades, destrezas y reacciones que facilitan el éxito y la supervivencia en ese medio.

— Inseparable del efecto adaptativo anterior, se produce la paulatina adaptación al con-

texto social general de la sociedad en la que vive y en la que debería insertarse como adulto futuro, por la sencilla razón de que no tiene un ambiente en el que poder observar y ejercitar los valores, habilidades y pautas de conducta que propician una inserción social no conflictiva (o menos conflictiva) en tal sociedad (J. Valverde, 1988).

Este es, a grandes rasgos, el diagnóstico general y su etiología del niño que llega a una institución. Esta generalidad no ha de eliminar la necesidad de un estudio inicial, porque dentro de este esquema general caben muchas matizaciones; pero el paradigma que hemos presentado nos permite pasar a los planteamientos comunes de intervención, donde igualmente se ha de poder conjugar lo general con lo individual.

2. SUPUESTO BASICO DE TRATAMIENTO

Visto el diagnóstico general anterior, el camino de intervención más adecuado ha de ser el de abordar la problemática del contexto social antes que la individual. Esto supone que un niño no sale de su medio sociofamiliar si antes no se han agotado todos los cauces de interven-

ción en ese medio. La premisa es clara: el niño no es el problema originario ni el central. Otra cosa es cuando no existen o son ineficaces las medidas de intervención sociofamiliar, lo cual es muy frecuente en nuestra realidad.

Cuando se llega a la conclusión de que un niño se está deteriorando sin remedio en su medio familiar es cuando tiene sentido plantearse una alternativa de acogimiento familiar prolongado o el ingreso en un centro de menores, según circunstancias. En este último caso el tratamiento institucional «ha de ofrecer un ámbito relacional sano, abierto y libre de prejuicios, en el cual el individuo pueda expresarse tal como es, con espontaneidad, sin temor a sentirse rechazado o amenazado por eso; pero al mismo tiempo va a recibir las reacciones, también sanas y espontáneas, del nuevo entorno hacia sus conductas, de manera que pueda ir realizando los ajustes

personales y comportamentales que le permitan una convivencia gratificante y le generen unos esquemas relacionales nuevos y utilizables por él en el futuro».

A este planteamiento básico de tratamiento es a lo que denominamos *terapia institucional*. En la breve formulación anterior hay implícitos los siguientes puntos fundamentales:

— Ningún chico/a debe entrar en la institución engañado ni forzado. Puede venir por decisión de otros, pero si él no quiere permanecer se podrá marchar en cualquier momento.

— Cuando se trata de chicos mayores debe saber claramente por qué está en la institución y no en su casa.

— Las necesidades básicas han de estar ampliamente cubiertas.

— La convivencia diaria ha de ser en grupo reducido, donde pueda sentirse persona y no un número.

— Ha de haber adultos, con formación y experiencia, cercanos al chico y con dedicación exclusiva al grupo.

— La convivencia en el grupo ha de estar basada en el respeto a la persona y a su dignidad.

— La convivencia ha de ser no amenazante, el niño ha de sentirse seguro en el grupo y

en la institución, tanto respecto a peligros externos como internos.

— Hay que facilitar un ambiente de convivencia donde el respeto hacia el niño y su total seguridad no impidan las reacciones espontáneas del grupo (niños y adultos) hacia las conductas de cada uno (incluidos adultos).

3. ELEMENTOS EXTERNOS U ORGANIZATIVOS DE LA TERAPIA INSTITUCIONAL

Nos referimos aquí a aquellos aspectos asequibles a la observación directa de quien se acercase a la institución sin necesidad de convivir o profundizar en ella.

3.1. EL GRUPO PEQUEÑO COMO UNIDAD DE FUNCIONAMIENTO

La convivencia diaria no puede desarrollarse en un clima personal y terapéutico, tal como lo hemos señalado, si el número de personas que interactúan no permite la relación interpersonal directa y frecuente de uno a uno y de todos a todos.

A la fuerza se han de generar estilos de vida diferentes y han de ser interiorizados esquemas relacionales distintos en dos instituciones de 50 chicos cada una, si en A la unidad de funcionamiento diario es de los 50 (incluso dos subgrupos de 25), y en B la unidad de funcionamiento es de siete (siete subgrupos de siete chicos cada uno).

No es relevante en sí misma, sino simbólica, la denominación que se aplique a tales unidades de funcionamiento, sea grupo «tal cual», tutoría, u hogar funcional. Pero sí ha de quedar claro que no se trata de reproducir una sustitución de la familia, con roles y relaciones paterno-filiales. En tal sentido es más claro el término grupo (M. Capul, 1972).

Son preferibles los grupos mixtos por las mayores posibilidades educativas que ofrecen. No obstante si no puede darse una proporción de chicos y chicas equilibrada, puede resultar ficticio y contraproducente. Y no es equiparable en edades superiores la demanda de chicas a la

de chicos (A. Bueno, M. A. Segura y otros, 1987).

3.2. LOS EDUCADORES

En cada grupo son necesarios tres adultos por lógicas exigencias laborales, aunque en estricto sentido bastaría con dos (el tercero viene a ser un complemento y un apoyo). Es importante apuntar la necesidad de que en cada grupo haya un adulto hombre y otro mujer, no como figuras paterna y materna, sino como figuras referenciales y relacionales.

Otra característica a destacar en los educadores es que han de ser personas cercanas a los niños. Este término de cercanía es amplio y comprende desde aptitudes lingüísticas hasta resistencia física, aficiones y accesibilidad. Tras este rasgo subyace un problema de difícil solución: la edad del educador. ¿Hasta qué edad se está en condiciones de ser educador/a? ¿Y luego, qué?

Otro problema que subyace en las características del educador es sin voluntariado o profesionalidad. El problema surge si se dicotomiza el rasgo: «o... o...». Pero no tendrían por qué ser dos extremos enfrentados. Cabe la profesionalización del voluntario y cabe que el profesional conser-

ve la ilusión con que inició su trabajo. Si esto no se da, la institución misma tiene buena dosis de responsabilidad en ello.

3.3. EQUIPAMIENTO

Nos referimos aquí a la vivienda, mobiliario de la misma, electrodomésticos, alimentación, juegos, material escolar, vestuario, etcétera, al hábitat físico del grupo y del chico. Este hábitat hay que concebirlo también como elemento educativo presente por su uso y abuso, y como elemento a interiorizar de cara a su inserción social adulta. El medio ambiente físico es instrumento clave en la facilitación e incremento de experiencias, que a su vez van a desarrollar habilidades, aficiones e intereses.

Es difícil educar a un niño en el uso del teléfono o la nevera si están cerrados con llave que sólo usa el educador, o si están en tal dependencia donde siempre se accede acompañado de un adulto. La nevera será un elemento educativo en la medida en que se pueda hacer buen o mal uso de ella y de lo que contiene con toda libertad.

En este sentido nos limitaríamos a decir que el equipamiento debe ser normal y normalizador. Como el término «normal» es muy ambiguo podríamos precisarlo como un equipamiento de clase media para tener un horizonte de referencia. En algunos aspectos no debe preocuparnos el marcarlo como «enriquecido», sobre todo en lo referente a composición alimenticia, a cuidados de higiene y salud, y a posibilidades de experiencias. Lo cual no debe, ni tiene por qué, significar desclasamiento sino promoción social.

El término «enriquecido» tampoco ha de tener una traducción económica estricta. No se consigue una determinada calidad de vida sin incrementar los costos, pero no es este aspecto el determinante. Por «enriquecido» nos referimos especialmente al contenido estimulador que debe tener el hábitat educativo. Un contexto de gran centro, de macro grupo, puede tener instalaciones y servicios mucho más complejos y más costosos; sin embargo, será menos facilitador de experiencias, menos estimu-

lante para el chico, aunque sólo sea por las medidas disciplinares que exige su funcionamiento.

3.4. EQUIPO TECNICO

En un centro de estas características es necesaria la presencia de un equipo técnico completo; al menos psicólogo, trabajador social y médico, con mayor o menor dedicación según el número global de chicos atendidos.

Esta exigencia, que no es compartida por muchas instituciones de menores, tiene su justificación en conexión directa con lo dicho sobre equipamiento enriquecido. Con frecuencia se toma el criterio de normalización como eje de la organización, y a partir de ahí se determinan las características del recurso institucional. Como lo normal es acudir a los servicios sociales, médicos o psicológicos, de la población general, se determina que estos niños hagan de la misma manera.

Si queremos que la institución contrarreste los déficit adquiridos por el chico en su contexto de origen, no podemos darle los recursos normales de la población general. Con ellos conseguiríamos, en el mejor de los casos, y supuesto que tales servicios existiesen y funcionasen bien,

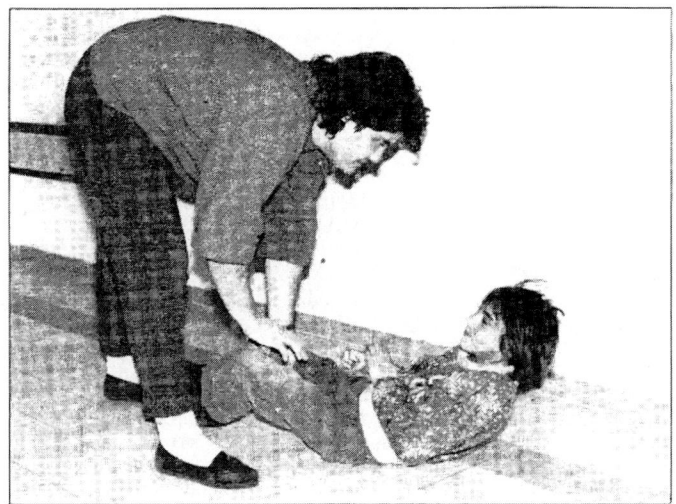

que los déficit no se incrementen, pero nunca que disminuyan.

Es utópico pensar que vamos a poder llevar a estos chicos a revisiones médicas o psicológicas periódicas y exhaustivas en los ambulatorios de la Seguridad Social, o que los servicios sociales de base van a realizar un seguimiento continuado de la problemática sociofamiliar una vez que el chico esté en el centro. Y éstas son cosas imprescindibles si queremos que el paso por la institución no haya sido un mero paréntesis en su vida.

El equipo técnico hay que concebirlo efectivamente como equipo, no como profesionales independientes, sino coordinados en el análisis y tratamiento de la realidad bio-psico-social interactuante que es la persona. El trasvase de información entre ellos y los programas de tratamiento conjunto han de ser inevitables.

Por otra parte, el equipo técnico ha de ser asequible, cercano, sobre todo, a los educadores como transmisores y receptores de la información, y como apoyo especializado en la tarea educativa; pero también asequibles al chico. Los profesionales de equipo técnico no deben ser fi-

guras de despacho que irrumpen en la vida del niño de modo esporádico y estrictamente especializado, por las razones que luego veremos.

4. ELEMENTOS INTERNOS O DE ACTUACION EN LA TERAPIA INSTITUCIONAL

Incluimos en este apartado los aspectos estrictamente educativos que consideramos imprescindibles en la terapia institucional. No son principios pedagógicos, aunque en algún momento pueda parecerlo. Son instrumentos de intervención educativa e inductores del cambio relacional y comportamental. Implican estilos de vida que, al estar enraizados en el funcionamiento de los grupos y en las actitudes de los educadores, generan el clima institucional de carácter terapéutico y, a la vez, dan clave de sentido a los elementos externos antes expuestos.

4.1. CONCEPCION DE LA INSTITUCION

En la mente de todas las personas (adultos y niños) que forman parte de la institución subyace siempre una concepción de la misma que es quien da la clave interpretativa de sus diversas formas de funcionamiento.

Es necesario que la concepción de la institución sea clara y compartida. No valen tanto las formulaciones programáticas cuando la realidad que se vive y se comparte, porque eso es lo que de hecho se transmite. La concepción que tengan los adultos respecto de la institución en la que trabajan será la que transmitan a los chicos que en ella viven.

La concepción de institución de menores que subyace en este planteamiento podemos resumirla en: Institución abierta, institución no-total, institución transitoria.

4.1.1. INSTITUCION ABIERTA

Ya dijimos que no concebíamos la presencia de un chico en la institución de manera forzada. El argumento último es bien claro: de manera forzada no puede haber acción educativa de crecimiento, por la sencilla razón de que no hay receptividad.

Es imprescindible que el chico se sienta a gusto en la institución. No vamos a ser tan ingenuos de pretender que sea planteamiento feliz o que prefiera estar en el centro más que en su familia (aunque en algunos casos esto también ocurre). Pero sí hay que conseguir que el chico no esté a disgusto, que el balance de pros y contras que él pueda hacer resulte favorable a la permanencia; y en caso contrario que pueda marcharse sin especiales dificultades. La institución cerrada, que aísla al chico de la realidad exterior, tiene escaso o nulo valor como generadora de conductas positivas.

Nos referimos a la institución como «abierta» no sólo en sentido físico, sino abierta a la realidad social polifacética y cambiante. Por lo tanto adaptable, no rígida, a la evolución de la sociedad, a las características de la población atendida.

4.1.2. INSTITUCION NO-TOTAL

No es bueno que la institución se autobaste a sí misma. No es suficiente que sea abierta, en cuanto posibilidad de marcharse de ella, es necesario que además haya que salir de ella para realizar determinadas actividades: comprar cosas, ir al colegio, practicar un deporte, etcétera.

Hay que evitar que la institución se convierta en un microcosmos donde todo tiene su principio y su fin, donde conductas inadaptadas acaban convirtiéndose en conductas pseudoadaptadas por generalización.

Si no hay contacto fácil con el exterior nunca sabremos en realidad si la acción educativa está siendo eficaz, no nos sirve como pronóstico.

4.1.3. INSTITUCION COMO FENOMENO TRANSITORIO

Sea cual sea la edad y la problemática con la que llegue un niño a la institución hay que concebir su estancia en ella como algo transitorio. Esta concepción debe estar clara tanto para los adultos como para los niños. Sin marcar expresamente plazos concretos que generan ansiedad, pero con el horizonte de que en cuanto cambien las circunstancias que motivaron el ingreso, la institución ha dejado de tener sentido. Al mismo tiempo procurando que tales circunstancias cambien cuanto antes.

Esta idea implícita de transitoriedad tiene una premisa importante para los responsables de las admisiones. El ingreso en institución es un recurso especializado que tiene sentido cuando se han agotado los pasos previos de intervención directa con el chico en el medio sociofamiliar de origen.

La transitoriedad de la institución tiene también consecuencias en el proceso a seguir. El niño va a estar un tiempo en la institución, el menor posible, mientras cambian las circunstancias personales o familiares que dieron origen al ingreso. Durante ese tiempo el objetivo es ir contrarrestando déficit y normalizando esquemas relacionales y de conducta. Este proceso de «normalización», si el deterioro inicial era muy fuerte y se prevé una institucionalización más larga, debe ser gradual.

En estos casos de mayor deterioro inicial ni se debe trasplantar al chico, sin más, a su ambiente de origen tras cuatro años en el centro, ni se le puede situar desde el principio en un piso, en un barrio distinto de la ciudad, donde él, sin duda, reproduciría los mismos conflictos que en su barrio. En estos casos la gradación del proceso normalizador es intrainstitucional, lo cual queda facilitado si el chico pasa un primer período en uno de los grupos internos de la institución y luego pasa a uno de los pisos situados en algún barrio de la ciudad.

4.2. EDUCACION A PARTIR DE LAS RELACIONES INTERPERSONALES

Si la concepción de la institución era un elemento latente, aunque imprescindible, en la terapia institucional, las relaciones interpersonales que en ella se viven a todos los niveles, son el elemento educativo manifiesto y directo, lo que pretendemos que quede almacenado en su memoria como posibilidad de futuro.

4.2.1. LAS RELACIONES INTERPERSONALES INTRAGRUPO

El propio grupo de chicos, los seis o siete que conviven día a día, son, junto con los educadores, el principal elemento educativo.

Esto, dicho así, puede resultar un contrasentido. Evidentemente si se trata de un grupo que empieza, todos nuevos, la fuerza educativa dimana casi exclusivamente de los educadores. Pero cuando el grupo, un núcleo central del mismo, ha entrado en el proceso reeducativo, es él mismo quien mejor puede acoger, apoyar y contrastar al nuevo que llega.

Esto supone que el grupo tiene un margen de autonomía en su funcionamiento, que se responsabiliza, en la medida de su edad y capacidades, de actividades que repercuten en la vida de todos. Supone también que los conflictos que se generan en el grupo se resuelven también en el grupo.

4.2.2. LAS RELACIONES INTERPERSONALES MENOR-EDUCADOR/A

Los educadores respectivos son miembros del grupo, por supuesto; su actividad está toda y exclusivamente volcada hacia ese grupo en su conjunto y a cada uno de los miembros. Pero no es un miembro más del grupo. La cercanía que decíamos antes no es sinónimo de equiparación. Es un equilibrio difícil el que ha de ejercitar el educador.

Efectivamente para que el educador sea elemento clave de la terapia institucional ha de ser uno más en la vida cotidiana: en las tareas domésticas, en la alimentación, en los horarios, en las actividades lúdicas, etcétera; y al mismo tiempo ha de estar claro para él y para los chicos que es el responsable de la marcha del grupo ante la institución.

El equilibrio entre estas dos realidades ineludibles es lo que acaba convirtiendo al educador/a en figura de apego (J. Bowlby, 1976), que da seguridad y confianza a la par que inspira respeto. A partir de este sutil ejercicio el educador/a resulta eficaz como figura referencial, sus reacciones y valoraciones ante la conducta del chico son aceptadas e incorporadas por éste, y puede convertirse en modelo de aprendizajes.

4.2.3. LAS RELACIONES INTERPERSONALES, ENTRE EL MENOR Y OTROS ADULTOS

En una lógica escala inferior, las relaciones del menor con el resto del personal adulto de la institución (equipo técnico, educadores de otros grupos) han de seguir un estilo similar al señalado para las relaciones del menor con sus educadores.

No interesa el técnico supercapacitado, pero frío y distante. Aunque su incidencia en la vida del chico sea mucho menos intensa que la del educador propio, el hecho de que mantenga ese mismo esquema relacional contribuye a la generalización de conductas.

4.2.4. LAS RELACIONES INTERPERSONALES DE LOS ADULTOS ENTRE SI

Es el punto que completa el clima de terapia institucional. Si los chicos viesen, y son pequeños, pero no tontos, que una cosa es el modo de relacionarse los educadores con él, y otro distinto y contrario el modo de relacionarse los adultos entre sí, la conclusión que sacarían sería muy distinta.

La eficacia, la profesionalidad, la seriedad del contrato laboral de los adultos de la institución no pueden estar reñidas con unas relaciones entre ellos basadas en el respeto, la confianza, el apoyo, la estima.

Ahora bien, para que se dé este clima institucional terapéutico es necesario que los adultos se sientan implicados personalmente en la marcha de la institución. Esto supone que la información es clara y fluida, que son partícipes del proceso institucional y de la toma de decisiones, que viven su actividad sin amenaza, que se sienten apoyados y apreciados, que se valora su actividad y su esfuerzo, que si hay algo que rectificar se realiza desde la búsqueda conjunta de lo mejor para el chico.

Es aquí, en este nivel, donde inicialmente hay que incidir para que pueda generarse una dinámica en cascada del clima institucional, el cual irá bajando hasta los niveles elementales de la convivencia interna del grupo de chicos. Quizás esta última no se consiga siempre y en cada momento, pero será un emergente que flota y se respira.

Cuando esta dinámica, por lo que sea, se rompe, hay que prever un incremento rápido de la conflictividad entre los chicos.

4.3. MEDIANTE ACTITUDES DE...

No es necesario explicarlas, creo. Baste la simple enumeración:

— Respeto a la persona, por el mero hecho de ser persona.

— Respeto a sus derechos y a su dignidad.

— Valoración positiva incondicional (C. Rogers, 1972). Se pueden valorar negativamente determinados hechos o conductas, siempre que quede claro que la persona no está juzgada, que sigue contando con nuestro aprecio y valoración positiva por encima de las circunstancias concretas.

— Empatía.

— Ejercitar un «feed-back» correcto, descriptivo, no evaluativo.

— Equilibrio entre afecto y autoridad; fundamentando la autoridad más en la confianza y el prestigio que en el poder.

— Respeto a la intimidad del niño y de su historia, y a la de su familia.

— Respeto al ritmo de apertura y progreso de cada chico.

5. PERSPECTIVAS DE INTERVENCION EN EL PROCESO TERAPEUTICO INSTITUCIONAL

El proceso terapéutico institucional puede contemplarse y actuarse desde diversos ángulos:

5.1. DESDE EL DESARROLLO FISICO

Engloba los aspectos relativos a calidad de vida, hábitos y modos de actuación en facetas tan importantes como la salud, la higiene o la alimentación.

Con frecuencia se piensa que esta visión de la institución es una faceta asistencial, meramente paliativa. Será así si es el horizonte único del trabajo institucional. Pasará a ser elemento terapéutico, rehabilitador y de reinserción si repara déficit importantes anteriores y sus secuelas; y lo será si, conectado con los restantes elementos del proceso, se convierte en generador de un estilo de vida y de un horizonte de aspiración.

5.2. DESDE LA GENESIS DE HABITOS DE CONVIVENCIA Y RELACION INTERPERSONAL

Es el elemento esencial del proceso, tal como lo hemos señalado antes, en el cual se han de incardinar los restantes.

5.3. DESDE EL DESARROLLO COGNITIVO

El desarrollo cognitivo del niño se produce en buena parte por procesos madurativos, igual que ocurre con el desarrollo físico. Pero la dirección e intensidad del desarrollo cognitivo que alcance cada niño dependerá de los «alimentos», estimulaciones, que le facilite el medio en que se desarrolle (J. Piaget, 1977), tanto de cara a la comprensión (asimilación) del mundo que le rodea, como para la inserción (acomodación) en el futuro.

5.4. DESDE EL CONTEXTO SOCIAL INMEDIATO

El trabajo realizado en la institución con el niño puede verse facilitado o dificultado por la necesaria, aunque no siempre asequible, intervención en el núcleo social inmediato de desarrollo: la familia.

Esta faceta de actuación puede pensarse que queda fuera del ámbito estricto del proceso terapéutico institucional. En cierto sentido es así, pero es innegable su repercusión en el mismo, de ahí el interés que debe tener la institución de que en paralelo se incida en el ámbito familiar.

Otra cosa es si puede o debe la institución intervenir directamente en el núcleo familiar del niño y hasta qué nivel. Es elemental una postura posibilista. Si hay otras instancias más cercanas a la familia, o con una buena historia previa de relaciones con ella, será preferible que sean esos profesionales los que prosigan interviniendo directamente, aunque ahora en coordinación con los profesionales de la institución. Si tal supuesto no se da, serán los mismos profesionales de la institución, básicamente trabajo social, quienes asuman la responsabilidad.

5.5. DESDE EL CONTEXTO SOCIAL GENERAL

Esta perspectiva de la intervención escapa totalmente a la dinámica interna del proceso institucional. Es más bien un condicionamiento implícito al mismo. Me refiero a los vaivenes, económicos y políticos de la sociedad general en que está insertada la institución.

La marginación social no es independiente de la evolución de la sociedad, sino, por el contrario, una consecuencia o subproducto de ella. Según cómo evolucione la sociedad irán cambiando las características y problemática de la población marginal, y las instituciones deberán afrontar tales cambios adaptándose a esas características.

La evolución de la sociedad es un fenómeno que queda fuera del ámbito de intervención del proceso terapéutico institucional, pero al mismo tiempo es algo que puede incidir fuertemente en él. Ello exige de la institución, y ése es el motivo de situarlo aquí, una actitud expectante y proyectiva de análisis continua-

do de la evolución social del país, sobre todo en los aspectos económicos, políticos y legislativos. Los procesos terapéuticos seguidos en la institución pueden quedar quebrados, lentificados o facilitados por esa dinámica de la sociedad general.

6. LA TERAPIA INSTITUCIONAL Y OTROS METODOS TERAPEUTICOS

Hay que salir al paso, antes de finalizar, a la lógica cuestión de si la TI es compatible o no con el empleo de otros métodos terapéuticos.

Tal como ha quedado expuesto el planteamiento de intervención desde la TI, deja perfecta cabida al empleo de la modificación de conducta, de la terapia cognitiva, o del psicoanálisis o de la dramatización, etcétera, como intervención específica en un caso determinado de un individuo o grupo.

Lo que no tiene sentido es generalizar los métodos específicos en un problema que es global-relacional. La terapia institucional plantea un camino abierto y flexible para la problemática central y común de estos niños, pero en ella tiene entrada cualquier método concreto, siempre que no atente a la dignidad de la persona y sea aceptado por ella.

REFERENCIAS

Apisma-Gese (1981): *Marginación social del menor. Origen, situación, alternativas.* Alicante CAAM.
Bueno, A. (1990): *Niños de la calle.* Barcelona: Cristianismo y justicia (en prensa).
Bueno, A.; Segura. M. A., y otros (1987): *Problemática social del menor.* Alicante: EU Trabajo Social.
Capul. M. (1972): *Los grupos reeducativos.* Buenos Aires: El Ateneo.
Bowlby. J. (1976): *El vínculo afectivo.* Buenos Aires: Paidós.
Piaget. J. (1977): *La equilibración de las estructuras cognitivas, problema central del desarrollo.* Madrid: Siglo XXI.
Rogers. C. (1972): *El proceso de convertirse en persona.* Buenos Aires: Paidós.
Valverde. J. (1988): *El proceso de inadaptación social.* Madrid: Edit. Popular.